D0901948

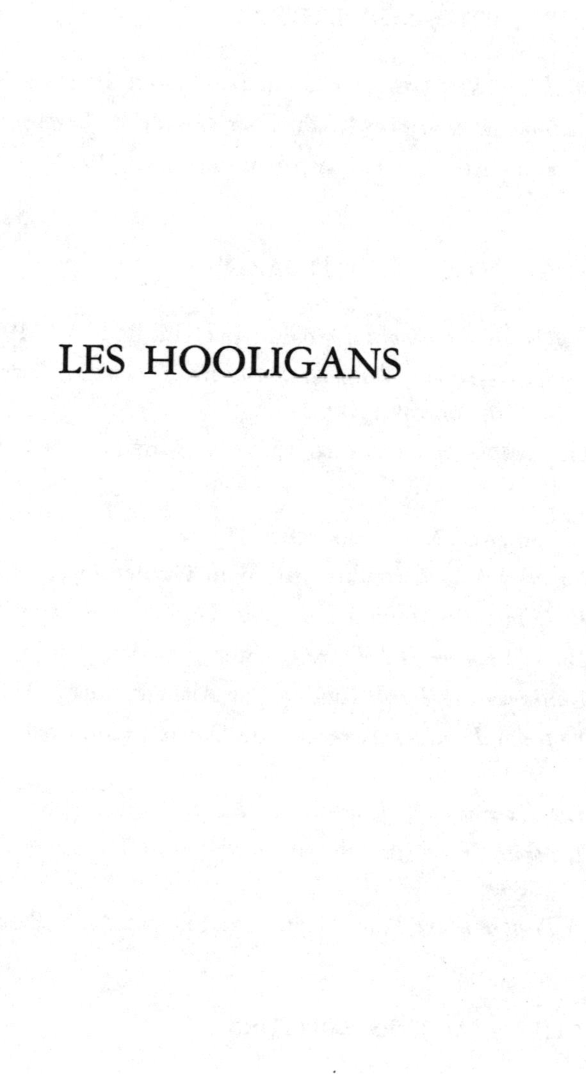

LES HOOLIGANS

DU MÊME AUTEUR

AUX ÉDITIONS DE L'HERNE

Mademoiselle Christina (traduit par Claude B. Levenson), 1978.

Andronic et le serpent (traduit par Claude B. Levenson), 1979.

Noces au paradis (traduit par M. Ferrand), 1981.

AUX ÉDITIONS GALLIMARD

Fragments d'un journal (traduit par Luc Badesco), 1973.

Les promesses de l'équinoxe (Mémoire, I), (traduit par Constantin N. Grigoresco), 1980.

Fragments d'un journal, II, 1970-1978 (traduit par C. Grigoresco), 1981.

Romans, récits et nouvelles :

La Nuit bengali (traduit par Alain Guillermou), 1950.

Forêt interdite (traduit par Alain Guillermou), 1955.

Le vieil homme et l'officier (traduit par Alain Guillermou), 1977.

Uniformes de général (traduit par Alain Paruit), 1981.

Le temps d'un centenaire suivi de *Dayan* (traduit par Alain Paruit), 1981.

Les dix-neuf roses (traduit par Alain Paruit), 1982.

Les trois Grâces (traduit par Marie-France Ionesco et Alain Paruit), 1984.

A l'ombre d'une fleur de lys... (traduit par Alain Paruit), 1985.

CHEZ D'AUTRES ÉDITEURS

L'Épreuve du labyrinthe (entretiens avec Cl.-H. Rocquet) (Belfond, 1978).

MIRCEA ELIADE

Les Hooligans

Roman

Traduit du roumain
par Alain Paruit

L'HERNE

Publié avec le concours du Centre
national des Lettres pour la traduction

41, rue de Verneuil, 75007 Paris

PREMIÈRE PARTIE

I

Petru Anicet arriva à sa leçon avec une demi-heure de retard. Annette l'attendait, comme à l'accoutumée, devant la grande fenêtre donnant sur le parc, les mains posées sur le rebord en pierre. A la voir si pâle, émue, on eût dit que de graves décisions dépendaient de l'arrivée de Petru. Le piano était ouvert, un cahier de Czerni sur le pupitre; à côté, sur un guéridon, l'habituel vase de fleurs en boutons.

– Adriana a encore déchiré un tableau, murmura-t-elle dès que Petru fut entré. Je l'ai caché ici, maman ne sait encore rien...

Elle le prit par la main et l'entraîna vers le fond de la pièce, plus sombre, rendu étrange par de vieux chandeliers jamais allumés, les uns suspendus au plafond, les autres alignés sur des étagères d'angle. Elle lui serrait la main sans nulle timidité; elle n'avait à présent plus rien à craindre – Adriana avait encore déchiré un tableau. Elle pouvait l'attirer auprès de son corps, elle pouvait le sentir si proche.

– Elle venait de le peindre, pas plus tard qu'hier!

Annette lui montra la toile : une croûte, inutilement fantastique, comme tous les tableaux de Mme Lecca. Il y avait eu une légende, mais la jeune fille ne s'en souvenait plus. Petru eut un regard vaguement mélancolique pour ce paysage fantomatique dont les grands arbres dénudés ressemblaient à s'y méprendre aux marronniers du parc. Au-dessus de ces squelettes, planait une vision chimérique, une sorte de spectre pourvu d'une aile et d'un bras nu de femme partiellement caché par un voile sur lequel on distinguait une croix rouge.

– Maman disait qu'elle voulait peindre le symbole d'*Inter Arma Caritas,* se rappela Annette.

Petru trouva un prétexte pour libérer sa main : il ramassa les morceaux et les examina à tour de rôle à la lumière. Il y en avait quatre. Comme pour les autres tableaux, comme pour le fameux *Mystère du cheval blanc,* déchiré la semaine même où les Lecca l'avaient engagé comme professeur de piano. Décidément, Adriana ne se laisse pas aisément décourager! Depuis cet hiver – très précisément depuis ce soir du 16 janvier où il est entré pour la première fois à la villa Tycho Brahé – elle a déchiré une vingtaine de toiles... Elle les déchirait à peine achevées, encore humides. Quant aux tableaux accrochés aux murs – dont certains grands et effrayants comme des draps souillés –, elle n'y touchait pas, elle ne se reconnaissait aucun droit sur eux. Mais elle n'épargnait pas la moindre toile humide, pas la moindre des petites toiles (Mme Lecca avait renoncé depuis quelques années aux sujets trop allégoriques, aux espaces trop vastes) que sa mère s'apprêtait à signer. (Mme Lecca choisissait à grand-peine l'endroit où elle apposerait sa signature. Elle distribuait parfois les lettres de son pseudonyme de peintre – Lelia – sur la ligne ronde d'un arc-en-ciel, sur le voile d'un ange, sur l'onde d'un ruisseau paradisiaque. La recherche de l'endroit approprié pour recevoir sa signature durait parfois plusieurs jours. Et le geste d'Adriana intervenait pendant cet intervalle.)

– Pourquoi tremblez-vous? demanda brusquement Petru en regardant son élève dans le blanc des yeux.

Annette n'en trembla que plus, au bord des larmes.

– Si vous saviez combien je souffre, chuchota-t-elle, vous ne pouvez pas imaginer combien je souffre dans cette maison...

Petru ne put s'empêcher de sourire : « dans cette maison »

était l'expression favorite d'Adriana. C'était ce qu'elle avait crié, le 16 janvier au soir, dix minutes seulement après qu'on lui avait présenté le nouveau professeur de piano : « Je vais devenir folle dans cette maison! » Et puis, quelques semaines plus tard : « Et vous aussi, vous allez devenir fou, et vite fait, si vous venez ici deux fois par semaine! » Il n'avait su que dire, qui regarder, quels yeux sains chercher. Par la suite, il s'y était habitué et aucune voix chez les Lecca ne lui faisait plus peur. Des maniaques pittoresques et inoffensifs, se disait-il au mois de mars, lorsque la neige avait fondu dans le parc et qu'il s'était mis à en aimer les arbres poussant au hasard, aux branches enchevêtrées, comme en un combat humain. Mais au début, en janvier, la villa Tycho Brahé l'intimidait encore. Le souvenir de sa première visite persistait et, chaque fois qu'approchait l'heure de la leçon, il se sentait mal à l'aise, nerveux, presque fébrile. M. Baly – ami de son père, patron de Pavel et, depuis leur mort, protecteur des Anicet – l'avait recommandé à M. Anastase Lecca, par une lettre chaleureuse et de nombreux coups de téléphone. Non sans avoir préalablement prévenu Petru : « Il est un peu maniaque, le vieux, l'aboutissement de plusieurs générations de nobles entichés d'astronomie. Il a été lui-même professeur à Polytechnique avant la guerre. Et il n'est pas gâteux, il a toujours été comme ça, tel que tu le verras... »

Petru avait eu du mal à trouver la villa Tycho Brahé. La rue était mal éclairée et, dans ce coin perdu de Bucarest, il n'y avait guère de passants; ceux qu'il avait croisés n'avaient pas pu lui fournir de renseignements utiles. Il avait tout de même fini par trouver la villa, mais les vraies difficultés avaient surgi à ce moment-là. La porte de la cour était grande ouverte, sans doute pour tout l'hiver puisque les congères atteignaient presque les pointes lancéolées des grilles. M. Baly lui avait dit de se présenter à cinq heures, or, à force d'errer, il arrivait à près de six heures. Il faisait déjà nuit noire et il s'était engagé à l'aveuglette dans une allée déblayée. Il craignait d'être attaqué à l'improviste par un chien : tout le poussait à penser qu'il devait se trouver dans un parc seigneurial gardé par des molosses. Il avait hâté le pas en apercevant enfin une lumière derrière les arbres. Et il avait frappé à la porte... de la cuisine.

– Je suis le nouveau professeur de piano. Mais, vraiment, ça ne brille pas du côté éclairage...

Il croyait que la cuisinière allait le diriger vers l'entrée principale, mais elle lui fit signe de la suivre au sous-sol – heureusement éclairé –, d'où elle l'amena dans une pièce pourvue, pour tout ameublement, d'un tapis roulé dans un coin et d'une chaise.

– On n'a pas déblayé la neige sur le perron, expliqua la cuisinière. Mais dites, vous voulez voir qui? Monsieur ou Madame?

Petru eut brusquement envie de l'envoyer promener, de répondre qu'il ne voulait voir personne et de s'en aller en claquant la porte. Il se sentait humilié, furieux de ce qui lui arrivait, furieux contre lui-même.

– Annoncez le nouveau professeur de piano, grommela-t-il cependant.

– Posez votre manteau là, dit la cuisinière en désignant la chaise.

Petru s'exécuta, lissa machinalement sa veste et son pantalon, puis ouvrit la porte sans frapper. Il fut désagréablement surpris par les remugles qui stagnaient dans cette nouvelle pièce, un vaste salon, vide de tout occupant mais chargé de tableaux comme une salle de musée, le sol entièrement couvert de tapis roumains.

– Madame est à côté, elle peint, dit la cuisinière. Vous pouvez entrer, je l'ai prévenue.

Petru ouvrit encore une porte et il sentit la même odeur de moisi et de renfermé, mais plus forte encore. Mme Lecca, en blouse blanche, une visière sur le front, peignait à la lumière d'une grosse ampoule. Il y avait dans la pièce plusieurs chevalets, un piano et deux énormes caoutchoucs dont les branches se recourbaient le long du plafond. Les murs n'étaient pas moins chargés de tableaux que ceux du salon.

– Approchez, jeune homme, approchez, susurra Mme Lecca.

Vous êtes en retard. Depuis le temps que nous vous attendons pour le thé... Vous êtes bien un camarade d'Adriana?

Petru rougit. Heureusement, Mme Lecca se rappela ce que venait de lui annoncer la cuisinière et elle éclata de rire :

– Ah! non, vous êtes le nouveau professeur de piano d'Annette! De toute façon, vous allez prendre le thé avec nous. Mais je ne comprends pas pourquoi Adriana et Liza sont aussi en retard. Nous les attendons encore un peu, Teddy?

Petru tourna la tête et un effroi stupide se dessina sur son visage lorsqu'il vit se lever derrière lui une dame dont il n'avait pas remarqué la présence, une femme du même âge environ que Mme Lecca et qui s'était tenue jusque-là au fond d'un fauteuil, dans un coin sombre. L'inconnue s'approcha de lui à grands pas et lui serra vigoureusement la main. Ses cheveux, presque blancs, étaient coupés court, elle avait un visage osseux illuminé par de grands yeux enfantins au regard fixe et troublant qui lui donnait l'air de s'émerveiller de tout ce qu'elle rencontrait.

La nommée Teddy souleva le couvercle du piano d'un geste brutal et se mit à jouer un air. Petru s'aperçut à ce moment-là qu'elle était chaussée de brodequins et ce détail le troubla.

– Pouvez-vous me dire ce que je viens de jouer, monsieur le professeur de piano? demanda-t-elle d'un ton rêche.

C'était un air banal, syncrétique, sans couleur, qui en rappelait à Petru tant d'autres, non moins médiocres, qu'il ne pouvait mettre un nom dessus. Il haussa les épaules, furieux et humilié.

– Vous ne pouviez pas le connaître, expliqua-t-elle, c'est une de mes compositions!

Après quoi elle éclata de rire, un rire de fausset exaspérant, mais que Mme Lecca connaissait sans doute bien puisqu'elle ne tourna même pas la tête – elle continuait à peindre comme si elle se trouvait seule devant son chevalet.

– Je suis meilleur compositeur que professeur, reprit la dame. C'est moi qui ai appris le piano à Adriana, mais elle a abandonné au bout de deux ans : elle n'a ni talent ni oreille. Tandis qu'Annette, c'est tout le contraire, vous verrez – un vrai petit miracle. La première musicienne de la famille Lecca...

Petru souriait bêtement, se demandant où pouvait bien être son élève et, surtout, combien de temps allait durer cette scène qu'il n'aurait pu imaginer même dans les plus pessimistes de ses prévisions. Il ne pouvait quitter des yeux les brodequins de Mme Lupescu (il devait apprendre son nom par la suite). C'étaient des galoches d'homme, noires, à lacets, qui n'avaient même pas l'excuse d'être des chaussures de ski et dont la tige était cachée à la vue par des chaussettes de laine repliées, elles-mêmes enfilées sur les bas.

– Allons au salon, mes enfants, dit Mme Lecca en retirant sa blouse. Autrement, le thé sera froid.

Puis, se tournant vers Petru :

– Venez, jeune homme, vous ferez la connaissance de votre élève.

Le salon se trouvait à côté. Petru, qu'oppressait l'odeur de renfermé, fut agréablement surpris par l'air frais et pur qui y régnait. On venait sans doute d'aérer. (Petru apprendrait plus tard qu'Annette avait l'habitude d'ouvrir partout les fenêtres, partout sauf dans les deux ou trois pièces où Mme Lecca peignait et recevait son amie.) Cependant, les tasses et les soucoupes disposées sur la table le déconcertèrent. Tout paraissait d'une propreté douteuse, pour ne pas dire sale : de la nappe jusqu'aux tranches de gâteau, de la théière couverte d'un coussinet pour l'empêcher de refroidir jusqu'aux ronds de serviette en bois pyrogravé. Au bout de la table, Petru découvrit, sagement assise, une jeune fille blonde, dans les seize ans, qui le dévisageait avec une vive curiosité.

On fit les présentations. La jeunesse flagrante de son nouveau professeur ne semblait pas faite pour déplaire à Annette. Elle l'invita à s'asseoir à côté d'elle afin de lui raconter, pendant qu'ils prenaient le thé, tout ce qu'elle avait appris avec M. Matei, son précédent maître. (Petru découvrit bien plus tard que son prédécesseur avait été congédié avant Noël par Adriana, qui l'avait surpris un soir, après la leçon, dans la chambre de la bonne.)

La conversation languissait. Mme Lecca bavardait avec Teddy seulement, tandis qu'Annette ne disait rien de tant soit peu important. Petru se promit de refuser à l'avenir toute invitation à prendre le thé chez les Lecca. (Et pourtant, combien de fois ne dut-il pas manquer à sa promesse pendant cet hiver-là... Combien de fois ne trouva-t-il pas Annette en train de l'attendre à table, derrière la même théière couverte d'un coussinet, Annette qui le menaçait de sécher la leçon s'il ne buvait pas au moins une tasse de thé, à défaut de manger un peu de cake... Car, chez les Lecca, il y avait toujours du cake, qu'on apportait coupé en tranches fines.)

– Voilà mon mari, dit soudain Mme Lecca en regardant la porte.

Petru tourna la tête, mais il ne vit personne. Au même instant, Teddy Lupescu lui serra le bras et chuchota, si près de son oreille qu'il en éprouva un désagréable chatouillement :

– Tycho Brahé, astronome illustre, 1546-1601. Il vous posera la question, alors essayez de vous en souvenir : 1546-1601... Ça lui fait plaisir.

(Ce soir-là, toutefois, M. Anastase Lecca ne le questionna pas sur Tycho Brahé. Cela se produisit quelques semaines plus tard, dans le petit salon aux chandeliers, où l'on avait installé le piano afin de ne pas importuner Mme Lecca. Naturellement, Petru avait oublié les dates, que M. Lecca lui rappela avant de lui expliquer pourquoi on avait baptisé ainsi la villa :

– Je ne suis pas astronome moi-même, à la différence de mon grand-père et de mon père, qui excellaient en la matière. Moi, je suis un spécialiste de la mécanique supérieure. Par conséquent, la mécanique supérieure, pas n'importe quelle mécanique. Mais, ces derniers temps, je me consacre à des recherches sur les chevaliers teutoniques. Des recherches seulement, pour le moment... La villa a été construite par mon père, Eustache Lecca, qui lui a donné le nom de Tycho Brahé, en hommage. Par conséquent, retenons bien : Tycho Brahé, 1546-1601.)

Petru se retourna à plusieurs reprises encore, mais personne ne se montrait. Après quelque temps seulement, il vit apparaître un petit homme fluet aux cheveux blancs, en habit, qui s'excusa de ne pas prendre le thé avec eux. Il avait la démarche assez raide et son pantalon flottait sur des jambes qu'on devinait très minces. Il contourna lentement la table, s'arrêta devant Petru et chaussa des lunettes à monture en or.

– Je ne pense pas avoir eu l'honneur, dit-il cérémonieusement.

Teddy Lupescu se chargea des présentations et elle crut bon de préciser :

– Camarade d'université d'Adriana et professeur d'Annette.

Petru se leva et constata avec déplaisir qu'il s'efforçait, par des gestes sobres et corrects, de faire bonne impression.

– Si je ne m'abuse, c'est vous que m'a recommandé M. Baly? demanda Anastase Lecca en soignant son élocution. Si vous êtes aussi doué qu'il me l'écrit, vous irez loin. Je m'en félicite, mon cher monsieur. Notre pays a besoin d'hommes exceptionnels...

– Après le thé, je vous montrerai mes tableaux, coupa Mme Lecca. Je vous les expliquerai moi-même. Vous vous y connaissez, en peinture?

Anastase Lecca laissa parler son épouse. Cependant, comme Petru ne répondait pas et se contentait de sourire modestement, il toussota et reprit :

– Je constate, mon cher monsieur, que nous formons une société harmonieuse en tous points : la musique, la philosophie, la peinture et les sciences. Soyez le bienvenu parmi nous...

Puis il jeta un regard autour de la table comme s'il cherchait quelque chose.

– Mais où est Adriana? demanda-t-il.

– Elle est partie à 3 heures à la patinoire avec Liza et elle n'est pas encore rentrée, répondit Teddy.

– Adriana est notre seule exception : ni les arts ni les nombres. Adriana cultive la philosophie, comme Hypatie.

Mais entendons-nous : Hypatie était philosophe et elle était en même temps géomètre. Adriana cultive seulement la philosophie...

Petru était un peu décontenancé par toutes ces explications qui ne l'intéressaient guère. Mme Lecca l'invita à se rasseoir et à boire son thé, qui, en effet, était presque froid. Anastase Lecca finit de faire le tour de la table, puis s'en alla à pas lents, sans ajouter un mot.

Un peu avant sept heures, alors que Petru se demandait quelle formule employer afin de pouvoir se retirer décemment – mais en ayant appris au préalable les jours et les heures des leçons et, si possible, le montant des honoraires –, la porte s'ouvrit d'un grand coup et Adriana et Liza firent bruyamment irruption dans le salon. Petru n'eut aucun mal à deviner laquelle était Adriana : son front ovale et son nez droit formaient entre les sourcils l'angle spécifique des Lecca. Brune, elle était nettement plus grande que sa sœur. Des gouttes d'eau tombaient de son abondante chevelure noire. On eût dit que tout un arbre aux branches chargées de neige s'était secoué à son passage; du reste, son béret, son col de fourrure et ses épaules étaient encore couverts de neige. L'autre jeune fille, Liza, avait un visage peu commun : oblong, les cheveux d'une blondeur scandinave, collés aux tempes. Le regard alangui, bien que le dessin des yeux fût dur. Teddy Lupescu se chargea de nouveau des présentations, car Mme Lecca semblait plongée dans ses pensées... Liza sursauta en entendant le nom d'Anicet. Elle s'approcha de Petru et lui serra chaleureusement la main.

– Ça fait si longtemps que je voulais vous connaître, vous au moins, dit-elle. Mon frère, David, était le meilleur ami de votre frère Pavel...

Puis, se tournant vers Adriana :

– C'est le frère de Pavel Anicet, tu sais, l'ami de David, Felicia le connaissait aussi...

Elle hésita à préciser davantage. Mais Petru devina ce que cachait ce silence : « Tu sais, ce Pavel Anicet qui s'est suicidé il y a deux ans, ce grand et beau garçon qui plaisait à Felicia et dont on a tant parlé... » Pendant un instant, Petru redouta de voir se réactualiser – encore une fois! – cette atmosphère de compassion et de curiosité imparfaitement voilées que créait toujours le souvenir de Pavel. Il souffrait chaque fois qu'il devait donner des explications, mentir, inventer toutes sortes de raisons au suicide de son frère. Et il souffrait plus encore lorsque les autres évitaient ostensiblement de l'interroger sur le drame, mais compatissaient, lui promettaient toute leur aide... Petru fut pendant longtemps « le frère du suicidaire », le frère du « cas Anicet » (que les gazettes littéraires avaient évoqué, quoique Pavel n'eût rien publié et que les quelques inédits que fit paraître David Dragu fussent passés inaperçus). Petru fuyait donc les amis de son frère, de peur de réentendre la même rengaine : « Mais pourquoi, pourquoi donc? »

Cette fois-ci, les choses se passèrent bien plus simplement. Personne autour de la table, même pas Adriana, ne se montra ému par la découverte de Liza. Petru n'avait que très vaguement entendu parler de cette sœur de David Dragu. Il ne l'avait jamais vue et, lors de leurs rares et froides rencontres, David ne lui en avait jamais parlé. Adriana coupa court aux effusions de son amie :

– Buvons plutôt notre thé... enfin, cette mixture...

Elle remplit sa tasse et en examina le contenu d'un air dégoûté.

– Vous avez bu de ça, vous? demanda-t-elle à Petru. Montrez-vous prudent, une autre fois.

Les deux dames éclatèrent de rire.

– Cette chère petite! s'exclama Mme Lecca.

Adriana leur jeta un regard dur, méchant. Liza prit une tranche de gâteau; elle était calme, apparemment habituée à ce genre de scène. Petru jugea que le moment de se retirer était venu. La présence de Liza l'avait ragaillardi, lui avait rendu du courage, assez de courage en tout cas pour fixer Adriana dans les yeux, d'un air presque amusé. Ce qu'il n'aurait certes pas pu faire s'il l'avait rencontrée seule.

– Vous vous êtes bien amusées à la patinoire? demanda Teddy. (Petru se rendit compte alors que Mme Lupescu avait été pratiquement la seule à qui il avait parlé – et, en tout état de cause, la seule qui n'avait pas parlé pour ne rien dire. Il lui en fut reconnaissant. Ses yeux trop grands, son rire théâtral ne le gênaient plus.)

Les jeunes filles ne répondirent pas. Les deux dames échangèrent des regards de connivence. Mme Lecca sourit.

– Cette chère petite! répéta-t-elle en hochant la tête.

Liza mangeait tranquillement, tout en dévisageant Petru. Elle se rappelait un tas de choses, un tas de riens tristes et gais à la fois – Petru en était sûr. La présence de Liza se révélait de plus en plus réconfortante. Il se mit à parler fort avec Annette des leçons à venir, afin de préparer son départ. Peut-être, à cette occasion, aborderait-on la question des honoraires... Peut-être Liza l'aiderait-elle à cet égard... M. Baly ne lui avait rien dit de précis, si ce n'est que M. Lecca était riche et qu'il élevait ses filles de façon libérale.

Tout à coup, Adriana lui adressa la parole, sur un ton qui ne recelait pas la moindre trace d'humour :

– Savez-vous qui est mon ennemie mortelle?

Et elle enchaîna, sans lui laisser le temps de répondre.

– La voilà! Elle est là, devant vous! cria-t-elle, le bras tendu, en désignant sa mère.

Petru n'osait pas lever les yeux. Il avait à nouveau le sentiment d'être entouré de maniaques, pour ne pas dire plus. Il en oubliait jusqu'à la rassurante présence de Liza. Il s'attendait à chaque instant à voir éclater une scène terrible. A son grand étonnement, Mme Lecca se contenta de rire, en regardant Teddy d'un air entendu. Cependant, Liza jugea nécessaire d'intervenir :

– Arrête, Adriana! Tu vas lui faire peur...

L'espace d'un instant, Adriana sembla comprendre et se contrôler. Mais cette pause ne dura pas et elle se leva brusquement :

– Est-ce que c'est du thé, ça? Est-ce qu'on reçoit comme ça? Mon Dieu, ce que je peux souffrir dans cette maison, ce que je peux souffrir! Je vais devenir folle dans cette maison!

Elle fit mine de se jeter sur le canapé, à côté du buffet, mais Liza et Teddy se précipitèrent et la prirent dans leurs bras, puis essayèrent doucement de la faire sortir de la pièce. Adriana, au bord des larmes, s'accrochait à Liza. Mme Lupescu tenta de l'en détacher et, la jeune fille la repoussant, elle la frappa sur le bras avec haine.

– Pas ça, Teddy, pas ça! cria Liza.

Adriana éclata en sanglots. Liza ouvrit la porte et l'emmena dans sa chambre, suivie par Mme Lupescu. On distinguait nettement le pas de cette dernière dans l'escalier : on eût dit celui d'un homme.

Durant toute cette scène, Annette n'avait soufflé mot, les yeux dans sa soucoupe constellée de miettes de gâteau. Mme Lecca chercha à rassurer Petru :

– Ce n'est pas grave. C'est son habitude. Elle s'est mis en tête que j'étais folle...

Elle accompagna ces derniers mots d'un sourire empreint d'une ironie à peine perceptible. Puis elle ajouta, avec un regard entendu à l'adresse de Petru :

– Aujourd'hui, en tout cas, il est trop tard pour la leçon. N'est-ce pas, mes enfants?

Petru comprit, soulagé, qu'on l'invitait à prendre congé...

Il posa les quatre morceaux du tableau les uns contre les autres et se dirigea vers le piano ouvert, résolu à éviter toute nouvelle confession. La jeune fille le suivit et, essayant de lui prendre la main, elle répéta :

– Si vous saviez combien je souffre...

– Faisons notre leçon et nous bavarderons ensuite, coupa sèchement Petru.

– Je voudrais tellement avoir un ami, un cœur qui me comprenne, murmura Annette d'une voix émue. Vous, vous êtes si orgueilleux, vous vous prenez pour un génie.

Petru eut du mal à réprimer un sourire ironique. Les éclats d'Annette l'exaspéraient par leurs conclusions. « Moi qui me prends pour un génie, moi qui refuse d'être l'ami qui la comprendrait et la consolerait... » Il trouvait cette idée parfaitement absurde. Ce genre de bêtises sur le génie et tout le reste ne l'avait jamais intéressé. En revanche, il avait la certitude absolue que l'histoire de la musique roumaine tiendrait compte un jour de tout ce qu'il composait. Il se savait un penseur, un compositeur ni inspiré ni laborieux, contrairement à la plupart. Il pensait, il expérimentait mentalement plus que musicalement à proprement parler. On tiendrait compte de ses compositions parce qu'elles étaient des expérimentations que nul autre n'avait encore tentées. La musique n'en profiterait peut-être pas; la pensée, si. « Et cette Annette qui pleurniche, qui explique ma sévérité professionnelle par mon orgueil... » Il avait une forte envie de la rabrouer.

– Dites-moi la vérité, pourquoi m'avez-vous montré le tableau? demanda-t-il en éprouvant une volupté secrète à la tourmenter.

La jeune fille ne répondit pas. Les poings serrés, elle baissa les yeux puis, après un long moment, elle se mit vivement au piano et entama ses exercices. Il était d'ailleurs grand temps. Il restait seulement quelques minutes avant la fin de la leçon et Mme Lecca ou quelqu'un d'autre aurait pu entrer à tout instant. Une semaine plus tôt, Adriana avait fait irruption dans le salon sans crier gare, elle s'était assise dans un coin, sur un sofa, et avait écouté tout le temps, le menton dans ses poings, ce qui avait fini par rendre sa sœur nerveuse : elle se trompait de touches, elle gigotait sur son tabouret. Cette scène avait rappelé à Petru son enfance, lorsque Pavel se glissait silencieusement dans leur chambre et l'écoutait faire ses exercices de piano, improviser ou chanter d'une voix timide.

Il avait souri à Annette et lui avait murmuré :

– Courage, je vous comprends.

Adriana semblait ne rien remarquer. Elle écoutait, les yeux dans le vide.

Quant à Annette, ces mots – « je vous comprends » – la rendirent heureuse toute une semaine. Elle espérait du coup que le jour était proche où Petru deviendrait son ami. Et puis, elle avait une deuxième raison d'être heureuse : Adriana ne plaisait pas à Petru. Adriana, qu'elle-même détestait parfois, sans bien savoir pourquoi. Peut-être parce que son aînée la traitait toujours comme une petite fille, comme une ignorante, ne lui parlait jamais sérieusement, l'appelait « ma petite poupée », lui faisait des cadeaux ridicules, bons pour des enfants. Bref, Adriana ne plaisait pas à Petru et cela suffisait au bonheur d'Annette...

Petru écoutait jouer la jeune fille, le regard perdu par la fenêtre. Quoiqu'elle parût concentrée sur le déchiffrement de la sonate (Petru avait l'habitude de donner à ses élèves des pièces d'une grande finesse à déchiffrer en sa présence, afin de se rendre compte de ce que leur talent avait de réellement natif), Annette, qui observait son professeur du coin de l'œil, s'interrompit brusquement.

– Il y a quelque chose de difficile dans ce passage? demanda Petru.

Annette ne répondit pas. Les mains sur les genoux, elle fixait les touches d'un air têtu.

– Vous pourriez au moins vous donner la peine de me répondre, reprit sèchement le jeune homme.

– Et vous, pourquoi regardez-vous par la fenêtre? Vous savez bien qu'il n'y a personne par là...

Petru s'était habitué aux paniques et à la brusquerie de la jeune fille. Et, lorsqu'un air ne le préoccupait pas ou qu'il était de bonne humeur, ces sorties l'amusaient. Il prit un crayon et indiqua le passage à répéter. Annette l'attaqua sans mot dire.

– Fa dièse! Fa dièse! hurla Petru désespérément, car la faute était si stridente que seule une main entêtée, qui voulait l'exaspérer, avait pu la commettre.

Annette reprit, silencieuse, les paupières baissées.

La même faute. Elle répétait la mesure, comme si ses doigts s'égaraient exprès, tellement violent était le heurt des fausses notes. Petru se maîtrisa.

– Assez pour aujourd'hui, dit-il, et il referma le cahier. Voyons la théorie.

Le quart d'heure de théorie était le plus agréable pour Annette. A ce moment-là, elle pouvait regarder Petru dans les yeux, sans crainte, sans hâte. C'était une façon de bavarder et, derrière les explications pédagogiques, elle inventait des sous-entendus qui la rendaient heureuse. Pendant longtemps, lors de ces quarts d'heure, tandis que Petru lui parlait avec animation, la regardait chaleureusement, lui tapait sur l'épaule, elle se disait : « Lui aussi, il est timide, aussi timide que moi... » Elle comprit plus tard qu'elle se trompait et crut alors que Petru n'avait pas de cœur.

Pourtant, ce jour-là, le quart d'heure de théorie ne lui apportait nulle joie. Elle se leva, le visage fermé, les yeux baissés, et vint s'asseoir sagement sur une chaise à côté de Petru, pour écouter la suite de la théorie de la sonate. Et dire que, d'habitude, elle s'enivrait des phrases énergiques de Petru, de tous ces mots qu'elle ne comprenait pas et qui lui en semblaient d'autant plus impressionnants et agréables. Elle croyait deviner derrière ces syllabes mystérieuses des libertés nouvelles, les libertés d'un âge où, à son tour, elle pénétrerait bientôt – et elle écoutait ces mots techniques inconnus avec un respect mêlé de volupté.

Le hasard fit que sa mère entra au salon à un moment où Annette trouvait que la leçon devenait un vrai supplice.

– Figurez-vous qu'Adriana refuse de passer ses examens! s'écria Mme Lecca avant que Petru n'eût le temps de la saluer. Cette enfant est insupportable!

Elle s'assit sur le canapé, en proie à une agitation inhabituelle. Petru, qui commençait pourtant à bien connaître la nervosité et les crises de la famille, se dit qu'il ne l'avait encore jamais vue dans un état pareil. Embarrassé, il cherchait en vain des mots pour l'apaiser.

– Ça finira mal pour Adriana, avec cette Liza, grommela Mme Lecca.

Puis elle se mit à raconter en parlant très vite, en hachant les phrases, sans regarder ni Petru ni Annette. Elle était désormais certaine qu'Adriana ne voulait pas passer ses examens à cause de Liza, qui lui avait mis dans la tête que ce qu'il y avait de plus beau dans la vie d'étudiant c'était de ne jamais cesser d'étudier, sans se presser d'arriver quelque part. (« Elle a raison, pensa Petru. Au fond, quel besoin a-t-elle d'une licence de philosophie dont elle ne se servira jamais? »)

– Liza est une égoïste, poursuivit Mme Lecca, elle craint qu'après sa licence Adriana parte à l'étranger et la laisse seule ou bien qu'elle se marie...

Elle se tourna brusquement vers Annette, comme si elle s'apercevait à ce moment-là seulement de sa présence au salon.

– Qu'est-ce que tu as à écouter, toi? lui lança-t-elle d'un ton aigre.

– J'étais là, je prenais ma leçon, répondit doucement la jeune fille.

Mme Lecca jeta un regard étonné autour d'elle. En effet, ce n'était pas la faute d'Annette, c'était bien l'heure de sa leçon : voici le piano, voici le jeune Anicet.

– Tu sais qu'Adriana a encore déchiré un de tes tableaux? demanda Annette en remarquant le trouble de sa mère, et elle se leva pour lui indiquer l'endroit où il se trouvait.

Mme Lecca se renfrogna, mais pendant quelques instants à peine. Elle examina attentivement les quatre morceaux, sans marquer la moindre mauvaise humeur.

– C'est réparable, dit-elle en s'adressant à Petru. On ne peut plus le faire encadrer, naturellement, mais on pourra fort bien le poser sur une table... N'y touche surtout pas, Annette, tu risquerais d'abîmer les bords... Je tiens beaucoup aux bords, précisa-t-elle à l'intention de Petru.

La leçon s'acheva là. Mme Lecca ne parla plus d'Adriana ni de ses décisions irrévocables, qui paraissaient à Petru bien moins fantasques que tant d'autres gestes et épisodes qui n'avaient pas étonné Mme Lecca. Celle-ci s'éclipsa aussi brusquement qu'elle était entrée, sans un mot. C'était son habitude, que l'on connaissait si bien dans sa famille que personne n'y prêtait plus attention.

Il était l'heure de partir, mais Petru ressentait un trouble bizarre, agaçant : l'impression d'attendre que quelque chose se produise, qu'on lui communique quelque chose, une peine ou une joie nouvelle. Annette le dévorait des yeux et, cette fois-ci, il comprenait tout ce que lui disaient les regards brûlants, sincères, directs de la jeune fille. Ces multiples et obscurs commandements ne lui apparaissaient plus comme de simples inconvenances d'adolescente sentimentale. Ils avaient une force irrésistible. Petru dut baisser les yeux, inventer un geste inutile afin de pouvoir se retirer décemment. Mais Annette s'approcha un peu plus de lui, comme si elle attendait une réponse précise.

– Pas maintenant, murmura le jeune homme, aussi bas qu'il put. Une autre fois...

II

– Tu n'as rien regretté, franchement, rien du tout? demanda Irina.

Alexandru la dévisagea d'un air étonné pendant quelques instants, puis il se mit à regarder fixement le sable. Du sable sale, mêlé de poussière, déplacé dans ce jardin simple et propret.

– S'il te plaît, raconte-moi tout ce que tu as ressenti, reprit Irina sans lui donner le temps de répondre.

Une jeune fille, un amour malheureux, un suicide! Et le héros du drame n'était autre que son propre cousin, Alexandru Pleşa, Sandu pour les proches. Irina l'avait entraîné là sous prétexte que c'était un endroit rêvé pour y boire le café; en réalité, afin de le questionner toute seule, à sa guise. A côté, dans la maison, toute la famille lui lançait des regards horrifiés. Depuis qu'il était rentré de province, le matin même, on lui avait à peine adressé la parole. La rumeur du suicide de Mlle Viorica Panaitescu l'avait précédé. Les journaux de la capitale en parleraient peut-être dès le lendemain, comme l'avait déjà fait la presse locale. Le nom des Pleşa une fois de plus au centre d'un scandale.

– J'ai des regrets, naturellement, dit Alexandru, surtout

pour ses parents et pour son petit frère, qui m'appelait « tonton »... Une si brave famille...

Il faillit ajouter : « Qui l'aurait cru? » mais il réalisa toute la vulgarité de cette conversation, invraisemblable commérage trois jours seulement après la mort de Viorica. Être obligé, à présent, de donner des explications à une cousine curieuse, de faire de la psychologie...

– Mais tu ne te doutais de rien? Alors, d'un seul coup?...

Alexandru la regarda dans les yeux. « Quelles questions idiotes elle peut poser, cette fille », se dit-il, agacé. Et pourtant, il aurait dû avoir au moins un doute... « Je me tuerai, Sandu! Je me tuerai si tu t'en vas sans moi! » lui avait-elle crié. Il ne s'en était pas ému : ce n'était pas la première fois qu'il entendait de pareilles menaces.

– De rien. Elle avait l'air très équilibrée...

Il se souvenait très précisément de la scène. Il était arrivé, comme d'habitude, peu après six heures, vêtu de son complet gris de flanelle, celui qui avantageait ses épaules et sa taille. Elle l'avait accueilli avec cette étreinte qu'il connaissait si bien. Tout s'était passé comme à l'accoutumée, pareillement à toute autre de leurs nombreuses soirées d'amour. (Ses seules heures libres, car il ne quittait la caserne qu'à quatre heures et le chemin était long entre la maison de son logeur et celle des Panaitescu.) Peut-être seulement le soleil tapait-il plus dur ce jour-là. La chaleur de l'après-midi d'été persistait encore dans le jardin ombreux bien à l'abri derrière ses murs.

– Alors, ça doit être à cause de quelque chose que tu lui auras dit, supposa Irina, tu l'as sans doute blessée d'une façon ou d'une autre...

« Ces jeunes imbéciles infatués ne savent même pas se conduire avec une femme après l'avoir possédée », se rappela Irina. Tant de souvenirs, tant d'humiliations... Elle les chassa brusquement. Elle répéta sa phrase, sur un ton moins amène :

– Tu l'as sans doute blessée...

Sans doute... A peine s'était-il allongé sur le lit, dans la chambre de Viorica, qu'il lui avait annoncé, du ton le plus naturel, qu'il allait partir quelques jours plus tard. Une permission; après laquelle il ferait ses derniers mois de régiment à Bucarest. Un ami l'avait pistonné...

– Je ne crois pas. Je lui ai dit que j'avais une perme pour Bucarest...

« Je me tuerai si tu t'en vas sans moi! » C'est ce que disent toutes les femmes... Il se souvint de cette réflexion idiote et confortable, qui lui était passée par la tête à plusieurs reprises ce soir-là. « Quelle déveine qu'il n'y ait personne à la maison, se disait-il, même pas le gamin. » En effet, il n'y avait personne; on était jeudi, le jour de la baignade et du pique-nique au bord de l'eau. Viorica s'était excusée, comme d'habitude. Naguère encore, avec quelle impatience ils attendaient tous deux ces bribes de pleine liberté, où ils disposaient de la chambre de Viorica pour y abriter leurs amours...

– Et tu ne lui as rien dit d'autre?

S'il avait pu se douter qu'elle était capable de passer à l'acte, il aurait peut-être procédé autrement. Il serait parti sans la revoir ou bien il lui aurait écrit qu'il avait reçu un télégramme l'appelant à Bucarest, mais qu'il reviendrait au bout de huit jours, de deux ou trois semaines... Et ensuite elle l'aurait oublié, tout comme il l'oublierait. C'eût été peut-être mieux... Mais cette pensée irritait Alexandru; il n'aimait pas les *si* (et si j'étais né milliardaire, ou bien à Barcelone; et si je m'étais cassé une jambe au ski?). Il répondit sèchement, agacé :

– Qu'est-ce que j'aurais pu lui dire? Que je rentrais à Bucarest et que c'était fini? Le lui dire en vers, peut-être?

Irina le toisa avec dégoût, comme un domestique insolent. Elle aurait eu tellement de choses à ajouter, tellement à commenter. Mais elle préféra tenir sa langue. Il était bien plus intéressant d'écouter Alexandru. Il lui était incontestablement arrivé quelque chose de pas ordinaire. On s'était suicidé par amour de lui...

– Bon, mais est-ce que tu ne savais pas quel genre de fille elle était, ce qu'elle avait sur le cœur?

– Elle était une fille pareille à toutes les jeunes filles de dix-neuf ans, répondit Alexandru avec une rudesse et une vulgarité exagérées. En plus, elle était vierge, et ce n'est que tout à la fin que j'ai découvert qu'elle était aussi excessivement sentimentale.

Il devait répondre ainsi. Cette Irina, qui essayait de lui extorquer des confidences amoureuses, qui était peut-être toute prête à le consoler, à pleurer avec lui, au moindre signe...

– Alors, tu ne l'as jamais aimée? demanda Irina sans se laisser décontenancer par les réponses stupidement ironiques d'Alexandru.

Non, pas cela – il n'y a jamais cru. Il n'a jamais aimé jusqu'ici. Il n'a pas aimé comme les autres jeunes gens, et en tout cas pas comme Viorica l'a aimé. Il s'est souvent demandé si ses attentes de l'hiver dernier recelaient autre chose que de la volupté. Il se répondait tout seul : rien que de la volupté, rien qu'un amour paisible, direct, sans complications.

– Elle me plaisait, elle me plaisait beaucoup... Je le lui ai dit. C'est d'ailleurs elle-même...

Oui, c'est elle qui l'a voulu. Elle qui a choisi le jour, l'heure, l'endroit. Et lui, qui croyait que ce serait un banal rendez-vous, il y est allé sans avoir changé de linge depuis trois jours, avec seulement cent lei en poche... (Il portait cependant son costume gris fer, qui plaisait tant à Viorica. Il lui donnait l'air d'un homme; il cachait la ligne trop fine de son cou et mettait en évidence ses épaules.) Mais Viorica lui a dit : « Je me suis donnée à un homme qui s'est révélé plus fort que moi. » « Chaque femme, probablement, croit s'être donnée à un homme plus fort qu'elle, qui l'a prise et en est devenu le maître, s'est-il dit alors. Au fond, tout cela est sans importance : savoir si la femme voulait, si on l'a forcée à vouloir, si on l'a subjuguée... Quel intérêt cela peut-il avoir? »

– Un simple flirt, alors? demanda Irina, qui ne comprenait pas.

– C'est ce que je croyais aussi, au début... Et puis – comment te l'expliquer? – elle s'est mise à m'aimer d'une façon pesante, étouffante, à m'aimer passionnément, comme vous dites, vous autres, les femmes...

Alexandru avait encore eu recours à une stupidité, afin d'éviter un ton par trop confidentiel. Tous ces accès de passion grave, suprême, exacerbée... Il n'en aurait jamais soupçonné l'existence. Les choses avaient commencé normalement, comme un flirt rapidement transformé en combat sensuel. « Tu as été plus fort que moi! » Au fond, cet aveu était en lui-même assez clair, assez empreint de bon sens. Pour lui, cette liaison avec Viorica Panaitescu n'était guère différente des nombreuses et pittoresques aventures qu'il avait eues à Bruxelles, à Paris, à Londres. Elle lui avait plu d'emblée, parce qu'il était jeune et qu'elle était belle, tout juste sortie de l'adolescence. Et, d'emblée aussi, la conscience du jeu, du jeu des corps, s'était imposée à eux. Viorica n'avait découvert qu'il était intelligent qu'après être devenue sa maîtresse. Au début, leurs conversations n'avaient rien d'intellectuel. Ils ne parlèrent de voyages et de lectures (et, alors même, après bien des hésitations de la part d'Alexandru) qu'une fois entrés dans la phase victorieuse des amants qui se connaissent bien l'un l'autre. Alexandru avait vite soupçonné que Viorica ne ressemblait ni à Renée Bouilhet, qui n'avait jamais prétendu qu'il lui devait quoi que ce soit, ni à Glady Smith, qui « ne se rappelait même plus avoir été vierge », comme elle le lui avait déclaré avec humour dès leur première nuit d'amour. Il avait même hésité plusieurs jours de suite, jusqu'au moment où Viorica avait pris les devants. Après ce geste, il croyait que tout était clair dans leurs rapports. Ni la virginité ni l'amour ne pouvaient plus entraîner d'éventuelles obligations morales. Ils ne s'étaient d'ailleurs jamais juré un amour éternel.

– Mais alors, demanda Irina d'une voix un peu nerveuse, pourquoi as-tu laissé grandir une passion aussi violente? Un simple flirt ne débouche pas si vite sur un suicide! Tu n'as rien fait pour refroidir cette passion qui te menaçait...

« Oh! si je devais tout lui raconter!... » Alexandru se rappela avec quelle sincérité il s'était efforcé de préserver « l'atmosphère calme » des premiers rendez-vous. Ce genre d'agréable tête-à-tête l'incitait à parler d'abondance et en toute simplicité, aussi n'avait-il caché aucune de ses précédentes liaisons. Il faisait même des comparaisons, en flattant Viorica, naturellement, car il connaissait les règles du jeu. Il la taquinait en lui choisissant de futurs amants dans l'élite de la ville : le jeune juge Miciora; le fils du préfet, cavalier accompli; l'irrésistible capitaine Isopescu, qui commandait sa compagnie...

– Je ne lui ai jamais dit que, sans elle, je mourrais, répliqua sèchement Alexandru. Je n'ai encouragé aucun geste absolu, aucune ferveur de sa part. Au contraire, je me montrais parfois vulgaire, vulgaire et bête, pour la dégoûter de moi, pour qu'elle puisse m'oublier quand nous nous serions séparés.

Il avait remarqué que ses plaisanteries sur des soupirants irrésistibles la chagrinaient. Il avait cru alors que Viorica souffrait de son manque de goût, de son indécence, ce qui l'avait réjoui. « Amener une jeune femme à vous croire plus vulgaire que vous ne l'êtes, se disait-il, c'est faire une bonne action; vous l'aidez à s'éloigner de vous, vous l'invitez à vous mépriser, et la séparation définitive en sera d'autant moins pénible pour elle. »

– Il est immoral, poursuivit Alexandru, de laisser une image parfaite dans la mémoire d'une femme. C'est l'isoler, la détacher de la vie, de tant d'hommes dont elle aurait pu s'approcher librement, heureuse peut-être, si on avait eu le souci de mettre de l'ordre dans sa mémoire, de se présenter à son souvenir suffisamment médiocre et vulgaire pour qu'elle n'ait pas à vous regretter...

Certain donc de faire une bonne action, Alexandru ne cessait de revenir sur les multiples aventures qu'il attribuait par avance à Viorica. Il ne comprenait pas que, pour elle, ces plaisanteries n'étaient pas vulgaires – elles étaient monstrueuses; que, loin de ternir son image dans la mémoire de la jeune femme, elles la faisaient grandir odieusement, telle une terreur. Alexandru ignorait que Viorica, à cause de cette passion grave et suprême, ne dormait plus, ne parlait plus à personne, ne pouvait plus parler à personne. La nuit, la lampe restait allumée fort tard dans sa chambre. Et l'on entendait des pas, des livres jetés violemment par terre, on entendait surtout ses pas de somnambule, malgré les précautions qu'elle prenait pour éviter de réveiller ses parents...

– Je croyais qu'elle comprendrait, comme comprend toute jeune fille intelligente, et qu'elle se résignerait.

En effet, Viorica se résignait peu à peu; non pas à le perdre – chose qu'elle ne pouvait imaginer –, mais à souffrir. Elle considérait l'amour, après les premiers déferlements de la volupté, comme un destin qu'elle devait accepter. Elle se sentait heureuse d'aimer Alexandru et d'être aimée de lui, mais aussi très malheureuse. Sa manie de parler sans cesse des femmes qu'il avait connues (Viorica ne pouvait imaginer être placée au même rang qu'elles, n'être qu'un maillon dans une chaîne encore à ses débuts), son cynisme envers ses propres sentiments (Viorica croyait qu'Alexandru l'aimait profondément et que seul un stupide orgueil masculin le poussait à se moquer de sa passion), tout ceci la faisait souffrir. Elle s'était néanmoins résignée à aimer Alexandru tel qu'il était. Du reste, n'étant pas hypocrite, elle avouait qu'en dehors de ces souffrances morales, l'amour d'Alexandru lui apportait des joies infinies, qu'elle n'aurait trouvées auprès d'aucun des jeunes gens de sa ville.

– Ça alors! s'exclama Irina, qu'est-ce que tu peux bien avoir dans la tête pour n'avoir pas compris que cette malheureuse t'aimait à la folie, qu'elle attendait peut-être que vous vous fianciez?

– Je ne lui ai jamais rien promis, répondit Alexandru. Pas par lâcheté, mais tout bonnement parce que je ne comprends pas qu'on puisse promettre quoi que ce soit. Entre gens intelligents, il faut un minimum de bonne foi. Si j'avais supposé qu'elle pouvait aller aussi loin, j'aurais naturellement été plus prudent. Mais là, tu vois bien, comment aurais-je pu l'imaginer?

– Et si elle t'avait dit qu'elle se suiciderait, là, devant toi? demanda brusquement Irina en se souvenant de l'une de ses dernières scènes d'amour avec Dinu.

– J'aurais claqué la porte, bien entendu, répondit Alexandru en levant les yeux. Ce genre de chantage est insupportable, tu es bien d'accord?

Irina rougit. Elle ajouta vite :

– Quand tu es parti, tu ne te doutais de rien?

– En tout cas, pas de ça! Je me disais qu'elle allait souffrir, bien sûr, qu'elle allait pleurer...

Et combien elle avait pleuré, là-bas, dans *leur* chambre, et ensuite sur le pas de la porte, malgré sa peur d'être surprise par les domestiques... Lorsque Alexandru lui avait annoncé son départ et que c'était devenu clair (Viorica était certaine que cela n'avait jamais été clair jusque-là; que, s'il ne parlait pas de mariage ni d'amour éternel, c'était par cynisme ou par orgueil), elle avait été incapable de comprendre toute l'étendue de son malheur. Alexandru, qui l'avait pourtant vue pleurer et se débattre, n'avait assisté qu'aux plus superficiels de ses émois. Viorica n'avait commencé à comprendre qu'après son départ. Elle s'était rendu compte qu'elle était seule, qu'elle se retrouvait seule, que, quoi qu'il arrivât, elle ne reverrait plus Alexandru – et ce sentiment de rupture définitive, de mort, l'avait rapidement conduite vers une nouvelle conscience : la conscience de l'absolue vanité de toute chose, de l'atroce fatigue de sa chair et de son âme. La décision qu'elle avait prise n'en était pas une : elle acceptait la première idée de salut qui lui venait à l'esprit, la première lueur d'espoir. « Pouvoir me reposer, pouvoir oublier, ne plus rien savoir... »

En apprenant la nouvelle, Alexandru avait d'abord pensé à lui, aux conséquences. Il redoutait les réactions de la famille de Viorica, ou celles de ses officiers. (Quelques-uns de ses camarades connaissaient leur liaison; on l'en avait même félicité plusieurs fois – Viorica était la plus belle fille de la ville, et son père possédait de vastes propriétés.) Il avait dû faire de nombreux efforts pour réussir à se contrôler. Une seule chose l'effrayait : le scandale, son nom livré en pâture au public. Il avait su malgré tout se montrer grave et réfléchi devant son colonel lorsqu'il était allé chercher sa feuille de route et prendre congé. Grave et réfléchi, comme il convient à quelqu'un que touche la mort d'une amie, pas vraiment intime; à quelqu'un qui doit exprimer simplement son sentiment : « La disparition de cette chère amie me peine, mais nous devons être forts et discrets. » Alexandru ne passait pas précisément par de tels états d'âme. Tout restait encore trop confus, et il manquait d'informations sur le malheur qui le frappait (plus exactement, sur ce qui risquait de se transformer en quelques heures en un véritable malheur). Heureusement, presque personne n'avait deviné pourquoi Viorica s'était suicidée. On acceptait la version de la famille : elle avait mis fin à ses jours pendant une crise de nerfs. « Quelle discrétion, se disait Alexandru, quelle extraordinaire décence de la part d'une jeune fille à la passion exacerbée! » Pas une lettre, pas une ligne, à personne. Elle avait seulement griffonné sur la couverture d'un livre, d'un roman obscur : « Je ne veux pas devenir folle. Je vous demande pardon! » « J'aurais dû me renseigner, demander comment il s'appelle, ce roman », s'était dit plus tard Alexandru. Elle avait l'habitude de s'exprimer laconiquement, Viorica. Il la revoyait, telle qu'en elle-même, vivante; il revoyait le collier de grosses pierres vertes, semblables à des prunelles pétrifiées, sur lesquelles s'égarait son regard chaque fois qu'il la prenait dans ses bras...

Avant même d'être sûr de n'avoir rien à craindre, Alexandru avait retrouvé son assurance, sa lucidité, la quiétude de sa conscience. Il faisait et refaisait ses comptes, sans sentimentalisme, et ne se jugeait pas coupable. Il se rappelait de manière certaine n'avoir jamais entretenu l'équivoque avec Viorica. Ils s'étaient pris, tous les deux, comme cela se passe partout sur cette terre. Il ne l'aimait pas, et il fallait bien en finir. Autrement, il aurait démarré dans la vie par un mensonge (il exagérait, pour se consoler), il aurait porté une double croix : un amour qui n'existait pas, une femme dont il n'avait pas besoin. (Il avait été, alors, un peu brutal : « Elle est bien bonne, celle-là! Elle se figurait, ma douce Viorica, que j'allais m'attacher le fil à la patte à vingt-deux ans! La belle idée! Passer toute sa vie avec le premier garçon qu'on a aimé, avec celui qui vous a dépucelée... *Pater familias!* » Il s'était vite repris. Il n'éprouvait ni remords ni mélancolie – mais le souvenir de Viorica devait être pieusement gardé. Aussi longtemps que la mémoire le garderait, bien entendu...) Plus il y réfléchissait, moins il se trouvait coupable. Les connaissances rencontrées ici ou là ne semblaient pas en savoir plus que la rumeur publique. Ainsi disparaissait sa seule peur, idiote, la peur du scandale, du qu'en-dira-t-on. Alexandru avait remis son complet gris de flanelle et était parti pour la gare, sûr de lui et tranquille, en homme qui n'a rien à se reprocher. Et puis, soudain, ce stupide article dans le journal local, que Dieu sait quel « ami qui vous veut du bien » avait envoyé à son oncle Dem et qui avait dressé toute la maison contre lui...

– Elle était belle? demanda Irina après un long silence.

Alexandru hésita un instant. Ce qu'elles peuvent être vulgaires, ces filles, ce qu'elles peuvent manquer de tact!

– Elle était très belle. Et, surtout, elle était intelligente... Pour ma part, j'ai toujours cherché à avoir l'air moins intelligent qu'elle... Vois-tu, c'est très pratique de ne pas avoir l'air intelligent avec les femmes. Ce n'est pas une tactique. D'ailleurs, étant donné que les femmes et l'amour ne m'intéressent pas, je n'ai aucune tactique à cet égard. J'ai horreur des complications sentimentales, de toutes ces abominations insensées. Ce n'est vraiment pas ce qui m'intéresse dans la vie. Quant aux amours pesantes, étouffantes...

– Voilà donc de quoi tu as eu peur, coupa Irina, d'un amour pesant, étouffant... Prudent ou lâche, tu t'es enfui... Non, attends, je vais te faire apporter de l'eau froide; dans ton verre, elle s'est réchauffée...

En effet, la chaleur de l'été pénétrait jusqu'ici, sous la tonnelle. Irina s'approcha de la fenêtre de la cuisine et frappa au carreau.

– Apportez-nous une carafe d'eau de la glacière!

Après quoi elle rejoignit Alexandru. Serait-il aussi vulgaire que les autres jeunes gens de sa génération, que Dinu par exemple? Elle connaissait encore trop peu Alexandru, mais elle l'avait toujours trouvé différent; il avait une rudesse bien à lui, et puis cette extraordinaire volonté de ne pas dévier du chemin choisi, vent debout face aux obstacles et aux menaces de toutes sortes. Lorsqu'il avait renoncé à continuer d'étudier les finances à Bruxelles, à l'issue de deux années de réussite, d'examens brillamment passés, avec quelle ténacité il avait lutté contre toute la famille, pour finir par vaincre, et rester libre, libre de partir où il en avait envie, d'apprendre ce dont il avait envie...

Alexandru regardait Irina avec une certaine curiosité. Il ne savait pas encore ce que sa cousine entendait par « amour ». Il ne l'avait pas revue depuis les vacances de Noël, la seule fois où ils avaient assez longuement bavardé, à deux. Jusque-là, ils s'étaient mutuellement méprisés, et ils ne se l'étaient pas caché lors des rares moments qu'Alexandru passait dans la maison de son oncle Dem, rue Batiştei. Irina, qui, pendant ses dernières années de pension, passait alternativement par des crises de catholicisme aigu et de frivolité mondaine, semblait à Alexandru aussi stupide et dépourvue d'intérêt que le reste de la famille, que son cousin Mircea ou que sa tante Aristie. Le seul qu'il aimait, c'était Dem. Les autres, des pète-sec. Mircea, qui étudiait le droit et se préparait à la diplomatie, avait un début de calvitie, et ce signe de maturité précoce l'enchantait, justifiait son air grave et prétentieux, son air de vaste et victorieuse médiocrité. Tante Aristie, sempiternellement obsédée par l'Honneur de la famille, ne pouvait pardonner à Alexandru l'opprobre jeté un jour par ses parents sur le nom des Pleşa. Quant à Irina, elle méprisait Alexandru un mois parce qu'il était trop laïque et un autre mois parce qu'il était trop sérieux, selon qu'elle était elle-même en proie au mysticisme ou à la frivolité. Alexandru ne trouvait rien d'intéressant dans ces crises d'hystérie, comme il les appelait à l'époque. Irina avait cependant commencé à lui plaire quelques jours avant son dernier voyage à l'étranger. Il se trouvait avec Dem à Bucarest; c'était la fin août, et la famille n'était pas encore rentrée de la mer. Un ami lui avait alors raconté la dernière aventure d'Irina. Il pensait qu'elle traversait une période pieuse et qu'elle avait résolu de prendre le voile dès qu'elle aurait vingt et un ans. Et pourtant, elle avait drôlement fait la noce, une nuit où elle s'était sauvée par la fenêtre de sa chambre, à l'insu de Mme Pleşa et de Mircea. Tôt le lendemain, les estivants matinaux pouvaient la voir sur la plage, toute nue, entourée d'un groupe de jeunes gens ivres qui s'évertuaient à faire tenir en équilibre trois coupes de champagne entre ses seins et son nombril. Mme Pleşa n'eut que de vagues échos de cette orgie et elle se contenta par conséquent d'une punition toute relative, en interdisant sa fille de sortie trois jours d'affilée. Autrement, c'est-à-dire si elle avait su ce qui s'était passé au casino puis sur la plage, elle serait immédiatement repartie. Toujours est-il qu'elle n'avait rien écrit à son époux de cette escapade. D'autant plus normal qu'Irina, d'après ce qu'on avait dit à Alexandru, avait repris ses lectures religieuses et était retombée dans ses rêves de couvent, dont ses parents eurent du mal à la tirer à Bucarest.

Lorsqu'on lui avait raconté cette aventure inattendue, Alexandru avait regretté de devoir partir sans avoir revu sa cousine. Jamais les crises de frivolité d'Irina n'étaient allées aussi loin. Alexandru la croyait condamnée à végéter dans le cercle de médiocrité créé par tante Aristie. Il pensait à l'époque que la platitude et la suffisance des derniers Pleşa étaient dues à l'invasion de sang balkanique apporté par Aristie. Cette explication en valait bien une autre, car les Pleşa avaient toujours été des gens entiers, fiers et ombrageux. En témoignait le drame familial de triste notoriété qui, dix ans plus tôt, avait tellement peiné tante Aristie. Les parents d'Alexandru avaient divorcé au lendemain de la guerre, alors qu'il était encore au cours primaire. Sa mère s'était remariée, par amour, quelques mois après. Son père en avait fait autant et, comme sa nouvelle épouse, malade des nerfs, ne supportait pas les enfants, Alexandru avait été placé comme pensionnaire au collège Schewitz. La tragédie, incompréhensible, avait eu lieu six ans plus tard. Une crise de jalousie à retardement, affirmèrent certains. M. Pleşa avait tué sa femme puis il s'était suicidé sur les marches de l'hôtel. Les deux couples s'étaient rencontrés à l'improviste dans une station balnéaire, et son ex-épouse était très belle, visiblement très amoureuse...

Alexandru avait moins souffert de cette double mort dramatique (il voyait fort peu son père; quant à sa mère, il l'avait presque haïe, bien avant le divorce, quand il avait découvert son amour coupable) que de la triste gloire que lui procurait l'événement. Le scandale, les commentaires, les reportages (un journaliste impudent était venu le relancer jusqu'à l'intérieur du collège...), la compassion de ses camarades – voilà ce qui l'avait fait souffrir à petit feu, désespérément, jusqu'à se mordre les doigts pour ne pas pleurer, la nuit, dans le dortoir. Durant toute une année, il s'était couché en se consolant à l'idée qu'un jour il pourrait changer de nom. Et il choisissait des noms toujours célèbres et sans cesse renouvelés : Alexandru Odobescu, Alexandru Ipsilanti, Alexandru Mavrogheni... Il n'avait commencé à apprécier le geste de son père qu'au bout de quelques années, après avoir passé son baccalauréat et avoir habité quelque temps dans la maison de son oncle, Demetru Pleşa. Il admirait à présent ce viril coup de tête ou de cœur, qui – pensait-il – n'était à la portée que d'un Olténien de pure souche, authentique descendant des Pleşa.

Au cours des deux mois passés dans la maison de la rue Batiştei, il avait suffisamment connu la famille d'oncle Dem pour être heureux de la quitter rapidement et de partir pour Bruxelles. Excepté Dem – qui, chaque fois qu'on faisait allusion à son père, lui disait : « Nous sommes ainsi faits, nous autres, les Pleşa! » et lui tapait sur l'épaule, les larmes aux yeux –, personne ne l'aimait. Et les autres ne se privaient pas de le lui faire sentir. Alexandru attribuait la médiocrité de ses cousins et la froideur de la famille à son égard au sang balkanique de tante Aristie, née Stoica, de parents assez riches mais de très basse extraction. Le grand honneur de Mme Aristie Pleşa était le rang social de son mari. Et son grand bonheur, la supériorité des Pleşa sur tous les Stoica. Elle s'était complètement détachée de ses frères et sœurs, unis à des familles d'officiers inférieurs ou de petits fonctionnaires. Elle arborait un sourire de satisfaction stupéfaite chaque fois que l'un quelconque des Stoica lui adressait une invitation à un mariage ou à un baptême. Elle ne cessait de lire et de relire à voix haute le nom de l'église, celui de la mariée ou du parrain, elle épelait avec un étonnement feint ce nouveau nom auquel elle serait désormais alliée. « Gardons ce faire-part aussi, déclarait-elle, pour ne pas oublier et risquer de faire une gaffe », et elle rangeait le bristol dans un coffret réservé au clan Stoica.

Alexandru avait longtemps considéré Irina comme irrémédiablement médiocre, à l'image de son frère; aussi pur que fût le sang olténien de Demetru Pleşa, l'hérédité albanaise et bulgare de tante Aristie avait pris le dessus. A l'époque, cette explication par le sang amusait beaucoup Alexandru. Irina lui avait cependant paru moins niaise lors de la première scène de famille, quand, après deux années d'études à Bruxelles, Alexandru était rentré inopinément, pour annoncer qu'il renonçait à continuer H.E.C. et qu'il suivrait la première idée qui lui passerait par la tête dans la prochaine ville européenne où il s'arrêterait. Toute la famille avait pris sa décision pour une plaisanterie de mauvais goût; dans le meilleur des cas, pour un caprice de jeune homme de vingt ans qui vit dans les nuages et croit que « son âme idéaliste ne peut pas descendre jusqu'au commerce » (selon l'expression de tante Aristie), caprice que ses bienfaiteurs se devaient de combattre. Oncle Dem avait même refusé d'en entendre davantage. Tante Aristie avait très clairement fait comprendre à Alexandru qu'on lui couperait les vivres s'il ne retournait pas à Bruxelles pour y passer ses examens. Mais, entre-temps, Alexandru avait appris qu'il n'était pas si pauvre que cela et que ce n'était pas la charité d'oncle Dem qui avait payé son lycée en Roumanie ni ses voyages à l'étranger. Il avait appris en effet qu'il possédait à Bucarest deux immeubles de rapport légués par son père, qui suffiraient à assurer confortablement sa subsistance après sa majorité; au pire, il aurait à en vendre un pour s'acquitter des dettes qu'il pourrait éventuellement avoir envers son oncle. Ceci l'aida à répondre fermement à ses protecteurs, à ne pas céder.

Quoi qu'il en soit, rue Batiştei, l'atmosphère était insupportable. Il avait commencé alors à se rapprocher d'Irina, qui, en deux ans, était devenue plus belle et plus secrète. Elle était la seule à lui parler. Mircea marquait son désaveu de son cousin par des silences significatifs, par des regards légèrement myopes qui se posaient négligemment sur Alexandru et que suivait une surprise imperceptible, toujours la même. Oui, Mircea, l'étudiant éminent, était le fils idéal, l'orgueil de Mme Pleşa. Il mettait à préparer ses examens la même assiduité qu'à cultiver le tout-Bucarest. Au cours de ces journées orageuses, tante Aristie ne cessait de le donner en exemple à Alexandru. Ce qui, chez tout autre jeune homme, n'aurait pas manqué de provoquer une haine ou une envie féroce. Mais les qualités ou les succès des autres avaient toujours laissé Alexandru indifférent. Il n'enviait ni ne haïssait personne; il n'était même pas méprisant, même pas ironique. Il contemplait attentivement, sincèrement curieux, la tête de son cousin. Ses succès diplomatiques lui auraient procuré une joie spontanée (mais sans plus), tout comme ses échecs l'auraient attristé. Au cours de ces journées-là, donc, face à la coalition de toute la famille (jusqu'à Dem, qui se conduisait en tyranneau nerveux et absurde), il aurait pu se rapprocher réellement d'Irina s'il n'avait pas rencontré par hasard, dans une librairie, Petru Anicet, auquel le lia rapidement une amitié durable. Il avait finalement réussi à imposer son point de vue et il était parti pour Londres au mois d'août, juste après avoir eu vent de l'aventure d'Irina au bord de la mer. Appelé sous les drapeaux, il était revenu en Roumanie un an plus tard et était allé faire son service – selon son vœu – dans une garnison de province. Il avait disposé de trop peu de loisirs pour pouvoir bavarder avec Irina. Il passait le plus clair de son temps avec Petru. Cependant, à l'occasion d'une permission, à Noël, il avait commencé à la connaître un peu mieux. Irina lui faisait des confidences et lui laissait entendre qu'elle en attendait autant de sa part. Et la mauvaise opinion qu'il avait eue d'elle au début s'était dissipée. A présent, toutefois, il se demandait ce qu'elle entendait par « amour »...

– Il n'y a rien à faire avec les gars de ton âge, dit Irina après un long silence. Pour trouver l'amour, aujourd'hui, il faut aimer un homme de plus de quarante ans. Vous, vous avez chacun une théorie, une passion abstraite, une idée originale, bref, quelque chose qui passe bien avant l'amour...

Elle parlait tristement, d'une voix lasse, éteinte. Tous, tous pareils sans exception. Dinu, par exemple, qui l'accueille d'un air absent, en cachant vite ses papiers dans un tiroir, qui la serre dans ses bras d'un air toujours absent, toujours brûlant d'autres désirs inassouvis.

– Et nous avons bien raison, répliqua Alexandru. Ça prouve au moins que notre génération a commencé à regarder la réalité en face, qu'elle a le courage de l'affronter. Il arrive tellement de choses graves autour de nous, il y a des milliers de gens qui meurent de faim ou de bêtise, on souffre, on endure, et tu voudrais qu'on croie encore à l'amour éternel, à la passion absolue, à je ne sais quelle autre superstition... A des trucs qui n'ont pas la moindre valeur morale et qui, par-dessus le marché, sont dangereux. Ce sont les forces des ténèbres, Irina, des forces démoniaques. On ne plaisante pas avec elles, crois-moi. On ne peut pas plaisanter avec l'amour, avec ces sentiments qui vous obscurcissent, qui vous humilient, qui vous mortifient... Excuse-moi de te dire ça à toi, à toi qui dois croire à l'amour, qui dois le provoquer, l'entretenir... Mais, à mon avis, la femme qui nous aime totalement est dominée par une force démoniaque, une force obscure qui finit par nous écraser. Une femme pareille nous annule, elle nous dissout. Alors, est-ce que tu penses vraiment, toi, qu'éviter de telles forces démoniaques c'est faire preuve de lâcheté, ou de prudence?

Alexandru parlait avec une conviction croissante, comme s'il devait se dédouaner d'un soupçon. Stupéfaite, Irina l'écoutait sans le comprendre. Ses crises réitérées de catholicisme lui avaient appris que la plupart des hommes respectaient l'amour et que, quoi qu'on pût penser du reste, de l'amour on ne pouvait penser que du bien. Il lui sembla que les paroles d'Alexandru étaient sèches, brutales, paradoxales. Il lui sembla reconnaître dans ses phrases le penchant à la fraude et au paradoxe facile qu'elle avait remarqué chez la plupart des garçons qui cherchaient à se montrer intéressants. Or, Alexandru affichait ce cynisme quelques jours seulement après qu'une malheureuse s'était tuée pour lui... Irina ne savait que répondre.

– Pour un homme jeune, il y a d'autres choses qui sont essentielles, poursuivit Alexandru. Des choses qui le concernent plus directement que l'amour. Aujourd'hui, la majorité des gens sont humiliés par la société, annihilés par les événements. Presque personne ne peut plus se développer librement, ne peut plus accomplir son destin... Les idées qui circulent maintenant sans se heurter à la moindre résistance, les sentiments-clichés qui nous envahissent, aussi grandiloquents que stériles, tout cet attentat à notre être est bien plus grave. Est-ce que tu ne crois pas que nous avons d'autres devoirs que celui d'aimer une femme jusqu'à la mort?

Irina trouva la question ironique, amère.

– Bon, mais ce que tu dis des hommes s'applique aussi bien à nous autres, les femmes, répondit-elle. Vous n'êtes pas les seuls maîtres du destin; pas les seuls à vouloir réaliser une vie plus libre, mieux remplie, sur cette terre...

– Naturellement, nous nous entendons à merveille, coupa Alexandru. Avec toi, du moins, je m'entends parfaitement. Le malheur, c'est qu'aucune femme ne garde la même compréhension envers l'homme qu'elle aime. Elle a toujours l'impression d'être une exception, de faire le salut de cet homme par sa seule présence, sans laquelle il ne pourrait jamais connaître le bonheur, etc.

Irina rougit brusquement. Elle se demandait si Alexandru ne se doutait pas de quelque chose, et même s'il ne connaissait pas certains détails précis.

– Alors, l'amour est inutile? murmura-t-elle.

– Un certain amour, oui. Mais les gens ont le droit d'aimer à leur manière, comme ça leur plaît, et qui leur plaît. Les jeunes filles sont libres de coucher avec qui elles veulent. Il y faut, bien sûr, une certaine amitié, une très fine compréhension, sans lesquelles l'érotisme deviendrait dégoûtant... Mais surtout pas le démonisme féminin, cet amour ténébreux, absolu.

– Bon, mais alors il n'y aura plus ni morale ni responsabilité. Nous retournerons à la barbarie, à la horde...

– Je ne crois pas. L'homme libre est beaucoup plus pur que nous ne pouvons l'imaginer, nous qui sommes obscurcis par les superstitions et les chaînes. Mais, pour répondre à ta question, de quelle responsabilité peut-il s'agir en ce qui concerne l'amour et la sexualité? Tu ne vois donc pas que la loi, le devoir, l'obligation sont autant d'idées ou de sentiments créés par les femmes, par la présence des femmes, par leur proximité physique? Les femmes ont pour destin d'humilier, de mettre à genoux, de réduire en esclavage. L'état de choses d'aujourd'hui convient à merveille aux femmes. Oublie que certaines sont d'ardentes communistes, des révolutionnaires et ainsi de suite. De tels spécimens appartiennent à l'extase, ce sont des femmes exaltées, quelques-unes très artificielles. Il ne faut pas juger d'après elles...

– Autrement dit, tu nous détestes? demanda Irina, légèrement pâle.

Alexandru éclata de rire, sincèrement. La dernière partie de la conversation l'avait stimulé; il n'avait encore parlé de ces choses avec aucune femme, et il éprouvait la joie tonique que procure un premier examen bien entamé.

– Pas du tout! Je ne suis ni misogyne ni vicieux. Au contraire, j'aime beaucoup les femmes, même plus que le sport, que l'art, que les bouquins... Mais, en même temps, je ne suis pas matriolâtre comme la majorité de nos contemporains...

Irina voulait lui répondre, trouver une réplique, lorsqu'une domestique s'approcha :

– Monsieur, il y a Monsieur qui vous demande...

Alexandru se leva en souriant. Il se rendit compte soudain qu'il faisait très chaud, que le soleil pénétrait jusque-là, sous la tonnelle. Il était passé pas mal de temps et il n'avait rien fait, il n'avait même pas réussi à apprendre par Irina comment il pourrait rassurer les vieux...

– Le jugement approche, dit-il à mi-voix.

Irina le regarda dans les yeux.

– Tu as peur? demanda-t-elle, faute de trouver mieux.

Alexandru fit un geste vaguement agacé. « Ils me prennent vraiment pour un gamin, ils croient qu'il s'agit d'une leçon mal apprise ou d'un examen raté. » Il haussa les épaules. « Au fond, ce qu'ils pensent de moi, d'eux-mêmes, de la vie, ça les regarde... »

– J'espère seulement que Mircea ne sera pas là, ça m'embêterait...

Il regarda sa cousine encore une fois, puis courut vers la véranda. « Quel plaisir on prend à exécuter apparemment les ordres, se dit-il, à faire croire qu'on est un bon soldat, alors qu'on est le chef... » Il entra dans le bureau de son oncle le sourire aux lèvres, bien décidé à ne contrarier personne.

... Une heure plus tard, Irina frappait timidement à la porte du bureau. Elle venait quémander l'argent que sa mère lui avait refusé un instant plus tôt. Tout le monde était, ce jour-là, si nerveux, si brutal...

Elle trouva son père devant la fenêtre. Alexandru, installé dans un fauteuil, ne paraissait ni ennuyé ni nerveux. M. Pleşa s'était retourné brusquement en entendant la porte s'ouvrir, et Irina eut l'impression de voir luire comme une humidité dans ses yeux. Mais il était absurde de penser qu'il pouvait pleurer, à son âge, pour une broutille pareille...

M. Pleşa tira de son portefeuille mille lei, la somme qu'Irina lui avait demandée, et les lui donna.

– Et puis, occupe-toi un peu d'Alexandru, ajouta-t-il en tapotant la joue de sa fille. Il est en vacances, ce garçon... Cessez de l'exaspérer...

Irina le fixait, abasourdie. Alexandru paraissait n'avoir même pas remarqué qu'on parlait de lui. Il lui semblait, au même instant, apercevoir un visage connu, quelque part, sous ses yeux, entre la bibliothèque et la fenêtre. Une présence étrangère, qu'il aurait pourtant pu reconnaître. « Je n'aurais peut-être pas dû parler d'elle d'une façon aussi stupide », se dit-il, quoique l'illusion dont il venait d'être le jouet pendant une seconde ne ressemblât nullement à Viorica. A ce moment-là, M. Pleşa et Irina eurent tous deux la sensation précise qu'Alexandru pensait à la disparue et ils se turent en même temps en baissant les yeux, gênés.

III

Ce matin-là aussi, Miticà Gheorghiu partit pour son entraînement sans en avoir la moindre envie. Il arriva en retard : il lui restait seulement trois quarts d'heure à jouer; cela, au cas où il déciderait d'aller au bureau en voiture. Son entraîneur l'attendait, le regard froid, hostile. Ils se saluèrent à peine et passèrent aussitôt sur le court, sans un mot. « Je dois me décider à la voir et à lui parler, quoi qu'il arrive », se dit Gheorghiu. Il manqua une balle et pesta furieusement dans son for intérieur : contre son entraîneur, contre Marcella Streinu, contre le soleil qui l'aveuglait. Il abaissa sa visière jusqu'au milieu de son front. « Je dois absolument la voir, lui parler, en finir d'une façon ou d'une autre. Que ce soit oui ou non, il faut que je sache ce qu'elle envisage pour moi... »

Miticà Gheorghiu savait depuis longtemps ce que Marcella Streinu envisageait à son propos. Il avait néanmoins l'impression d'être en droit d'oublier chaque nouveau refus et d'espérer contre toute évidence. La dernière lettre, reçue la veille, était plus que catégorique, elle était compréhensive :

Mon cher Mitia, pourquoi ne pourrions-nous pas rester de bons camarades, liés par l'estime et par une amitié spirituelle, cette amitié spirituelle qui ennoblit deux âmes élevées et distinguées?

Marcella avait longuement médité cette phrase. Elle s'y était reprise à plusieurs fois, raturant et rajoutant, cherchant à paraître aussi-douce que féminine, d'une féminité discrète, cérébrale, rare. La féminité cérébrale constituait sa dernière découverte, et la plus importante. Être femme et esprit en même temps, garder intactes toutes les sources de la passion et de la sensualité, mais les guider par son intelligence, par des nuances, par sa fantaisie... Miticà Gheorghiu, sportif et employé de banque, ne comprendrait jamais cela, Marcella en était sûre. Au début, lorsqu'elle avait découvert la passion qui dévorait le jeune homme – elle l'avait devinée, car il n'osait pas la lui avouer –, elle s'était laissé prendre au jeu. Elle acceptait sa compagnie, elle lui permettait de lui téléphoner chaque fois qu'il en avait l'occasion, elle ne refusait pas ses cadeaux. Elle se disait que, le temps passant, il parviendrait peut-être à lui plaire.

Miticà Gheorghiu n'en demandait pas tant. Il lui demandait de ne pas lui claquer sa porte au nez, de ne pas raccrocher quand elle entendait sa voix. Et, au bout d'un an, d'accepter sa demande en mariage.

Ni Marcella ni lui n'avaient cru que les choses iraient si loin. Ils s'étaient connus cinq mois plus tôt, en plein hiver, lors d'une soirée chez les Carabella. Marcella avait à peine retenu son nom; elle se rappelait vaguement sa silhouette de sportif, ses yeux noisette dans une tête oblongue où se dessinait un début de calvitie. (Cependant, elle se souvenait avec précision qu'il portait un veston gris à martingale et larges poches appliquées, dans lesquelles il aimait à enfouir les mains. C'était là un signe d'originalité, or l'originalité plaisait à Marcella.) Miticà, de son côté, était loin de soupçonner qu'une telle passion allait s'emparer de lui. Rien ne l'attirait chez cette fille grassouillette, au nez à la retroussette et aux cheveux oxygénés, qui fréquentait des milieux de bohèmes et de snobs et qui justifiait ses airs tranchants par le premier prix de fin d'année qu'elle avait décroché au conservatoire, un an auparavant. Mais, depuis, elle n'avait joué qu'au hasard, dans des pièces de boulevard : quelques rôles de soubrette, de nurse, de dame de compagnie estropiant le roumain et portant des robes démodées. Son nom avait été mentionné dans des journaux grâce aux amitiés nouées dans les maisons où elle se montrait assidue, maisons où se pressaient cabotins et littérateurs, toutes sortes de jeunes gens avides de carrière et de gloire. On lui attribuait du talent et elle ne manquait pas une occasion d'annoncer qu'elle irait bientôt compléter ses études à Paris. Miticà avait appris tout cela plus tard, lorsqu'il avait commencé à s'intéresser à Marcella, à sa vie et à ses projets. Tout comme il avait appris que Marcella Streinu était un pseudonyme, derrière lequel se cachait Elena Dumitraşcu, fille d'un pharmacien de Bârlad, gros bourg de Moldavie. Elle lui avait fourni elle-même bien d'autres détails car, chaque fois qu'ils se voyaient, Marcella était obligée de parler tout le temps, afin d'empêcher de pénibles silences de s'installer et, en même temps, pour échapper à la gravité des yeux de Miticà, qui paraissaient paralysés par un profond effroi. Après leurs premières rencontres, Miticà savait déjà que Marcella avait gagné à deux reprises le concours des « Jeunesses roumaines », après quoi elle était venue à Bucarest, où elle avait habité dans une famille qu'elle ne connaissait pas, selon la coutume. C'était d'ailleurs chez ses logeurs – qui avaient une fille de son âge, étudiante à l'École centrale – qu'elle était tombée amoureuse pour la première fois; ils avaient également un fils, Sorin, étudiant en lettres, qu'elle avait aimé pendant tout un été : elle lui écrivait des lettres qu'elle ne lui envoyait pas, elle se rêvait étudiante, en train d'assister aux mêmes cours que lui. (Marcella n'avait cependant pas avoué à Miticà, ni à personne d'autre d'ailleurs, que Sorin l'avait surprise seule le jour même de son départ et l'avait longuement embrassée sur la bouche, tout en farfouillant sous sa jupe, sans qu'elle protestât, tellement elle était effrayée, heureuse.) Marcella avait également dit à Miticà qu'elle avait deux frères, plus âgés qu'elle (en ce qui la concerne, elle annonçait vingt-deux ans, alors qu'elle en avait vingt-quatre), l'un officier dans une garnison de Bessarabie, l'autre professeur dans un lycée de Bârlad, un homme jeune et d'un grand talent, mais brisé par la vie. (Anton Dumitraşcu, professeur de langue et de littérature roumaines, publiait, sous divers pseudonymes, des vers et de la prose dans des revues de province. Il « travaillait » depuis plusieurs années à un vaste roman, *Effondrements dans la glaise,* régulièrement annoncé par les revues auxquelles il collaborait et qui, selon son auteur, devait être « le miroir fidèle de la jeune génération d'intellectuels sacrifiés par la vie ». A la vérité, Anton se remettait à son roman tous les étés, dès le début des vacances, mais il y renonçait après s'être colleté quelques nuits avec l'inspiration et s'excusait auprès de sa femme – qui lui préparait religieusement du café dans le vestibule et marchait sur la pointe des pieds pour ne pas le déranger – en lui expliquant qu'il n'avait pas encore réuni assez de matériaux, qu'il n'avait pas définitivement classé ses notes.) Miticà Gheorghiu connaissait désormais tous les proches de Marcella, tous ses amis de Bârlad, au point de les nommer par leur prénom, de les juger, ou de prendre leur défense lorsque Marcella piquait une de ses fréquentes crises de révolte contre la famille...

– Rien à faire, ça ne me dit rien aujourd'hui! s'écria Miticà et, d'un violent coup de raquette, il expédia la balle dans le décor.

– Alors, on ne participe plus au championnat, répliqua son entraîneur sur un ton menaçant.

– D'accord, on n'y participe plus...

Ludovic, l'entraîneur, savait qu'il était inutile de contredire Miticà. Celui-ci était contrarié à cause de Marcella et toute discussion ne pouvait qu'accroître son irritation. Éventuellement provoquer un nouvel esclandre, comme pendant la semaine sainte, lorsque Gus, l'ayant appelé « monsieur Miticà Streinu », avait reçu une paire de gifles devant tout le monde. Cet amour de Miticà était le secret de Polichinelle. On savait que, lorsque sa dulcinée était chez le coiffeur, il pouvait l'attendre des deux heures d'affilée, à faire les cent pas sur le trottoir, à griller cigarette sur cigarette, à lire et relire tous les titres à la devanture du libraire voisin. On savait qu'il lui apportait des fleurs tous les matins et les laissait chez le concierge pour ne pas la réveiller, car elle se levait tard, après dix heures, heure à laquelle il était depuis longtemps à la banque. Les ragots circulaient et s'amplifiaient. Gus, le barman – qui, parlant le français et comprenant même un peu l'anglais, s'autorisait des familiarités avec tous les membres du club –, les apprenait par un ami qui travaillait aussi à la banque. Quoi qu'il en soit, tout le monde était au courant. Miticà Gheorghiu ne savait pas dissimuler la moindre phase de cet invraisemblable amour. Quand il recevait une réponse nette, il était sombre et furieux (il avait pris l'habitude de demander la main de Marcella presque chaque semaine et elle était parfois obligée de refuser brutalement). Quand il avait l'impression que l'espoir renaissait, il redevenait bavard, « bon gars », il jouait six parties de suite et distribuait des pourboires princiers. Tout se passait alors comme naguère, quand Miticà Gheorghiu n'était que le chef de bureau à la banque et le sportif accompli que connaissait le tout-Bucarest, un jeune homme de famille fort riche et promis à un bel avenir politique (on pensait qu'il suivrait les traces de son père, Paraschiv Gheorghiu, grand électeur de Buzàu et tant de fois député).

D'ailleurs, lorsque avaient fusé les premières rumeurs sur cet amour pour une jeune comédienne à peine sortie du conservatoire, aucun des amis de Miticà n'avait voulu y croire. Ils le connaissaient assez bien, ils savaient qu'à la faculté il changeait de maîtresse aussi souvent que les autres fils de famille, qu'à Paris il avait perdu un an à ne rien faire, à manger uniquement au restaurant roumain, à parler tout le temps roumain avec des relations de café, à remplir ses journées et surtout ses nuits de liaisons sans lendemain. Pourtant, le bruit enflait trop pour être entièrement inventé. Et puis, Miticà Gheorghiu s'était lui-même vite trahi. Il présentait tous les symptômes de l'amoureux transi et avait peu à peu délaissé les soirées en ville et les nuits au cabaret.

Ludovic, comme les autres membres du club, savait désormais à quoi s'en tenir. Il ne fallait pas contrarier Miticà. Il ne renoncerait pas au championnat, c'était sûr. Mais il eût été inutile de le forcer à jouer aujourd'hui, alors qu'il ratait jusqu'aux balles les plus faciles et qu'il ne cessait de triturer sans raison sa visière.

– Tu as bien le temps de boire un café, dit Ludovic en voyant que Miticà s'était rhabillé et s'apprêtait à partir. Il n'est que huit heures moins le quart...

Miticà parut réfléchir, avec un sérieux étrange, exagéré. « Au fond, je pourrais y aller plus tard. De toute façon, ils vont me faire suer jusqu'à une heure, ces... » Ils se dirigèrent tous deux vers la buvette, où Miticà commanda deux cafés serrés.

– Tu deviens nerveux depuis quelque temps, dit Ludovic.

– Oui, je suis comme ça, moi, répondit Miticà sans le regarder. Maintenant j'ai envie de me marier et je ne tiens plus en place...

Ludovic feignit l'ignorance. Il ne s'attendait pas à un aveu si abrupt.

– Je ne lâcherai pas prise tant que je ne me serai pas marié, précisa Miticà, le regard fixe, perdu. Ce ne sera pas trop dur.

Il sourit; il voyait une image grotesque et balsamique : lui, Miticà Gheorghiu, la coqueluche des courts et des courtisanes, en train d'épouser, par amour, une vague diplômée du conservatoire... Du reste, il avait mis plusieurs mois avant de se faire à cette idée. Au début – même lorsqu'il se disait « il se passe quelque chose de sérieux » et « je couve un nouvel amour » –, il ne désirait ni n'aimait Marcella autrement qu'il n'avait aimé et désiré jusque-là.

Il y avait eu bien d'autres femmes dans sa vie et, à chacune, il avait cru que commençait ou s'achevait quelque chose de définitif. Il était donc naturel qu'il en pensât autant de Marcella. Peu à peu, cependant, il s'apercevait qu'il s'agissait de tout autre chose. Par trop stupide amour ou par trop ridicule timidité, il ne savait que lui dire, il n'osait pas lui parler ouvertement. Même lorsqu'ils passaient quelques heures ensemble, c'était à peine s'il parvenait à énoncer quelques affligeantes platitudes. Il n'était même plus capable de discuter tennis : plutôt l'entendre, elle, parler de sa famille de Bârlad, d'art dramatique ou de quoi que ce soit. Et alors il l'écoutait d'un air presque extatique, il la dévorait des yeux, le regard fixe. Il riait aux éclats à son moindre sourire, il s'affolait à son moindre ennui. Pour Marcella – habituée à rencontrer surtout des jeunes gens insolents ou trop entreprenants, qui lui parlaient avec impudence ou essayaient de la peloter dès le premier rendez-vous –, cette présence si douce et si honnête était flatteuse. Elle acceptait la compagnie de Miticà avec une certaine fierté. Elle ignorait jusqu'où ils iraient tous deux mais, en tout cas, elle ne le craignait pas...

Or, la situation avait été brusquement éclaircie par un fait nouveau : début avril, Miticà décidait soudain de tout avouer à Marcella. Ce qui lui arrivait le dépassait. Il n'avait jamais éprouvé de passion aussi aveugle, stupide, infinie. Il n'avait plus envie de rien, aucune compagnie ne le délassait plus. Il en venait à détester les gens, à ne se sentir bien qu'auprès de Marcella. Mais, là encore, quelle étrange paralysie, quel incompréhensible manque de toute initiative, de toute volonté! Il ajournait toujours sa déclaration. Il préférait l'écouter. Puis rêvasser des heures durant, allongé sur son lit, l'imaginer devenue sa maîtresse, pleinement femme à ses côtés.

Quand il avait résolu de tout lui avouer, Miticà savait qu'il n'aurait pas le courage de parler devant elle, sous ses yeux. Et il n'était pas doué pour écrire. Une lettre lui aurait donné bien trop de mal. Il avait alors choisi une solution intermédiaire : téléphoner. Idée qui lui semblait amusante et efficace. Et, comme il n'avait pas le téléphone et qu'une cabine publique eût été peu propice à ses épanchements, il avait eu recours au studio d'un ami serviable et discret, Jean Ciutariu. Miticà ne lui avait rien dit de précis, il l'avait seulement prié de lui prêter son studio pendant quelques heures, un après-midi. Jean avait accepté aussitôt, tout en mentionnant au passage que les draps n'étaient pas de la dernière propreté, mais Miticà lui avait assuré qu'il ne recevrait pas de femme, qu'il s'agissait d'un rendez-vous d'affaires.

Miticà ne pouvait se souvenir de cet après-midi d'avril sans un serrement de cœur. Il avait longuement hésité avant de décrocher et de composer le numéro de la pension de famille où habitait Marcella. Il avait soigneusement préparé ses premières phrases. Ensuite, à la grâce de Dieu... De toute façon, il ne prononcerait pas son nom tant qu'il n'aurait pas réussi à tout avouer. Il ne pensait pas que Marcella répondrait elle-même; le plus souvent, il avait d'abord quelqu'un d'autre, la patronne ou la bonne, qui allait la prévenir. Alors, quand il avait reconnu la voix de Marcella au bout du fil, il avait toussé et raccroché. Puis attendu quelques minutes avant de rappeler, après avoir décidé d'adopter un ton de farce, de faire sa déclaration comme si elle venait d'un admirateur inconnu. Marcella Streinu avait interprété quelques semaines plus tôt un rôle de soubrette et son jeu de scène avait été remarqué. Et il avait en effet commencé sur le ton de la plaisanterie : « Au secours, mademoiselle, je ne dors plus la nuit et, quand je dors, je rêve de vous! Mademoiselle, ayez pitié d'un spectateur amoureux, qui est venu vous voir tous les soirs, qui vous admire, qui vous attend! » Au début, Marcella n'y avait rien compris. Ensuite, elle s'était dit qu'il s'agissait d'une farce, et elle s'apprêtait à raccrocher lorsqu'elle avait été subitement frappée par la sincérité du ton : « Marcella, Marcella, pourquoi me tourmentes-tu? » Un silence. « Qu'est-ce que vous voulez, monsieur? – Marcella!... » Miticà avait crié son nom désespérément, puis il avait étouffé le combiné dans le creux de sa main pour jurer comme un charretier, pour injurier sa vie et sa malchance. Ce qu'il venait de faire lui avait semblé tellement ridicule et honteux qu'il s'était solennellement promis de ne plus jamais revoir Marcella, de s'arracher à cette fascination stupide, de coucher chaque nuit avec une femme facile jusqu'au jour où il l'aurait irrémédiablement oubliée...

Marcella avait été impressionnée par ce cri désespéré. Pendant plusieurs secondes encore, elle avait gardé le téléphone contre son oreille. Une déclaration d'amour faite à un rythme pareil et à une pareille tension n'est pas chose ordinaire. Elle en avait entendu peu jusque-là, et aucune de ce genre. Et puis, une confuse curiosité, irritante et pourtant agréable, l'avait incitée soudainement à savoir qui l'avait appelée. Aux P.T.T., elle avait obtenu le numéro et le nom : Jean Ciutariu. Elle avait déjà vaguement entendu parler d'un certain Ciutariu, qui faisait quelque chose à l'Opéra ou, en tout cas, qui avait des rapports avec le monde artistique. La voix qu'elle venait d'entendre ne pouvait pas être la sienne. Ciutariu n'aurait pas procédé d'une manière aussi enfantine. Quoi qu'il en soit, Marcella avait retenu son nom.

Miticà n'avait pas tenu parole. Quelques jours plus tard, après avoir essayé de s'enivrer tous les soirs, il revenait auprès de Marcella. Toujours aussi timide, aussi peu loquace, aussi inefficace. Sans oser faire la moindre allusion à sa « déclaration ». Qu'il considérait d'ailleurs lui-même comme une plaisanterie manquée. Et, comme il ne trouvait pas d'autre échappatoire, il avait décidé de demander à Marcella de l'épouser. Il s'en était ouvert brusquement, dans la rue, devant une parfumerie où elle allait entrer.

– Écoute, qu'est-ce que tu dirais si je te demandais ta main? Pour le meilleur, pas pour le pire...

Sur le seuil du magasin, Marcella s'était arrêtée et retournée. Elle ne comprenait pas. Elle supposait néanmoins que Miticà ne plaisantait pas avec ce genre de sujet. Elle l'avait regardé en riant.

– Tu ne dois pas me répondre tout de suite, lui avait-il dit, les yeux sur le macadam. Je te donne vingt-quatre heures pour réfléchir...

Et il lui avait ouvert la porte de la parfumerie. Ensuite, pendant tout le reste de leur promenade, il avait été plus bavard que jamais. Mais il n'osait guère la regarder en face. Le lendemain, Marcella – qui avait essayé de paraître pensive et soucieuse toute la soirée, convaincue qu'il s'agissait d'un problème sérieux et responsable – lui avait avoué qu'elle n'avait pas pu se décider. Elle savait seulement qu'elle ne pourrait pas franchir ce pas avant longtemps : sa carrière, ses études, Paris, etc.

Depuis, Miticà lui demandait plusieurs fois par semaine si elle s'était ravisée. Il trouvait des solutions à toutes les difficultés. Ils iraient passer un an à Paris, il démissionnerait de sa banque et se mettrait à faire de la politique à leur retour, il lui accorderait une liberté absolue dans sa vie artistique, et ainsi de suite. Marcella refusait constamment. Mais les insistances de Miticà la flattaient. Aussi évitait-elle tout refus brutal, afin de ne pas éloigner définitivement son soupirant. Elle refusait charitablement, en souriant, en plaisantant. Entre-temps, Miticà la couvrait de cadeaux de plus en plus chers, et de plus en plus utilitaires : bas de soie, parfums, maillots de bain, sacs à main du meilleur cuir, etc. Marcella avait écrit à ses parents qu'un jeune homme de bonne famille, fils de député, lui faisait la cour et qu'elle était donc « assurée de se caser, au cas où ne se présenterait aucun contrat intéressant dans un grand théâtre bucarestois ».

Mais, quelques semaines plus tard, Marcella faisait la connaissance de Jean Ciutariu. Si Miticà avait conservé une once de lucidité, la conversation de Marcella lui aurait fait comprendre tout ce que cette rencontre signifiait pour elle. Il aurait découvert, dans sa dernière lettre, certaines préoccupations et un certain style intérieur qui appartenaient davantage à Ciutariu qu'à la jeune femme. Mais Miticà n'avait ni le loisir d'examiner ni la curiosité de douter. Son amour pour Marcella était si absolu qu'il ignorait la jalousie. Il se disait parfois que les éventuelles infidélités de Marcella ne l'intéressaient pas. Il était même prêt à lui laisser prendre un amant, du moment qu'elle accepterait de l'épouser. C'était autre chose que Miticà avait remarqué : une résistance nouvelle, et totale. Leurs conversations devenaient très froides. Marcella essayait d'être douce, consolatrice : elle lui parlait de « la sublimation des passions », elle l'invitait à la traiter comme une sœur – mais, sous cette douceur compatissante, Miticà subodorait la ferme résolution de ruiner ses espoirs, de l'isoler définitivement dans un sentiment de vague « camaraderie spirituelle ». Cette nouvelle forme de résistance, bien plus dangereuse, le rendait nerveux, l'obligeait à sortir de son obéissance extatique, à lui parler brutalement. « Sœur ou pas, tu finiras par venir devant l'autel avec moi », lui avait-il dit peu de temps auparavant. Marcella, qui espérait encore parvenir à une séparation correcte, amicale, lui avait répondu indirectement. « Pourquoi cherches-tu à me blesser, Mitia? » lui avait-elle demandé en le fixant avec un regard triste et profond, comme elle en avait pris l'habitude depuis quelques semaines, c'est-à-dire depuis qu'elle connaissait Ciutariu. Puis, elle avait décidé de s'expliquer longuement par lettre. C'était en fait Jean Ciutariu qui lui avait conseillé de recourir à ce moyen de clarifier les choses. « Ce ne serait pas bien de notre part de faire souffrir ce pauvre Mitia, qui est un brave garçon », avait-il dit à Marcella, un soir où il avait osé plus que jusque-là et où, surtout, il avait compris qu'il pouvait tout oser. Marcella avait alors travaillé tout un après-midi et s'était arrêtée finalement à un texte assez long et assez doux, mais dont la conclusion ne laissait pas de place au doute :

Mon cher Mitia, c'est à toi de choisir : ou bien nous restons de bons camarades, de bons amis, et alors nous pourrons nous revoir, ou bien tu t'entêtes à rester sur tes vieilles positions, et alors nous redeviendrons deux inconnus qui n'ont aucune raison de se dire bonjour, deux étrangers, comme nous l'étions cet hiver...

Cette conclusion, qui excluait l'équivoque comme l'espoir, avait effrayé et en même temps exaspéré Miticà Gheorghiu. Il avait passé une nuit pénible à tenter d'écrire des épîtres outrageantes et dramatiques, où il menaçait Marcella de se suicider devant son domicile ou bien de la suivre et de la tuer avant de se tuer à son tour. Il jurait avec colère et tristesse à la fois après chaque page déchirée. Il avait alors décidé de voir Marcella dès le lendemain, à l'heure du déjeuner ou juste après. Et aussi de procéder plus brutalement, plus « virilement » que d'habitude. « Je m'accrocherai jusqu'à ce qu'elle m'ait dit oui, se répétait-il pour se consoler. Je m'accrocherai jusqu'à ce qu'on se soit marié... »

Cette rengaine revint à plusieurs reprises, confuse et lapidaire, dans sa morne conversation avec Ludovic. L'entraîneur n'y comprit pas grand-chose; et il n'apprit rien de neuf par rapport à ce que lui laissaient supposer les ragots colportés par Gus. Lorsque Miticà Gheorghiu eut payé les cafés et qu'il se leva pour s'en aller, Ludovic était presque gai : son poulain avait oublié sa décision de renoncer au match et avait sérieusement promis d'être à l'heure sur le terrain le lendemain.

***

Il avait inutilement redouté cette longue matinée, cet intervalle de travail le séparant de son rendez-vous. A la banque, le directeur le retint presque tout le temps dans son bureau. Miticà put ainsi éviter sans effort les regards ironiques de ses collègues. Vers onze heures et demie, il téléphona à Marcella.

– Tu as de la chance, lui dit-elle. J'étais justement sur le point de sortir.

Cette nouvelle fit sur Miticà un effet stimulant. Il adopta spontanément une voix plus mâle, plus résolue :

– Tu peux sortir, aller où tu veux, mais il faut que tu sois de retour à une heure. Je veux répondre verbalement à ta dernière lettre.

Marcella s'excusa – elle était invitée à déjeuner chez des amis – et elle lui donna rendez-vous à trois heures et demie dans un salon de thé, le *Nestor*. Miticà sentit sa dernière chance l'abandonner. Ce nouvel atermoiement ne pouvait que l'affaiblir, qu'ébranler ses nerfs. Il dut toutefois s'incliner. Il alla déjeuner à contrecœur – il faisait tout à contrecœur depuis quelques jours. « Cette saloperie de situation ne va tout de même pas durer éternellement ! » se dit-il en se rendant compte qu'une fois de plus, comme toujours d'ailleurs, Marcella avait eu le dernier mot. Au restaurant, il passa sa colère sur le garçon, il repoussa bruyamment son assiette, refusa d'un ton scandalisé l'huile pour la salade. Cet éclat le soulagea. Aux tables voisines, on le regardait avec une curiosité mêlée d'admiration, et tous ces yeux qu'il sentait fixés sur lui le stimulaient, l'obligeaient à se retrouver, à ressusciter le Miticà Gheorghiu de naguère. Il alluma une cigarette avec une satisfaction non dissimulée. Lorsque le garçon lui apporta l'addition, il le toisa avec une colère feinte, comme un professeur qui essaie de se montrer sévère mais qui se mord les lèvres pour ne pas rire. Il consulta sa montre : trois heures moins le quart. Il se sentit soudain libre de tout regret, sujet seulement à un léger vague à l'âme qui ne l'empêchait pas d'être ravi de vivre – un sentiment diffus, semblable à cette joie cachée qu'on peut éprouver en rentrant du cimetière. Il partit pour le *Nestor* quelques minutes après trois heures. Il marchait sans hâte, en s'éventant avec son chapeau, il faisait du lèche-vitrines au petit bonheur. Dans la touffeur de l'après-midi, Calea Victoriei, la grande artère chic de Bucarest, était déserte, brûlante. Une fois devant le Palais royal, il allongea le pas afin d'arriver en avance à son rendez-vous et d'avoir le temps de manger tranquillement une glace. Il avait oublié presque tout ce qu'il voulait dire à Marcella. En de telles heures, il se sentait assez heureux. Il avait l'impression d'être à nouveau le Miticà Gheorghiu d'avant, l'éternel Miticà Gheorghiu. Il en oubliait qu'il était amoureux, qu'il était malheureux en amour, que la femme qu'il aimait lui avait envoyé une lettre de rupture à laquelle il devait donner une réponse bien pesée, que de cette réponse dépendait son bonheur même. Le bonheur n'était pas chose à l'intéresser en de telles heures. Toutes ces idées ne l'effleurèrent que très vaguement, un peu au hasard, et il les chassa de son esprit. Il entra au *Nestor* en s'éventant avec son chapeau.

IV

Alexandru partit vers cinq heures chez son ami. Petru habitait une vieille et petite maison dans une impasse, au bout de la rue Màtàsari. Il y avait, devant, un jardin inculte et une pompe à eau que des chiffons noués serré empêchaient de goutter. A l'intérieur, trois pièces basses qui sentaient le bois humide et la cuisine. Dans l'une, celle qui donnait sur la cour de derrière, Petru avait installé son piano, son lit et les livres laissés par son frère. (Une bonne partie en avait été vendue, en même temps que les meubles, juste après le suicide de Pavel, quand ils avaient dû déménager ici. Ensuite, Petru avait vendu peu à peu les livres les plus rares, afin de pouvoir payer le cinéma à Nora. Avant les premières leçons de piano, la situation des Anicet était encore pire, malgré l'aide mensuelle que leur versait M. Baly. Mais, à cette époque-là, Petru aurait pu renoncer à n'importe quoi, sauf à sortir tous les soirs avec Nora.)

Derrière la maison, dans la cour large, boueuse, on voyait une écurie qui menaçait ruine, mais que Mme Anicet avait pourtant réussi à louer à un voiturier du coin. Au fond, le long de la haie, quelques griottiers et cognassiers rendus à l'état sauvage, parmi les mauvaises herbes et les tiges de tournesol. A l'écart, un tas de tuiles brisées, de tôle rouillée et de gravats, vestiges d'une auberge démolie qu'envahissaient les herbes folles. L'année de leur emménagement, Petru avait décidé de transformer le fond de la cour en potager. Pendant quelque temps, il avait même travaillé assidûment pour défricher l'endroit et, un jour, Alexandru l'avait aidé. Tous les deux en bras de chemise, les manches retroussées, ils débroussaillaient, épierraient, chargeaient les gravois dans une brouette dénichée à l'écurie, gais et appliqués, grisés par la volupté revigorante du travail manuel. Petru avait cependant dû renoncer à son projet, car il ne savait que faire des décombres qu'il amoncelait : où les jeter? Il n'y avait à proximité ni terrain vague ni cour abandonnée. Le coin auquel il s'était attaqué avait vite pansé ses plaies, ces trous creusés dans ses entrailles. Les mauvaises herbes repoussèrent dès que tomba la première pluie. A l'automne, elles rivalisaient de hauteur avec les arbustes.

Alexandru connaissait bien la maison de l'impasse Màtàsari. Il connaissait aussi la tragédie des Anicet, descendants d'une vieille famille de hobereaux, obligés de vivre aujourd'hui dans une banlieue pouilleuse, et d'y vivre des subsides octroyés par un étranger. Lorsqu'il avait su avec quelle simplicité Petru avait accepté cette chute brutale, il ne l'en avait aimé que plus. « Je me plais bien ici, lui avait dit

Petru, j'aime bien la longue ligne du quatorze, le tramway qui me dépose au coin de cette rue pleine de griottiers et de cognassiers. Quand nous sommes arrivés, à la Saint-Démètre, il faisait mauvais, il avait plu la veille. Mais le parfum des coings ne m'avait jamais frappé comme il m'a frappé alors. Et puis, au printemps, tous ces cerisiers en fleur... » De son côté, Mme Anicet n'avait laissé paraître ni souffrance ni humiliation. Elle s'était remise difficilement de la mort de Pavel, mais elle avait fait preuve alors d'une capacité de résignation dont on n'eût pas soupçonné la force. Tant que Petru était encore trop jeune, sans secours de nulle part, elle ne s'était pas permis de se laisser abattre. Elle ne pleurait jamais devant lui. Aussi longtemps qu'avait duré leur emménagement, elle avait plaisanté et parlé en français à Petru – sa façon à elle de résister à la misère de l'impasse Màtàsari, d'interposer une certaine noblesse entre eux et ces murs lépreux. *« Regarde, Pierrot, comme ça fait beau, les marronniers *! »*... Mais cette époque était déjà loin. Les rares lettres de Petru avaient fait comprendre à Alexandru que certaines choses avaient changé, impasse Màtàsari.

Il faisait chaud, la rue était poussiéreuse. Alexandru croyait trouver Petru à la maison, mais ce fut Mme Anicet qui lui ouvrit. Il n'y avait pas de sonnette et Alexandru dut frapper à la fenêtre de l'entrée – un carreau cassé dans un coin, le trou bouché avec un morceau de journal. Mme Anicet apparut en robe de chambre mauve à manches courtes. Son visage avait changé, un peu plus bouffi; ses cheveux blancs étaient mal peignés. Alexandru ne put réprimer un geste d'étonnement : « Elle dormait sans doute, je la dérange; une femme comme elle ne se montre pas ainsi. »

– Petru n'est pas encore rentré, dit Mme Anicet.

Elle l'invita à entrer. Une pièce au plancher vermoulu caché tant bien que mal par des tapis. Quelques vieilles chaises bancales à dossiers dorés et coussins de velours. Au fond, sous la fenêtre (là aussi, une vitre était brisée, rafistolée

* En français dans le texte, comme dorénavant tous les mots en italique suivis d'un astérisque. *(N. d. T.)*

avec du papier vert, délavé), un canapé du même genre, sous une housse qui avait été blanche. Ces vestiges d'un mobilier élégant semblèrent à Alexandru plus tristes, plus misérables que précédemment. Il ne les avait pas revus depuis l'automne passé. L'humidité, la pauvreté les rongeaient plus vite qu'il ne l'eût imaginé.

– Je vais vous faire du café, décréta Mme Anicet sans lui demander son avis.

Elle apporta de la pièce voisine – sa chambre, qui faisait également office de salle à manger – un plateau en argent et le service à café. Elle se mit à parler, à jacasser, elle posait des questions, coupait les réponses, se plaignait. Elle se plaignait surtout de Petru.

– Il vit toujours avec cette traînée...

Elle essuya ses larmes du revers de la main. Alexandru baissa les yeux, humilié. « Il s'est passé quelque chose dans cette maison, quelque chose a changé. Les âmes se décomposent, la misère les ronge, comme les meubles de Francisc Anicet. »

– Dès qu'il a deux sous, il sort avec elle en ville, il l'emmène le soir au cinéma...

Alexandru se demanda comment Mme Anicet pouvait le savoir, puisque Nora ne venait jamais ici et que, selon Petru, elle habitait dans un autre quartier. Quoi qu'il en soit, Mme Anicet était parfaitement renseignée. Elle raconta à Alexandru que Petru était sorti avec Nora le samedi précédent, alors qu'elle l'attendait pour dîner, et qu'elle ne s'était endormie qu'à onze heures, la lampe allumée. Petru était rentré à trois heures du matin et n'avait même pas demandé pardon. Il était allé tout droit dans sa chambre et s'était mis à jouer du piano dans le noir. Il aurait sans doute continué jusqu'au petit jour si tous les chiens des environs n'avaient pas commencé à aboyer et si les voisins ne s'étaient pas réveillés. De son lit, elle les entendait jurer et secouer la porte de la cour. Elle se demandait ce qui serait arrivé si Petru n'avait pas arrêté de jouer.

– Il a perdu la tête, mon garçon...

A présent, elle pleurait pour de bon. Alexandru hésita,

il ne savait que faire. Il s'approcha de la vieille dame et lui prit la main.

– Mais non, madame, mais non...

Les pleurs se transformèrent rapidement en sanglots. D'un geste filial, Alexandru lui posa la main sur l'épaule.

– Il faut que jeunesse se passe, dit-il sans conviction. Petru se corrigera, ne vous en faites pas...

Mme Anicet cessa soudainement de pleurer, elle essuya ses larmes et approcha son visage de celui d'Alexandru.

– C'est à vous de le sauver, monsieur Pleşa, vous devez faire quelque chose pour lui...

Elle avait parlé sur un ton pathétique, mais Alexandru sentit une très légère odeur d'eau-de-vie de prune lui chatouiller les narines. Ce détail pénible, qui le chagrina, l'attendrit cependant et le rendit plus doux : soudain, toute cette misère qui l'entourait lui faisait vraiment mal. Mme Anicet continuait de parler, de supplier (Alexandru remarqua que ses phrases se formaient mieux, se débarrassaient de leur vulgarité, tâtonnaient à la recherche d'une noblesse perdue), et l'odeur de prune se précisait. Le jeune homme n'osait plus lever les yeux. Il essayait de résister à l'invasion d'images qui dissipaient son attention.

– Je lui ai pourtant répété si souvent : « Mon garçon, un jour tu me retrouveras pendue! »

...Petru lui avait dit que ses parents avaient fait leur voyage de noces en Belgique et en Hollande. Les Anicet étaient riches à l'époque, chez eux on ne parlait que français, ils possédaient les vastes terres d'Arvireşti. Et tout cela, depuis la mort de Francisc Anicet, tout cela pour échouer dans ce cul-de-sac. Alexandru eut l'impression de revivre un roman lu jadis, le scénario d'un film : alcool, misère et déchéance humaine, « russismes », drames éternels... Trop d'images lui passaient par la tête et ce jeu mental l'énervait, l'éloignait de la triste présence de cette vieille femme. Il aurait voulu s'émouvoir davantage, compatir du fond du cœur, se révolter...

– A la Saint-Georges, je n'avais même pas de quoi payer la moitié du loyer. Il a fallu que j'aille moi-même voir Baly pour lui quémander deux mois d'avance... Je leur faisais honte, j'étais venue en cheveux, c'est Felicia qui est sortie pour me donner l'argent...

Elle se mit à raconter son entrevue avec Felicia, leur discussion, ses plaintes, là-bas, dans le hall... Elle adoptait peu à peu un ton déclamatoire, trop tragique. « On dirait une duchesse dans la dèche », pensa Alexandru.

– Je lui disais : « Francisc, si je n'avais pas perdu Francisc! »

...Et tout le reste. « Ils sont au bout du rouleau. Voilà qu'ils s'humilient devant de riches parvenus. Il se perd, l'orgueil des Anicet... Alexandru se sentit brusquement fatigué, dégoûté, inerte. Ces spectacles n'ont aucune morale, ils ne servent à rien. Faire le bien sur terre, aider les gens... Mais combien de gens peut-on aider, combien peut-on en soutenir au-dessus de la misère? Au fond, qu'est-ce que ça peut me faire, à moi, tout cela? Ils n'ont qu'à souffrir... »

– Si au moins il ne salissait pas notre nom! Mais on dirait qu'elle lui a jeté un sort, cette traînée... Je sens parfois...

Elle éclata en sanglots spasmodiques, la figure cachée dans ses mains, comme pleurent les hommes. Alexandru se leva et lui posa doucement la main sur l'épaule. De nouveau les effluves d'eau-de-vie, plus accentués, plus troubles.

– Ça ne fait rien, madame, Petru est jeune et...

Il s'interrompit. Il voulait dire : « Petru est jeune et il arrivera. » Quelle stupidité! Arriver où? Qui rachètera toute cette misère présente, terrible, définitive?

– Je ne peux plus l'attendre, dit-il à brûle-pourpoint, tout en s'éloignant. J'ai un rendez-vous. Si vous voulez bien lui dire que je suis venu et que je repasserai ces jours-ci...

Il ouvrit la porte et sortit. Il avait envie de courir, mais il marcha posément, en regardant le ciel.

Mme Anicet n'avait pas bougé de sa chaise, la tête appuyée sur son bras droit. « Lui aussi, il est parti. Ce serait si bon, si bon de mourir, comme ça, d'un coup... »

***

Une fois au bout de la rue, Alexandru se reprocha son départ si brusque. Il s'était laissé trop impressionner par ces relents d'alcool. Il eut une pensée chaleureuse pour Mme Anicet. « Pourvu que Petru ne l'apprenne pas, ce serait trop pénible... »

Leur amitié durait depuis près de deux ans, mais ils ne se voyaient que pendant l'été. Alexandru l'avait connu quelques mois seulement après le suicide de Pavel Anicet, à une époque où, encore très troublé, Petru avait des gestes mal assurés, où il était toujours prêt à exagérer, à vexer, à mentir. Pourtant, ils s'étaient rapidement entendus : les événements qu'ils avaient subis chacun les rapprochaient. Alexandru s'était rendu compte plus tard, quand ils étaient devenus de bons, d'intimes amis, que Petru était quelque peu différent du portrait qu'il s'en était fait en cet après-midi de l'été 1932, dans la librairie où ils avaient fait connaissance. Les gestes de Petru s'étaient radoucis, ses sorties nerveuses, fausses, stridentes, s'espaçaient. Il changeait d'une semaine à l'autre. Il n'était plus terrorisé par l'image de son frère mort, que lui rappelaient tant de gens rencontrés dans la rue, dans les maisons amies, aux concerts. Dans le même temps, il s'était mis sérieusement au travail : il étudiait la composition et, au piano, il n'improvisait plus au hasard, il n'accompagnait plus capricieusement les hésitations de sa voix en pleine mue.

A l'automne, Alexandru était parti pour l'étranger, afin d'y étudier ce qu'il voudrait – il avait obtenu l'accord d'oncle Dem. Il avait promis à Petru de lui écrire et, en effet, il lui avait envoyé de longues lettres de Londres et de Cambridge. Les réponses de Petru étaient plus rares, car – expliquait-il dans une de ses lettres – les amitiés se nourrissent de présence; or, ils se trouvaient momentanément trop loin l'un de l'autre pour pouvoir communiquer autrement que par l'imagination et le souvenir. Il lui avait cependant avoué, une fois, que son absence lui pesait dans ce Bucarest si incompréhensible pour lui, où les gens, même les meilleurs, avaient toujours quelque chose à faire, peinaient sans relâche pour arriver quelque part, loin, au-delà d'eux-mêmes.

Ne vois-tu pas combien ils s'acharnent, les gens de chez nous, à faire quelque chose? Ils sont obsédés par l'action, et pourtant ils ne font rien. A mon avis, l'essentiel ne consiste pas à agir, mais à se trouver soi-même. Lorsque tu comprendras jusqu'où vont les frontières de ton être, alors tu pourras tout faire, et bien plus facilement. Mais je n'ai encore rencontré personne qui comprenne cette chose si simple...

Alexandru avait reçu cette lettre à un moment où son esprit se préoccupait de tout autre chose. Il venait justement de décider de rentrer en Roumanie pour y remplir ses obligations militaires. Il avait écrit à Petru une dizaine de pages serrées sur son désir de comprendre ses contemporains.

Faire son service comme il doit être fait, sans profiter des passe-droits et des privilèges des intellectuels. Peut-être comprendrai-je cet étrange phénomène que j'ai constaté chez les jeunes dans tous les pays où je suis passé : leur soif de l'esprit de corps *, *de la discipline militaire, de la vie en association menée jusqu'à l'extrême.*

Petru avait jugé ce désir naïf. « Il viendra, le temps de toutes les misères humaines, les unes après les autres, s'était-il dit; à quoi bon anticiper? » Mais il s'était réjoui à la nouvelle du retour d'Alexandru, à la perspective de le revoir au cours de l'été.

Il avait raison : ce deuxième été s'était avéré des plus fructueux pour leur amitié. Alexandru avait connu de plus près Mme Anicet, qui lui parlait régulièrement de Pavel et qui se plaignait non moins régulièrement de Petru, parce qu'il fréquentait « une poule », une fille « de basse extraction » qui lui faisait perdre son temps. Un reste de timidité avait empêché Alexandru d'interroger Petru sur ce sujet délicat. Et puis, nul n'ignorait la liaison de Petru et de Nora, de son vrai nom Lenuţa Ionescu, une fille effectivement peu recommandable, qui, après avoir tâté de la prostitution, faisait le mannequin dans une maison de couture. Cette liaison durait depuis trois ans déjà, depuis l'époque où Petru préparait encore son bac. Il n'en parlait presque jamais à Alexandru. Il n'avait été un peu plus prolixe qu'une seule fois :

– Je l'aime. Un tiers la trouverait pleine de défauts, mais ils ne comptent pas pour moi. Ce sont des défauts de morale, dont elle n'est pas responsable. Elle a été prostituée d'abord par sa mère, puis par ses frères, dans leur banlieue, quand elle était petite. À part ça, elle est belle et très saine... Généralement parlant, bien sûr, parce que, autrement, elle a eu toutes les maladies vénériennes possibles...

Ce seul détail avait suffi pour faire horreur à Alexandru. Il avait cru voir surgir un spectre horrible, comme sur les affiches de la propagande antisyphilitique placardées dans les villages.

– Ne t'en fais pas, avait continué Petru en souriant, devinant l'inquiétude de son ami. Elle fait régulièrement ses piqûres. Quelqu'un de prudent, avant moi, lui a ouvert les yeux...

Depuis, il n'avait fait que de rares allusions à Nora. Mais Alexandru ne cessait d'en entendre parler, sans avoir rien demandé, par Mme Anicet. Il se disait alors qu'il valait peut-être mieux que ses parents fussent morts depuis longtemps : ils auraient sans doute été tout aussi mécontents de le voir lutter pour préserver sa liberté, comme actuellement face à oncle Dem. La jalousie des parents quant à l'avenir de leurs enfants, jalousie d'adultes envers les jeunes, est générale, pensait-il. « Ne répétez pas les erreurs de notre jeunesse, profitez de notre expérience! » Alexandru savait, comme ses camarades de son âge, que ces pieux conseils cachaient un but secret, inavouable : « Vous, les jeunes, ne mordez pas aux fruits si doux auxquels nous avons mordu à votre âge; soyez plus sages que nous; soyez moins libres. » A Bruxelles déjà, Alexandru avait souvent réfléchi à cette envie déguisée, excitée, chez les femmes ou les hommes mûrs et vieux, par la liberté des jeunes qui peuvent encore faire les quatre cents coups, se tromper et pécher à cœur joie. Cette liberté de se tromper – quelles souffrances on endure lorsqu'on l'a perdue...

Les deux amis parlaient beaucoup de Pavel. Avec Alexandru, Petru ne se sentait ni terrorisé ni humilié par le souvenir de son frère. Il lui avait fait lire une partie des cahiers de Pavel, dont la mort avait alors été douloureusement ressentie par Alexandru. Il avait même tenté de convaincre Petru de les publier, d'autant plus que les amis de Pavel l'auraient aidé.

– Des œuvres posthumes! s'était écrié Petru. Si tu l'avais connu, tu n'aurais pas dit ça. Pavel était un être totalement différent des autres. Ce qui l'intéressait, c'était l'œuvre que notre père n'a pas pu accomplir et que, lui, il venait juste de commencer, parce que, depuis la mort de papa, la création ne l'intéressait plus... Tu as lu toi-même, écrits de sa main, tous ces... Le seul qui créera quelque chose d'achevé, ce sera moi, ajouta Petru de la même voix. Mais ce sera plus tard, bien plus tard...

... Le soir tombait, et Alexandru se rappelait tant de conversations avec Petru qu'il décida brusquement de l'attendre au coin de la rue. Il savait qu'il prenait le quatorze pour rentrer. Il avait tellement de choses à lui dire... S'il était retourné chez lui sans avoir passé quelques heures avec Petru, il se serait senti mal à l'aise. Sa conversation avec Irina l'avait agacé; la misère qui régnait chez les Anicet l'avait attristé. Au coin de la rue, face à l'arrêt du tramway, il y avait un petit café. Alexandru s'assit à la terrasse et commanda un demi.

Petru arriva au bout d'une demi-heure environ, nu-tête, sa serviette négligemment glissée sous le bras. Ils se serrèrent la main.

– Pourquoi ne pas m'avoir attendu à la maison? demanda Petru.

Alexandru n'eut pas le temps de répondre, Petru le fit à sa place :

– Maman t'enquiquinait, hein? Elle se plaignait de moi...

Alexandru trouva Petru grandi, mûri. Il avait envie de se balader avec lui au hasard des rues. « Voilà quelqu'un qui ne va pas me faire répéter l'histoire de Viorica... »

– Alors, ton régiment? demanda Petru, moqueur. Il t'a révélé une technique, une métaphysique? Ce fameux *esprit de corps* *, la vie de troupeau sous l'uniforme, au temps pour les crosses et le respect du supérieur?

– Je n'ai pas eu de chance, répondit Alexandru sans entrain. Les pistons m'ont poursuivi jusque là-bas, en province. On ne m'a pas autorisé à coucher à la chambrée avec mes camarades, une soixantaine de fils de paysans et d'artisans... Mais je te raconterai ça un autre jour...

En fait, il espérait que Petru lui demanderait de raconter immédiatement. Il ne savait à qui faire partager les multiples pensées qui le travaillaient. S'il avait décidé de faire son service dans une lointaine province, c'était pour connaître une vie dure, impersonnelle, collective. Pour se réveiller sur une méchante paillasse, se laver à l'eau froide, au même titre que soixante autres jeunes gens, faire des marches et des exercices épuisants, obéir à tous les gradés. Il pensait avec un bizarre plaisir à tous les ordres ridicules qu'il aurait à exécuter, d'autant plus qu'ils seraient donnés par des gens sans instruction, sans préoccupations intellectuelles. Obéir, s'effacer devant son supérieur, se fondre dans un groupe – quelle volupté... Malheureusement, il n'avait presque rien connu de tout cela. Excepté les exercices à la caserne, il avait dû supporter la médiocre vie civile d'un bourg de province : la logeuse insipide, la chambre anonyme et, en fin de compte, l'inévitable amour avec une jeune fille de bonne famille...

Mais Petru paraissait soucieux, distrait, goguenard. Tracassé par une idée qu'il ne réussissait pas à éclaircir ou à accepter. Il n'écoutait pas. Tout à coup, il lança :

– Tu veux venir avec moi?

– Où ça?

– Chez Nora. Elle est à la maison à cette heure-ci. Ça

fait deux jours que je ne l'ai pas vue. Elle sera contente de te connaître, j'en suis sûr...

– Et ta mère? protesta Alexandru. Elle va encore t'attendre. Ce n'est vraiment pas bien de ta part...

– Ça ne fait rien, on ne restera pas longtemps. D'ailleurs, il n'est pas encore sept heures et nous ne dînons qu'à neuf heures...

Cette décision le rendait soudain très loquace. Ils firent demi-tour et se hâtèrent. Sur le boulevard, Petru héla un taxi.

– C'est Nora qui me paie mes taxis, expliqua-t-il en invitant Alexandru à monter. Si tu n'étais pas venu, aujourd'hui non plus je ne serais pas allé la voir. Depuis quelque temps, je ne peux pas la sentir...

Sans se soucier du chauffeur, il avoua à Alexandru que toutes les femmes le dégoûtaient.

– Ou plutôt, toute féminité, précisa-t-il. A présent, je connais assez bien Nora. Elle n'est pas plus vulgaire, plus égoïste ou plus stupide qu'une autre. Si je ne peux pas me séparer d'elle, c'est à cause de l'habitude, voilà ce qui m'a dégoûté de toutes les femmes. Je la garde, tant qu'elle me garde. J'ai un certain devoir moral à son égard. Je te jure, il n'y a pas de quoi rire...

Alexandru n'avait nullement envie de rire. Cette aventure ne l'amusait absolument pas. Avec ses rares amis, il ne parlait presque jamais de femmes, d'amour, de sexualité. C'étaient pour lui choses de peu d'importance, dignes tout au plus de fournir un sujet de conversation pour des connaissances nouées dans le train ou sur une plage. Il était maintenant d'autant plus gêné que sa discussion avec Mme Anicet était encore toute fraîche.

– Ce n'est pas tout, reprit Petru d'une voix grave. Je suis très libre à son égard. Je ne sais pas comment te l'expliquer. Après tout ce que j'ai enduré pour elle, je me sens si libre que je serais capable de n'importe quoi. Personne ne pourrait m'accuser de bassesse ou de lâcheté. J'ai gagné ce sentiment absolu...

Il tourna la tête vers Alexandru et hurla presque :

– Absolu!... Se savoir, se sentir capable de n'importe quoi, parce qu'on a tout supporté, parce qu'on s'est humilié, parce qu'on a fait souffrir autour de soi! Après tout ce que nous avons subi, maman et moi, à cause de Nora, qui pourrait m'empêcher de me venger, de la quitter, ou même de la tuer? Tout m'est permis... Quelle liberté extraordinaire! As-tu jamais éprouvé quelque chose de pareil?

Alexandru n'était pas dans son assiette. Cette visite chez Nora le rendait quelque peu maussade. Il souhaitait passer sa soirée différemment, après les ennuis qu'il avait eus chez son oncle. De sorte qu'il répondit, la tête ailleurs :

– La liberté, nous en reparlerons. Pour l'instant, je ne te comprends pas bien. Être capable de tout parce que tu n'as été capable de rien jusqu'ici, parce que tu n'as pas existé en tant que personnalité, que volonté... Ça me paraît assez confus...

– Peu importe, coupa Petru. Tout ce que je pense paraît confus. C'est pourquoi je me suis proposé de ne plus penser. Je me contenterai de créer, c'est tout. Et *d'être*. D'être pleinement moi-même en toute circonstance, avec toi, avec Nora, avec tout le monde. Je préfère m'analyser simplement dans mon journal, raconter certaines choses, me souvenir de mes états d'âme. A quoi bon échafauder des théories et, de surcroît, y réfléchir sérieusement?... Arrêtez au 18, à côté, à gauche...

Ils étaient arrivés rue Aurelian, et le taxi stoppa devant une maison repeinte en jaune. Alexandru ne put dissimuler son étonnement. Il s'attendait à trouver la même décrépitude qu'impasse Màtàsari.

– Nora occupe deux pièces en meublé, expliqua Petru. Elle habite là depuis un an seulement. Avant, elle n'arrêtait pas d'avoir des ennuis avec ses propriétaires...

C'était une maison quelconque, semblable en cela à presque tout ce qui s'était construit à Bucarest avant la Grande Guerre. Mais bien entretenue, la palissade fraîchement peinte, des plates-bandes pimpantes dans la cour, que traversait dans toute sa longueur une allée carrelée qu'on venait d'arroser sans lésiner sur l'eau.

Petru entra dans la cour, alla frapper à une fenêtre, puis

revint aussitôt dans la rue, où l'attendait Alexandru, et lui chuchota :

– Nora n'arrête pas de m'embêter avec une idée stupide qu'elle s'est mise en tête : elle voudrait que je place maman dans un asile. Tu verras... Je préfère te mettre au courant tout de suite, pour que tu n'aies pas l'air choqué...

Une porte s'ouvrit et Alexandru vit apparaître une jeune femme d'une beauté éclatante, vêtue d'une robe blanche à col fermé qui faisait penser à un uniforme. Petru se dirigea vers elle, tandis que, de son côté, elle se précipitait vers lui, le prenait dans ses bras et l'embrassait goulûment sur la bouche, puis sur les joues.

– Donne-moi quarante-six lei pour le taxi, dit Petru en écartant d'un geste désinvolte les bras de la jeune femme noués autour de son cou.

Alexandru, qui était resté sur le trottoir, était agacé aussi bien de voir le chauffeur attendre que de devoir lui-même assister à ces effusions. Mais Petru, sur un ton bêtement exalté, lui avait interdit de régler la course. « C'est l'obligation et la joie de Nora », avait-il dit. Il répéta ces mots pendant qu'elle allait chercher de l'argent. Elle revint presque aussitôt avec un billet de cent. Petru paya, puis il prit Alexandru par le bras et l'amena devant Nora :

– Voilà Alexandru Pleşa, l'ami dont je t'ai parlé...

– Enchantée, dit Nora, un peu mal à l'aise. Entrons... Garde la monnaie, Petru.

Celui-ci sortit son portefeuille et y rangea l'argent.

– Nora me donne toujours de l'argent pour mes cigarettes, bien que je ne fume pas, dit-il en riant. Elle est très discrète, comme tu peux le remarquer...

Ils entrèrent dans une pièce dont le centre était occupé par une grande table et les angles par quelques fauteuils neufs. Alexandru fut surpris de ne pas trouver les meubles branlants qu'on rencontre généralement dans les maisons de banlieue. Aux murs, deux petits tableaux, de valeur inégale mais en aucun cas exécrables, et une riche tapisserie de bon goût.

– La salle du conseil, annonça Petru en s'asseyant dans un

fauteuil près de la table. Tu comprendras plus tard ce que ça signifie...

Ces propos firent rire Nora. Ensuite, l'air effarouché, elle invita Alexandru à s'asseoir; c'était la première fois que Petru lui amenait quelqu'un. Et ce, après deux jours d'absence.

– Pourquoi n'es-tu pas venu hier? demanda-t-elle tout en l'embrassant sur les joues et en lui caressant les cheveux.

– J'ai passé toute la journée avec Alexandru, mentit tranquillement Petru.

Alexandru baissa les yeux, confus. La jeune femme lui sourit, mais il y avait une nuance de reproche dans son regard.

– Nous avons passé notre temps à parler de toi, continua imperturbablement Petru. Alexandru prenait ta défense, c'est ce qu'il fait toujours quand quelqu'un est absent – il est chevaleresque, lui...

Nora se remit à rire. Alexandru paraissait de plus en plus ennuyé.

– Tu as dit du mal de moi, mon petit Petru?

Petru ne répondit pas. Il se leva et s'approcha d'Alexandru :

– Je me suis mal exprimé, dans le taxi. Il s'agit de tout autre chose. Pas seulement d'être libre, libre comme personne ne l'a été à notre époque. Mais surtout d'être digne, de restaurer la dignité humaine. Voilà ce que j'ai essayé de restaurer en Nora, poursuivit Petru en désignant la jeune femme. La rendre si digne qu'aucun de ses défauts actuels ne puisse l'humilier, la diminuer à ses propres yeux... Comme tu le vois, Nora est vulgaire, ignorante, mal élevée et ainsi de suite, ajouta-t-il, en accompagnant spontanément ces mots d'un sourire amoureux. Mais qu'est-ce que ça peut faire, puisqu'elle a parfaitement conscience de sa plénitude, de sa dignité humaine? Au fond, nous sommes coupables envers elle comme nous le sommes envers tous les êtres demeurés inférieurs, indignes, larvaires. Nous, c'est-à-dire notre société, profondément anti-humaine, une société bâtie sur des préjugés...

Alexandru l'interrompit, non sans un certain agacement :

– Comme toutes les sociétés, mon vieux! Je m'aperçois que tu échafaudes des théories, ce qui signifie que tu te contredis. Il n'y a pas une demi-heure, tu...

– Je sais, je sais ce que tu veux dire, protesta Petru. Mais tu as tort. Ce ne sont pas des théories. Tu vois bien que Nora n'est pas une conception de la vie, mais une expérience. Une expérience pour laquelle j'ai failli me faire renvoyer du lycée il y a trois ans, pour laquelle j'ai fait une fugue, pour laquelle je me suis disputé avec ce pauvre Pavel... Sans parler de maman...

Alexandru regarda Nora. Il remarqua qu'elle était très gênée; elle aurait donné n'importe quoi pour changer de conversation.

– Ne nous occupons pas de Mme Anicet, dit-il, sévère. Elle n'a rien à faire dans une discussion pareille...

– Je suis tout à fait de ton avis, affirma Petru. Je regrette que Nora s'entête à soutenir le contraire...

Et, ce disant, il s'approcha d'elle et l'enlaça. C'était un geste presque conjugal, qui étonna de nouveau Alexandru. Il examina plus attentivement la jeune femme. Il n'arrivait pas à réaliser ce qui lui conférait cette beauté éclatante, fascinante par moments. Son visage était presque vulgaire : le menton lourd, les lèvres trop épaisses, le front bas; en revanche, le dessin en était d'une finesse inattendue, et la ligne de ses joues si délicatement tracée qu'on était tenté de lui caresser la figure. Enfin, les yeux, ni trop grands ni trop lumineux, portaient en eux un feu dévorant, menaçant lorsque l'accompagnait le sourire de tout le visage. La voix était le seul élément strident de cette remarquable créature, constata Alexandru. La voix, qui pouvait faire illusion s'il ne s'agissait que de dire quelques mots brefs, mais dont le rire ou une phrase entière démasquait tout ce qu'elle avait de malsonnant.

– Nora a des idées totalement absurdes, continua Petru, sans cesser de lui serrer la taille. Ainsi que j'ai eu la prudence de te l'annoncer, elle insinue régulièrement que je devrais faire interner maman dans un asile de vieillards pour que nous, nous puissions...

– Ce n'est pas vrai! Ce n'est pas vrai! cria la jeune femme en s'arrachant à son étreinte. Tu es un menteur!

– Ionescu Lenuţa! s'exclama Petru avec gravité, Ionescu Lenuţa, dite Nora, également dite ceci et cela, je vous invite à ne pas me traiter de menteur... Alexandru est mon ami et je ne vais pas me gêner devant lui. Je vais te répéter mot pour mot tout ce que...

– Mon petit Petru, tu sais bien que ce n'est pas vrai...

Nora pleurait presque. Elle n'osait plus regarder Alexandru. Elle s'appuyait des deux mains sur le bord de la table, la tête basse. Alexandru se leva brusquement, furieux :

– C'est une discussion idiote! Si tu es venu pour te disputer, je ne vois pas pourquoi tu m'as amené. Mlle Ionescu se serait certainement passée de témoin!

– Je ne le comprends pas non plus ce soir, murmura timidement Nora. D'habitude, Petru est le plus...

– D'accord, vous avez raison, dit Petru d'une voix sincère. Parlons d'autre chose... Nora, je vais te donner des nouvelles de mes employeurs, les Lecca... Mais toi, donne-nous d'abord à manger. Il doit bien te rester quelque chose. Du poulet froid, du saucisson, n'importe quoi...

Sans attendre, il passa dans la pièce voisine pour chercher dans la glacière ce qui pouvait subsister du déjeuner. Le plus souvent, Nora lui mettait de côté du rôti froid, de la charcuterie, une bouteille de vin, sachant qu'il ne venait que rarement avant le soir. Lorsqu'elle le vit ouvrir la porte, elle tressaillit et baissa de nouveau la tête. Alexandru crut qu'elle était intimidée de rester seule avec lui après une scène aussi pénible et, afin de mettre fin à la gêne qui s'était installée, il relança la conversation, sur un ton familier .

– Petru est une tête brûlée. Il est pareil avec tout le monde, brutal et violent. Mais autrement, une fois qu'on le connaît...

A côté, on entendit claquer une porte d'armoire. Petru apparut sur le seuil et fixa longuement la jeune femme, qui ne soufflait mot.

– Il n'y a rien à manger, annonça-t-il. Il faudrait envoyer le petit chez l'épicier... Au fait, ajouta-t-il en s'approchant de Nora, dis à l'autre type de fiche le camp. Vraiment, il n'y a plus moyen de te trouver seule...

Puis, s'adressant à Alexandru qui le regardait bouche bée, tandis que Nora filait à côté :

– Figure-toi, mon vieux, que Nora a un admirateur extraordinaire. Il vient tous les jours, à n'importe quelle heure, et il reste ici le plus longtemps possible. Et si tu savais comment il y reste : blotti dans l'armoire, accroupi derrière la porte, allongé sous le lit... Viens par là, ajouta-t-il en prenant Alexandru par le bras et en l'entraînant dans un coin, nous devons faire semblant de ne pas le voir quand il sortira... Malheureusement, ces pièces ont une seule issue...

Nora passa la tête par la porte, puis fit un signe. L'inconnu s'avança à petits pas rapides, en rasant les murs, et chuchota :

– Bonsoir.

Il trottinait à présent dans la cour, et Petru expliqua :

– Je lui aurais bien répondu, mais je devais faire semblant de n'avoir rien entendu. Autrement, nous l'aurions vexé, n'est-ce pas, Nora?

La jeune femme était au moins aussi confuse que l'individu qui venait de traverser la pièce.

– Tu disais qu'il s'appelait comment, déjà? demanda Petru.

– Iorgu, répondit Nora, sage et soumise. Iorgu Zamfirescu.

Petru se tourna vers Alexandru :

– Tu n'aurais pas cent lei? J'ai l'impression que les autres, les cent lei que Nora m'a donnés tout à l'heure, sortaient de la poche de ce Iorgu Zamfirescu. Je dois les lui rendre. Libre à elle d'accepter les hommages de tout le quartier, je ne suis ni jaloux ni monogame, il n'en reste pas moins que je refuse d'être un maquereau...

Il prit tranquillement le billet que lui tendait Alexandru et le remit à Nora, qui respirait péniblement, se tordait les mains, au bord des larmes.

– Je ne peux recevoir ton argent que s'il vient de ton salaire de modèle, lui dit Petru d'un ton consolateur, en lui caressant la tête. Toi, tu peux en recevoir de qui tu veux; tu sais que tu es la maîtresse la plus libre de Roumanie... Le plus grave, c'est que nous n'avons rien à manger. Envoie donc Guţà chez l'épicier...

– Nous ferions mieux de nous en aller, dit Alexandru, il est déjà tard. A quoi bon déranger...

– Je t'assure que ça lui fait plaisir, affirma Petru. Pour le moment, tu l'intimides encore un peu, mais tu verras tout à l'heure... En attendant, donne-moi cent lei de plus, pour acheter à manger...

Nora se mit à pleurer, la main droite au-dessus des yeux. Stupéfait, Alexandru restait planté au milieu de la pièce.

– Allons, sois une fifille sage. Je t'ai dit je ne sais combien de fois que j'aimais beaucoup que nous dînions ensemble, mais pas avec l'argent de Zamfirescu. Il n'y a pas de quoi en faire un drame...

– Ce n'est pas son argent, pleurnicha Nora. Moi aussi, j'ai de l'argent, tu sais... J'ai touché mon salaire, moi...

Petru hésita un instant. Il chercha le regard d'Alexandru. L'affaire lui paraissait trop importante pour ne pas lui demander son avis.

– Pourquoi es-tu aussi méchant ce soir? éclata Nora, et elle se prit la tête dans les mains.

– *Elle est affreuse, la petite* *! lança Petru à Alexandru.

Nora se laissa tomber dans un fauteuil en sanglotant. On devinait au tremblement de son corps qu'elle avait longtemps lutté contre son envie de pleurer avant de s'effondrer.

– D'accord, du moment que tu le dis, nous allons manger avec ton argent. Je vais chercher le petit...

Petru sortit dans la cour pour se rendre à la cuisine. Alexandru essaya encore une fois de briser le silence :

– Ne perdez pas la tête, mademoiselle...

– Je me suis sentie insultée, expliqua Nora entre deux sanglots.

Alexandru réprima un sourire : la voix de Nora était revenue à son registre naturel. L'émotion, les pleurs, qui avaient réussi à faire de la jeune femme un être presque délicat, ne servaient plus à rien maintenant. En avouant qu'elle s'était « sentie insultée », Nora retrouvait la vulgarité qu'Alexandru avait cru déceler en elle d'emblée.

– Voilà Guţă, annonça Petru sur le seuil de la pièce, le bras sur les épaules d'un gamin nu-pieds. Nora, donne-lui de l'argent...

La jeune femme remit prestement de l'ordre dans ses cheveux, s'essuya les yeux et alla chercher son sac dans l'autre pièce.

– Petru, tu crois que nous pouvons rester? Il est presque huit heures et demie, s'inquiéta Alexandru.

– Il le faut, je sais ce que je dis. Nous lui faisons vraiment plaisir. Pas vrai, Nora?

Le visage de Nora, dès qu'elle eut donné de l'argent au gamin, s'illumina. A présent elle riait, et ses yeux encore humides brillaient, comme incendiés par une flamme intérieure. Elle embrassa bruyamment Petru et commença de mettre la table. Elle s'activait avec une joie extraordinaire.

– Maintenant, je suis contente de ne pas vous avoir offert de confiture, j'aime tellement mieux quand on dîne...

– Mais, Petru, ta mère t'attend, dit Alexandru.

Nora fit semblant de ne pas entendre, mais une ombre légère obscurcit son visage pendant quelques instants.

– Je mange deux fois, moi, répondit Petru, je suis comme ça. A la maison, je ne suis jamais rassasié. Si tu savais ce que nous sommes obligés de manger...

Alexandru se résigna. Nora s'approcha de lui et dit, plaintive :

– Vous ne nous aimez pas, monsieur Pleşa...

Et elle le regarda dans les yeux. Alexandru découvrit soudain dans son regard une force peu ordinaire, une lumière vitreuse, fière, étrange. « Cette fille, elle peut commander à des centaines d'hommes », pensa Alexandru. Et il comprit pourquoi Petru se montrait si brutal, si inhumain avec elle.

– Raconte-nous plutôt ce que tu as appris à l'armée, demanda Petru.

Puis, désignant Alexandru d'un geste théâtral :

– Regarde-le, Nora, il sera bientôt sous-lieutenant!

Nora rougit. Heureusement, Guţà survint sur ces entrefaites et elle trouva à s'occuper en déballant les achats.

– Si j'avais un piano ici, dit Petru, qu'est-ce que je serais heureux! Tu te rappelles, Nora, quand je voulais me sauver de chez moi et venir habiter chez toi, en apportant mon piano?

Nora hocha la tête, mais elle n'écoutait pas. Pleşa l'intimidait encore. Il avait soutenu son regard d'un air méprisant, sévère.

– ... Ce que j'ai pu souffrir entre ces quatre murs, continuait Petru, et entre tant d'autres murs, partout où se trouvait cette fille et où ne se trouvait pas mon piano...

Nora leur annonça qu'ils pouvaient passer à table.

V

« Une nouba avec des grues, se dit Miticà Gheorghiu, une nouba avec des copains et des grues, en ce moment ça ferait merveille... »

Il se mit donc en quête de copains, dans les cafés ou les restaurants où il avait quelque chance d'en rencontrer. On pourrait arranger un truc : une bonne table, beaucoup de vin, des petites femmes, des gars à la langue bien pendue. De façon à oublier ce qui s'était passé : car la jubilation qu'il avait éprouvée pendant quelque temps, après avoir laissé éclater sa colère contre Marcella, s'était bel et bien évanouie.

Il entra dans plusieurs boîtes sans y apercevoir la moindre connaissance. Il était presque dix heures. La tête lourde, il se sentait nerveux. Rien à faire. Il partit alors au hasard des rues, les mains dans les poches, une cigarette éteinte aux lèvres. Il n'avait plus d'allumettes et il décida soudain de continuer à errer sans chercher à trouver du feu, pour voir pendant combien de temps il pourrait se tourmenter ainsi.

Il ressentait un énervement sourd, menaçant, qui lui fit peu à peu serrer les poings, qui le faisait marcher à pas lourds, respirer bruyamment en chassant l'air par les narines. Une douleur physique aiguë l'aurait soulagé : se blesser jusqu'au sang, écraser ses poings contre les murs, se taillader les chairs...

Faute de se livrer à ce genre d'extrémités, Miticà se contenta de déambuler une heure durant dans les rues en mâchouillant sa cigarette, ce qui lui évitait au moins de se rendre compte de la profondeur et de l'étendue de son désespoir. Pouvoir encore souffrir pour une pareille broutille – et qui ne participait pas de Marcella –, c'était un baume, qui effaçait le sentiment pesant de l'irréparable.

A force de mordiller et de triturer sa cigarette, au bout d'une heure Miticà avait la bouche pleine de grains de tabac. Il cracha avec dégoût; il sentait un goût amer, de pourriture. Il essaya de s'en débarrasser en crachant de nouveau, à plusieurs reprises, après quoi il s'essuya longuement les lèvres avec un mouchoir. Celui-ci conservait encore le parfum de Marcella, Miticà ne savait pas pourquoi – il le lui avait sans doute prêté à un moment donné. Il revécut la dernière scène, il sentit à nouveau le poison du dernier mot qu'il avait prononcé (car il souffrait surtout de ce qu'il avait fait lui-même d'irréparable, de l'abîme que ce mot avait creusé entre eux) et il hésita un instant : devait-il remettre le mouchoir dans sa poche ou le jeter? Il finit par le jeter, furieux, comme si cette séparation supplémentaire pouvait épaissir encore la muraille qui les isolait l'un de l'autre. (Miticà souffrait simultanément de leur rupture irrémédiablement consommée et de la conscience des liens qui subsistaient malgré tout entre eux : subsistait la mémoire, subsistait leur présence dans la même ville, dans le même *temps*. Il en serait allé tout autrement si Marcella, après leur séparation, s'était trouvée dans un pays lointain ou, mieux encore, dix ans avant ou après lui.) Le mouchoir une fois jeté à travers les grilles d'une cour, il hâta le pas, pour s'éloigner le plus vite et le plus loin possible de ce dernier témoin de sa passion.

La colère fit place au désespoir lucide. Miticà comprit soudain que les choses auraient pu se passer différemment : c'est lui que Marcella aurait pu aimer au lieu de Jean Ciutariu. Au début, le nom de son ami ne l'avait pas rendu jaloux. Il s'était souvent dit très sérieusement que Marcella pourrait prendre un amant après leur mariage. C'était l'époque de la tendre ferveur, lorsque Marcella lui semblait encore inaccessible et qu'il croyait pouvoir tout lui pardonner du moment qu'elle se déciderait à lui appartenir. Quand elle lui avait parlé de Jean, dans la voiture, il n'avait d'abord été que chagrin : Jean, Pierre ou Paul, ça lui était égal – elle en aimait un autre. La colère qui s'était emparée de lui quelques minutes plus tard, alors que Marcella essayait de lui expliquer et d'excuser son amour pour Jean, n'était pas une explosion de jalousie. Il avait senti à ce moment-là que tout était perdu, irrémédiablement perdu, voilà ce qui l'avait mis hors de lui. Il ne se rendait plus compte de ce qu'il disait, il ne se rendait pas compte que ce mot atroce qu'il prononçait le séparait définitivement de Marcella... De nombreuses fois, depuis, Miticà s'était répété que Marcella aimait Jean, mais sans trop s'y arrêter. Il se disait qu'elle n'avait fait sa connaissance qu'après son propre coup de fil anonyme; ou, de toute façon, depuis peu, puisqu'elle ne lui avait jamais parlé de lui précédemment, comme si elle ignorait jusqu'à son nom. Il les voyait en train de rire de son appel stupide. Il imaginait la scène : Jean faisait des gorges chaudes en racontant la façon dont il lui avait emprunté son studio pour « un rendez-vous d'affaires »; Marcella, en riant aux éclats, imitait sa voix : « Marcella, Marcella, pourquoi me tourmentes-tu? » Il les imaginait ensemble, il imaginait leur communion brûlante, érotique, pleine de certitudes. A ces moments-là, il haïssait son ancien ami. Il avait envie d'aller le gifler, le cogner sans merci, lui briser les os. Sa colère envers lui-même se transformait peu à peu en haine pour Ciutariu. Mais, plus fortes encore que la haine, s'enflait l'imagination, s'enflait la jalousie. Il avait beau se figurer Jean chancelant, s'écroulant sous ses coups, il le voyait surtout étreignant Marcella. Et, bien entendu, dans ce studio d'où il avait téléphoné. Il se souvenait nettement du papier peint marron; des meubles presque neufs; de l'ensemble – mélange de lumière et de parfums obscurs (cela sentait d'abord la cire rouge et l'écorce de citron); du divan bas; des « draps qui n'étaient pas de la dernière propreté », comme le lui avait précisé Jean. Jean qui avait probablement bousculé Marcella sur ce divan-là, comme toutes ses invitées, actrices débutantes ou choristes à l'opéra. Miticà imaginait la scène sans se faire grâce d'aucun détail. Marcella lui avait avoué qu'elle aimait Ciutariu, mais elle ne savait pas, l'idiote, qui il était – un fieffé trousseur de jupons. Elle était donc allée chez lui. Miticà avait d'abord été tenté de s'expliquer cette visite par l'innocence de Marcella : une jeune fille simple et pure qui ne se doutait pas que Jean était un saligaud. Mais il avait vite renoncé à cette hypothèse; c'eût été un compromis avec sa colère, avec sa jalousie qui exigeaient un déchaînement total, compact, sans réserve. Il décida donc que Marcella n'était pas allée innocemment chez Jean. Elle n'y était pas allée, elle s'y était *rendue*. Et Miticà regretta alors d'avoir été si bête, si timide avec elle. C'eût été si simple, lorsque Marcella lui faisait une confiance aveugle, de l'amener dans son appartement et de la violer. « C'est sans doute ce qu'elle aime. Elle n'était sans doute pas vierge, elle ne l'a jamais été. » Son imagination lui proposa aussitôt un tas de certitudes à l'appui : à quatorze ans, Marcella a couché avec son cousin; après, elle a couché avec tous ses camarades du conservatoire; ensuite, elle s'est mise à coucher pour de l'argent, pour deux cents lei par exemple. Il y a tellement de filles, à Bucarest, qui ont l'air honnête et sans tache, et qui n'en couchent pas moins pour deux cents balles. Miticà se souvenait ainsi, non sans un trouble plaisir, d'un copain de fac qui avait eu une aventure similaire. Il était tombé amoureux d'une étudiante qu'il croyait si innocente qu'il n'osait même pas lui faire la bise. Pour apprendre, quelques mois plus tard, qu'elle couchait à tout-venant pour deux cents lei, mais dans des hôtels discrets, cela va de soi. C'était un étudiant en médecine qui lui avait ouvert les yeux. En lui décrivant des horreurs : des foyers d'étudiantes à tarif spécial, des « jeunes filles » qui, à peine les cours finis, couraient faire des passes. Tous ces détails lui revenaient maintenant et il les ravivait à plaisir. Pas de doute à avoir : Marcella était comme toutes les autres. Il fallait être aussi bête que lui pour croire tout ce qu'elle lui avait raconté : que personne ne l'avait jamais embrassée sur la bouche et ainsi de suite. Elle aussi, bien sûr, elle avait commencé au lycée, avec ses cousins, avec les frères de ses amies, avec les élèves de l'École militaire. A Bârlad aussi, il doit bien y avoir un jardin public, et, tous les soirs, Marcella se glissait sous un buisson avec l'un ou l'autre de ces audacieux salopards. Miticà se rappelait des aventures personnelles : tout ce qu'il avait fait pendant le lycée, pendant la faculté. Il était si facile de coucher avec les filles de son quartier, et elles étaient si rares, les pucelles...

Des scènes qu'il croyait oubliées remontaient à sa mémoire, bagage dérisoire de tout un chacun. Il revoyait cette aventure vécue à quinze ans, avec une petite amie qui n'en avait même pas autant. « Celui qui gagne, il a le droit d'embrasser l'autre où il veut », lui avait-elle dit. Bon Dieu, comment s'appelait-elle? Il ne le savait plus. Il se souvenait pourtant clairement de son visage rond, de ses cheveux coupés court, de son tablier gris d'écolière. C'était lui qui avait gagné, et il n'avait eu aucun mal à la mettre au lit. Comme il hésitait après l'avoir déshabillée, elle avait murmuré : « Ne t'en fais pas, ce n'est pas la première fois... » Il la revoyait, dans le lit étroit de sa chambre de lycéen, les joues très rouges, le corps très blanc. Et dire qu'il ne l'avait même pas embrassée avant cela. Ç'avait été si facile... « On le refera », avait-elle promis. Et tout ce qui s'était passé ensuite pendant sa « carrière » de lycéen, l'assurance avec laquelle il pinçait les seins des filles ou soulevait leurs jupes, aujourd'hui tout cela lui revenait et le fascinait, l'empoisonnait. Marcella, en tablier d'écolière, prenait des garçons de son âge par la main et les entraînait en cachette à la cave ou au grenier ou dans un buisson. « Viens, je vais te montrer quelque chose », voilà probablement ce qu'elle leur disait. Pas probablement – certainement. Et pas seulement : elle connaissait toutes sortes de mots cochons que lui avaient appris les élèves de l'École militaire et qu'elle répétait à l'oreille de ses petits amis, de ses petits amants. « Mon Dieu, ce que c'est bon! » devait-elle s'écrier, s'écriait-elle, là-bas, à Bârlad. Ensuite, au conservatoire, elle avait fait comme toutes les autres, cela ne la gênait plus de se déshabiller devant les hommes. (Miticà avait décidé une fois pour toutes que, avant de venir à Bucarest, Marcella ne s'était jamais montrée nue à un homme : elle avait perdu son pucelage dans un buisson, à la va-vite, ce qui était conforme aussi bien aux dires de ses amis de province qu'au dire des romans.) Au conservatoire, elle était devenue plus adroite. Une hétaïre. Les beaux jeunes gens audacieux ne lui suffisaient plus – il les lui fallait argentés de surcroît. Elle devait coucher par prédilection avec de riches commerçants ou avec ses collègues de la banque. (Miticà comprenait enfin leurs regards ironiques : « Quoi, il est amoureux de Marcella? Quel imbécile! Cette fille qu'on se tape pour deux cents lei! » Non, deux cents, c'était trop peu, pour cinq cents. « Cette fille qu'on se tape pour cinq cents lei! » – voilà ce que disaient exactement les regards de ses collègues, voilà ce qu'ils se disaient dans son dos.) Certes, elle avait aussi des amants de cœur, un Ciutariu, par exemple; mais le gros de la troupe était constitué des cadres les mieux payés des banques ou des ministères. Cinquante, cent? Plus, infiniment plus. Quelques centaines, cinq cents peut-être. Elle ne les gardait pas, elle ne les cultivait pas. Elle prenait un maximum à chacun pour chaque heure d'amour, à partir de deux cents lei. « Et vite fait, chéri, je n'ai pas de temps à perdre, moi : j'ai un amoureux qui m'attend dehors! » Tout juste, il l'attendait devant le salon de coiffure, croyant qu'elle se faisait faire sa mise en plis, alors qu'au premier étage, ou dans l'arrière-cour, se trouvait le clandé où elle avait ses heures, son tarif, ses photos – nue, dans des postures érotiques, pour exciter les vieux libidineux...

Miticà sentait cependant que son imagination allait trop loin, et puis la jalousie l'empêchait d'accroître indéfiniment le nombre des amants de Marcella. Par ailleurs, il était bien plus douloureux de croire que Ciutariu seul l'avait possédée, qu'avant elle était vierge, que de se figurer qu'il avait été grugé par une garce, cocufié des centaines de fois. Il retourna donc à l'idée du studio. Il y retourna lentement, en visualisant chaque détail, chaque étreinte. A présent, Marcella, sans être l'innocente vierge d'un satyre, se montrait quand même assez pudique, elle se défendait assez décemment, car elle aimait Ciutariu, mais elle l'aimait d'amour sentimental, d'amour de cœur (cette nuance tourmentait encore plus Miticà, raison pour laquelle il ne cessait de se la souligner). Par exemple, lorsque Ciutariu, après avoir refermé la porte derrière eux, avait voulu l'embrasser sur la bouche, elle l'avait repoussé, avec douceur certes, avec un petit sourire, mais assez fermement. (Miticà aurait préféré la voir se laisser embrasser aussitôt, afin d'en finir une bonne fois avec son innocence, mais il éprouvait un bizarre plaisir à souffrir davantage en se représentant les réticences, les résistances de Marcella vaincues par un irrésistible Ciutariu.) Elle savait pourtant bien pourquoi elle était venue dans ce studio, elle savait ce qui l'attendait, et, si elle retardait le dénouement, elle le faisait uniquement pour exalter leur première étreinte, pour rendre inoubliable la saveur de son abandon. Enfin, Ciutariu la prenait dans ses bras. Là, l'imagination de Miticà hésitait. Il ne connaissait pas le corps de Marcella. Et, s'il avait essayé de se l'inventer, il aurait moins souffert, la curiosité érotique aurait été plus forte. En outre, il ne voulait pas le voir pareil à celui de n'importe quelle autre femme. Il devait avoir ses ombres et ses secrets. D'autre part, ce qui faisait le charme de Marcella, c'était la totalité de son corps, la magie de sa présence. Miticà tenta d'imaginer un viol ordinaire, mais il n'y arriva pas. Il se sentit soudain malheureux, malade, presque effrayé. Une colère aveugle contre lui-même s'empara de lui : il aurait voulu faire quelque chose de grave, d'urgent, courir jusqu'au bout de la terre, plonger dans un gouffre, se taper la tête contre les murs. Il étouffait. Il allongea le pas et marcha pendant longtemps en serrant et desserrant les poings comme un fou...

Bien après minuit, il eut envie de sentir le parfum de

Marcella, de voir son visage, fût-ce quelques instants. Il ne savait plus ce qui lui arrivait. Une chaleur trouble et agréable envahissait son corps, une lassitude qui apaisait ses nerfs. Il était en proie à un désir violent de reprendre contact concrètement avec n'importe quel fragment de la présence charnelle de Marcella : sa voix, son parfum, son ombre. Il ne se rappelait pas exactement comment était né ce désir. Car, durant un long moment, ses pensées avaient erré dans des zones floues de son passé. Il avait revécu de lointaines vacances passées dans un camp de scouts au bord de la mer, il s'était souvenu de toutes sortes de scènes dénuées d'intérêt et sans rapport entre elles (des examens, un voyage en Italie, des disputes en première année de fac, sa première nuit à Paris, où il avait envie de pleurer parce qu'il avait mal au ventre et qu'il était seul). Et puis, brusquement, la figure de Marcella était remontée à la surface. Maintenant, elle lui paraissait tout autre. Toute colère, toute trace de jalousie avaient disparu. Il la désirait, il l'aimait. Un point c'est tout. Il se serait contenté d'un regard, de moins que ça, de n'importe quoi, pourvu qu'elle fût une fois encore à ses côtés. Les heures passées avec elle lui apparaissaient désormais comme un bonheur dont il avait été inconscient. Il reprenait chacun de leurs rendez-vous, il ravivait chaque geste, découvrait des béatitudes infinies dans le moindre lambeau de conversation dont il se souvenait. (Or, il s'en rappelait tellement! Comment avait-il pu passer à côté sans s'en abreuver, sans comprendre qu'il était heureux? Ainsi, le matin où Marcella l'avait pris par le bras et lui avait demandé : « Tu aimes les petits oiseaux, Mitia? » Ainsi, le long après-midi où elle lui avait raconté le drame survenu dans la famille de l'un de ses oncles, un nommé Leu, dont un fils, vrai héros à la guerre, s'était néanmoins suicidé la veille de l'armistice parce qu'il avait égaré des plans et craignait d'être accusé de trahison – oui, cet après-midi où Marcella était si émue par son récit et si ravie de ses talents de narratrice qu'elle lui avait parlé plus affectueusement que d'habitude, près de croire elle-même qu'elle commençait aussi à l'aimer...)

Miticà se rappela brusquement qu'il avait eu un mouchoir imprégné du parfum de Marcella, un mouchoir qu'il avait bêtement, irrémédiablement jeté. Tout ce qu'il avait fait, aujourd'hui, était bête et, surtout, irréparable. Posséder ce mouchoir équivalait à présent à un extraordinaire bonheur. Il devait immédiatement partir à sa recherche. Marcella s'y trouvait, dans ce mouchoir, il l'aurait eue de nouveau à ses côtés en respirant son parfum, en se souvenant de sa chaleur. (D'ailleurs, les détails prenaient dorénavant une tout autre valeur. Les futilités devenaient essentielles. Il lui importait assez peu que Marcella eût couché ou non avec Ciutariu; en échange, ce qui l'intéressait au plus haut point, c'était de savoir si la loge du concierge avait une fenêtre sur rue, afin de pouvoir communiquer avec lui sans avoir à tirer le cordon, sans donner l'éveil aux autres.) Il devait retrouver ce mouchoir, tout de suite. Cette décision lui donna des forces nouvelles. Il ne se souvenait que vaguement de la rue et de la cour où il l'avait jeté, mais assez bien des grilles et des murs de la maison. Il se mit en quête d'un taxi, il courait presque. Une seule minute de perdue pouvait être catastrophique. Le moindre retard pouvait provoquer l'irréparable. Sa décision lui donnait une force tranquille, inébranlable. Ceci au moins devait se passer différemment, contrairement au destin, conformément à sa volonté.

Ses quelques heures d'errance l'avaient amené à proximité des ateliers des chemins de fer. La cour où il avait jeté le mouchoir se trouvait dans une des rues situées derrière la Faculté de médecine. La distance n'était pas bien grande, eu égard au temps qui était passé. C'est que Miticà avait marché sans but, tournant à droite ou à gauche au hasard, et qu'il avait fait plusieurs fois le même circuit dans le quartier Cotroceni. Il héla un taxi et demanda au chauffeur de l'emmener au pont Elefterie. Une fois là, il pourrait se débrouiller tout seul. Mais il fallait faire attention, ne pas perdre un temps trop précieux et trop court. Le chauffeur avait du feu et Miticà alluma une cigarette. Les traits presque détendus, il avait l'impression d'aller accomplir une mission très importante, sérieuse, responsable...

Il paya, descendit et, dès que le taxi se fut éloigné sur le boulevard, il se mit à courir. Il reconnaissait les rues. Il reconnaissait surtout les états d'âme laissés là quelques heures plus tôt et qui l'accueillaient maintenant à chaque image retrouvée. Il retrouva un vieux marronnier et, en même temps, toutes les pensées qui le hantaient au moment où il l'avait vu une première fois, au début de la nuit. Il reconnut ensuite, à un coin de rue, les encorbellements d'un pavillon. Il savait qu'à cet endroit il devait tourner à gauche pour arriver dans la rue de sa maison... Sa maison... Il pourrait venir y habiter, il pourrait y louer les pièces devant lesquelles... Mais l'heure n'était pas aux élucubrations. Chaque seconde pouvait tout changer. A chaque seconde, ce quartier ami, cette rue si chère risquaient de redevenir aussi neutres que les autres. Si, par malheur, il ne retrouvait pas le mouchoir...

Pas d'allumettes, plus de cigarettes non plus. En ce moment, il aurait pourtant payé cher pour pouvoir en fumer une. Cela l'aurait aidé à supporter son exaltation, à contrôler sa fébrilité. Il devait faire attention, reconnaître chaque maison, se remémorer tous les détails. Il crut se trouver devant la cour qu'il cherchait. Une onde brûlante lui traversa le corps, monta jusqu'à ses joues. Mais, après avoir examiné les grilles, il comprit qu'il se trompait. Il repartit, impatient, fiévreux, s'attendant à chaque pas à voir « sa » maison se dresser devant lui, tout en craignant d'y croire trop vite, d'avoir une nouvelle déception. Au bout de la rue, il se dit qu'il s'était perdu. Cependant, il gardait un espoir : il n'était pas encore arrivé à la « vraie » rue. Ce qui signifiait que le mouchoir pouvait se trouver encore au même endroit, qu'il avait encore des chances de le récupérer...

« Espèce d'imbécile! comment as-tu pu le jeter? » se dit Miticà en s'engageant dans une autre rue. L'insulte lui fit du bien et il la répéta, d'abord dans sa tête puis à voix haute. Mais il se tut brusquement en voyant venir vers lui un couple de noctambules. Il assura son pas et prit une contenance digne, comme un monsieur pressé et grave qui rentre chez lui après une discussion sérieuse chez un personnage important. Voilà : il a été invité chez un haut magistrat, où l'on a analysé la politique économique de la nation et la loi sur le chômage. Après avoir croisé le couple, Miticà continua, pendant quelques instants encore, à croire qu'il revenait d'une telle soirée et à conserver son attitude guindée. Puis, il se rappela tout à coup pourquoi il se trouvait là et se remit à courir. Il avait l'impression que les quelques minutes qu'il venait de perdre avaient été capitales, que le sort du mouchoir s'était décidé pendant cet intervalle.

Toujours courant, il tournait la tête des deux côtés, pour ne manquer aucune cour à grilles. Dès qu'il en rencontrait une, il s'arrêtait et l'examinait attentivement. Mais il ne retrouvait nulle part celle dont sa rétine gardait clairement l'image. Il ne retrouvait nulle part ce rectangle d'obscurité à l'intérieur duquel il se voyait si nettement pénétrer, pour en ressortir avec le mouchoir de Marcella.

Après avoir parcouru encore trois rues, il commença à désespérer. La fatigue revint, forte cette fois-ci, accablante. En quelques instants, tout son corps perdit sa présence habituelle, il le sentit moulu, intoxiqué, absent par endroits. Il s'adossa à un mur et se frotta le front et les yeux avec dépit. Cela le ravigota un peu, mais, aussitôt, ses genoux se mirent à trembler. Il regarda autour de lui : pas un banc, rien pour se reposer. Il ne lui restait plus qu'à marcher jusqu'au moment où il trouverait un taxi. Il repartit, très lentement, les bras ballants, la tête basse. Il découvrit soudain qu'il était bien plus pratique de cheminer ainsi, la tête basse, le menton cognant presque sur la poitrine. On peut marcher sans ressentir la fatigue, on peut marcher comme ça indéfiniment, sans penser, sans se souvenir de quoi que ce soit, presque sans savoir qu'on existe...

VI

Marcella se réveilla en sursaut, en ayant le sentiment qu'il se passait quelque chose de désagréable à côté d'elle. Quelques secondes durant, elle n'y comprit rien, elle ne savait même pas où elle se trouvait. Elle entendait un grondement sourd, au rythme irrégulier, coupé de temps à autre par de brusques hoquets. Elle étendit le bras pour allumer sa lampe de chevet, mais sa main rencontra un mur. Elle réalisa qu'elle n'était pas dans son lit, qu'elle se trouvait dans une chambre étrangère. Dans la chambre de Jean...

Elle le sentit alors à côté d'elle : plongé dans un sommeil profond, il ronflait, les bras repliés. Elle l'écoutait, ébahie et confuse, sans oser bouger. Elle aurait pu le réveiller, mais elle espérait qu'il le ferait tout seul, du simple fait qu'elle s'était elle-même réveillée. Leur première nuit d'amour – ce serait inhumain si, maintenant au moins, ils ne se sentaient pas instinctivement l'un l'autre, s'ils ne devinaient pas mutuellement leurs mouvements...

Les minutes passaient, longues, monotones, et Marcella écoutait le même interminable ronflement. Son impatience croissait. Elle aurait voulu que quelque chose se passe – un bruit dans la rue, un coup de tonnerre – pour tirer Jean de son sommeil, et il l'aurait trouvée éveillée auprès de lui, prête à pleurer, et il l'aurait prise dans ses bras et consolée... Elle n'avait jamais imaginé qu'elle passerait sa première nuit d'amour à côté d'un amant confortablement installé au milieu du lit, en train de dormir (si au moins il la tenait dans ses bras) en ronflant... Jean, qui s'était montré si sensible, si artiste, si différent des autres jeunes gens, vulgaires et ignares... Tout ce qui est arrivé est dû en premier lieu à sa confiance dans l'âme nuancée et pure de Jean. « Un homme pareil, artiste et délicat, ça ne se rencontre qu'exceptionnellement dans cette capitale vulgaire », s'était si souvent répété Marcella... Et maintenant, elle le contemplait avec une inquiétude mêlée de déception. Jean dormait la tête renversée, la bouche ouverte, et ses ronflements semblaient s'amplifier en même temps que sa bouche béait et grimaçait davantage. Elle distinguait vaguement son corps, qui paraissait légèrement obèse sous le pyjama, et elle se rappela sans tressaillir sa complète nudité. (Ce qu'elle avait pu être gênée, quelques heures plus tôt, lorsqu'il s'était déshabillé devant elle, sans éteindre... Et puis, après avoir fait l'amour, cette façon d'obscène d'appuyer les pieds contre le mur, de lui poser la tête sur sa poitrine velue et de lui caresser les cheveux en l'appelant « ma poulette »!) Elles étaient bien différentes, à présent, les formes viriles de son amant, et bien peu séduisante sa présence, pourtant si chaude et si près d'elle...

Tout devait se passer ainsi, mais Marcella ne pensait pas que cela arriverait aussi vite; en tout cas, pas cette nuit-là. S'il n'y avait pas eu cet incident stupide avec Mitia, si elle ne l'avait pas entendu prononcer ce mot horrible... Elle n'aurait sans doute pas dû arriver tellement en retard : cinq heures et demie au lieu de trois heures et demie. Miticà n'avait pas arrêté de boire des cafés et de manger des glaces pendant ces deux heures d'attente au cours desquelles – il le lui avait avoué – il passait du désespoir à la fureur, d'une feinte indifférence aux fantasmes les plus corrosifs. Quand il l'avait vue, il l'avait fixée pendant un moment d'un air hébété de stupeur, et dans son regard Marcella lisait la colère et le ravissement à la fois. Il l'avait cependant prise par le bras avec joie et ils étaient partis pour la Şosea [1]. Comme il faisait très chaud et qu'ils voulaient y arriver au plus vite, Miticà avait arrêté un taxi. Marcella se souvenait parfaitement de la figure dégoulinante de transpiration du chauffeur. A l'arc de triomphe, il avait demandé : « Je tourne ou je continue tout droit? » Elle se rappelait avec précision tous les détails : la grosse voix du chauffeur; la nourrice en blouse

1. Équivalent bucarestois de notre bois de Boulogne. *(N. d. T.)*

blanche qui traversait prise de panique; un nuage blanchâtre qui s'étirait dans la direction du village d'Otopeni...

– Il faut que tu me répondes maintenant, tout de suite!

« C'est vrai, voilà un quart d'heure que Mitia me parle; il le faut, cette fois-ci il le faut... » Les pensées de Marcella étaient confuses. Elle avait quitté Jean à cinq heures seulement. « Je l'aime, je suis sûre de l'aimer, et pourtant, ce brave Mitia qui est encore capable de souffrir... »

– Restons amis, Mitia...

Son éternelle dérobade : évitons de nous disputer, de nous humilier...

– J'en aime un autre, ajouta-t-elle.

Elle ne le regardait pas. Elle aurait souhaité parler d'une voix plus chaleureuse, plus amicale, prendre la main de Miticà et lui dire : « J'aime un ami à toi, Jean Ciutariu... »

Miticà se taisait.

– Tu ne nous en veux pas, dis? demanda-t-elle en se tournant vers lui. Tu nous comprends?

Voilà, sa voix était chaude, elle pouvait lui prendre la main et lui dire : « Je savais bien que... » Quelles belles choses elle lui aurait dites! « Je savais bien que nous étions pareillement délicats, des cœurs généreux faits pour comprendre autrui et pour comprendre la vie... » Elle lui aurait dit cela et tant d'autres choses, car elle sentait une chaleur indéfinissable l'envahir, car elle était presque heureuse, elle était émue et bonne. Elle souhaitait une belle conclusion, élégante et amicale... Mais, brutalement, la voix de Mitia, méconnaissable :

– Une putain! Voilà ce que tu es, une putain!

Marcella croyait faire un cauchemar. Ce mot hideux, les yeux de Mitia, injectés, exorbités, son regard sauvage... Il lui avait attrapé le poignet et serrait. Il lui faisait mal, elle avait envie de pleurer, de crier. Si au moins la voiture s'arrêtait, pour qu'elle puisse disparaître, ne plus l'entendre. A ce moment-là, Miticà avait tapé dans le dos du chauffeur pour lui demander de stopper. Puis il avait ouvert la portière et poussé Marcella à l'extérieur. Elle était descendue sans bien se rendre compte de ce qu'elle faisait et avait mis machinalement la main sur son chapeau – il lui semblait qu'il y avait du vent. Miticà avait sorti la tête par la fenêtre et l'avait insultée encore une fois, plus brutalement, après quoi le taxi avait démarré, avec un bruit qui avait humilié Marcella plus que les insultes. Elle avait l'impression que le cauchemar continuait, qu'elle délirait. Elle était montée sur le trottoir, pour ne pas se faire écraser par une voiture. Secouée par des sanglots de colère et d'humiliation, elle avait couru vers une allée, afin de disparaître derrière les arbres, d'échapper aux regards des gens qui l'avaient vu insulter. Elle se dégoûtait, elle se sentait malade, rompue. Elle ne savait que faire : si elle rebroussait chemin pour chercher un autre taxi, elle risquait de tomber sur Miticà. Elle avait alors parcouru plusieurs allées et était arrivée, épuisée, avenue Jianu. Elle avait trouvé un taxi et avait donné au chauffeur l'adresse de Jean. Pour rien au monde elle ne serait restée seule. Et elle avait eu la chance de le trouver à la maison.

Marcella fit un mouvement brusque.

– Mon chéri, murmura-t-elle, mon chéri.

Ni le mouvement ni le chuchotement ne réveillèrent Jean. Il continua de ronfler, sur un ton plus rauque, mais tout aussi régulièrement. Marcella sentait un poids l'oppresser et la suffoquer.

– Jean, murmura-t-elle à plusieurs reprises, Jean...

« L'amour est présence avant toute chose », lui avait-il dit le jour où ils s'étaient connus, où elle était tombée sous le charme de cet homme si singulier, de sa conversation riche et étrange, de ses paradoxes. Marcella cherchait depuis longtemps un jeune homme supérieur, appartenant à son cercle d'artistes et de publicistes, mais s'en distinguant par la beauté virile et par l'esprit. Surtout par « l'esprit ». C'est-à-dire qu'il le lui fallait intelligent, original, attiré par le paradoxe (c'était cela qui plaisait particulièrement à Marcella, car elle considérait le paradoxe comme le niveau suprême de l'intelligence) et aimant l'art d'une façon ou d'une autre. Elle s'était soigneusement renseignée et, lorsqu'elle avait appris que Jean Ciutariu était l'auteur des

Sermons de saint Sébastien, interprétés au printemps 1932, et qu'il occupait un poste d'avenir à la direction de l'Opéra, son admiration avait accusé un brusque regain sentimental. A l'époque de ses premières rêveries, Marcella s'était imaginée en amoureuse d'un génie, mais d'un génie aussi pauvre que méconnu. Un peintre, un écrivain ou un compositeur, vivant dans une mansarde, sans le sou, un talent si extraordinaire qu'il provoquait partout rejets et inimitiés. Voilà donc le génie qu'elle aurait aimé aimer, Marcella, et elle se serait battue pour la victoire de son œuvre en lui apportant tous les soirs, dans sa mansarde glaciale, un petit paquet de charcuterie et un citron pour le thé... Ils mangeraient, tous les deux, là-haut, sur sa table de travail, et puis ils regarderaient, par la lucarne, bien serrés l'un contre l'autre, les lumières de la ville qu'il devait conquérir un jour... Et – qui sait? – il écrirait peut-être une pièce de théâtre, une pièce formidable, dans laquelle elle tiendrait le rôle principal... Le soir de la première. Un succès fantastique. On réclame l'auteur. Ils apparaissent ensemble. Lui, tout de noir vêtu, pâle, le front haut, dégagé; elle, l'interprète principale, en robe de soie blanche, elle le tire par la main pour le faire sortir des coulisses, avec un sourire heureux et complice au public. La salle croule sous les applaudissements, les feux de la rampe sont aveuglants. Des bouquets de fleurs, en cascade. Lui, il lui baise passionnément la main. Elle, elle rit, et la lui abandonne. Le public, debout, applaudit frénétiquement : « Bravo! Bravo! »

La rencontre de Jean Ciutariu avait entraîné la modification de ce scénario. Marcella s'était vite convaincue qu'il demeurait un artiste malgré ses succès mondains et financiers. S'il ne devait plus lutter pour être reconnu, s'il avait eu de la chance dès le début, il n'était tout de même pas le seul dans ce cas : D'Annunzio aussi avait connu le succès à vingt ans, s'était rappelé Marcella. Elle pouvait donc aimer Jean malgré son manque de pauvreté, malgré ses réussites artistiques. Et elle l'avait vite aimé. Ils se voyaient tous les soirs à divers spectacles, dont naturellement ceux de l'Opéra, où Jean avait souvent accès à la loge directoriale. Leurs discussions étaient passionnées, ils se communiquaient leurs impressions et leurs opinions artistiques. Mais, surtout, ils s'analysaient. Le plaisir que la compagnie de Marcella procurait à Jean, c'était ce penchant pour l'analyse. « Écoute, je vais te dire qui tu es... », voilà comment Marcella entamait, au cours du premier mois, la plupart de leurs conversations. Ces analyses auxquelles le soumettait sa nouvelle amie ravissaient Jean. « Tu es trop sensible, John. » (Car ils étaient convenus d'un commun accord de remplacer le vulgaire Jean par son équivalent anglais. Ils étaient tous deux des lecteurs passionnés des romans anglais contemporains, qu'ils achetaient en traduction française et qu'ils se passaient après les avoir annotés. « Exact, écrivait Marcella en marge de certaines pages d'analyse. Ressens-tu la même chose, John? »)

Marcella n'avait pas voulu cacher à Jean les sentiments dont Miticà la poursuivait.

– Je veux être franche avec toi, avait-elle dit à Jean en le regardant dans les yeux, Mitia, ton ami, est amoureux de moi, il m'aime.

Au début, Jean n'avait pas compris car, comme tout le monde, il appelait Gheorghiu par son vrai diminutif, Miticà. Lorsque Marcella s'était expliquée, il avait éclaté de rire. Miticà, aimer? Jean ne pouvait vraiment pas l'imaginer.

– Tu dois exagérer, te tromper, avait-il répondu.

– Non, John, c'est très sérieux, et même très grave. Ce pauvre garçon est follement amoureux de moi. Si tu savais tout ce que j'ai essayé, avait dit Marcella avec un geste d'héroïque lassitude. Toi, tu le connais mieux, il est ton ami. Alors, tu comprends, ce pauvre Mitia, un tennisman sans culture...

Jean l'avait interrompue :

– C'est un très brave gars, en tout cas...

La générosité de Jean avait ému Marcella, et elle lui avait conté toute l'histoire.

– Si tu savais ce qu'il peut m'encombrer, soupirait-elle souvent.

Mais Jean prenait toujours la défense de son ami :

– Il a un cœur d'or, une belle âme...

Marcella lui avait lu sa dernière lettre à Miticà, et Jean en avait accepté tous les termes.

– En effet, il vaut mieux être clair, avait-il dit. Il ne faudrait pas qu'il croie, le pauvre, que nous abusons de sa confiance. (En fait, Miticà ignorait que Jean et Marcella se voyaient aussi souvent, car la jeune femme avait évité de lui parler de sa nouvelle amitié.) Mais, avait ajouté Jean, ne va pas croire que son amour pour toi en ait brusquement fait un saint. Ne le lui répète pas, mais sache qu'il n'y a pas longtemps il s'est servi de mon studio, pour un cinq à sept, comme on dit...

Cette nouvelle avait à la fois réjoui et attristé Marcella. Réjoui, parce qu'elle se sentait plus libre envers Miticà, elle aurait désormais le courage de lui avouer son amour pour Jean. Attristé, parce qu'elle sortait elle-même abaissée de cette aventure qui prouvait que Miticà n'était pas l'esclave exclusif de sa passion pour elle.

– Quels cochons vous faites, vous autres les hommes, avait-elle dit avec un soupçon de trivialité dans la voix (elle affectait souvent la trivialité, pensant ainsi renforcer son expression, gagner en assurance et en personnalité), quels vulgaires cochons! Vous jurez un amour éternel et, en même temps, vous empruntez les studios des petits copains...

En disant cela, Marcella pensait aussi à Jean, qui, bien qu'il ne se fût pas encore déclaré, l'aimait, mais ne continuait pas moins à avoir des liaisons avec certaines « femmes faciles ». (Marcella s'était promis, si leur amour se réalisait totalement, de demander à Jean de renoncer définitivement à toute aventure. « Pour un artiste, pour un créateur surtout, certains gestes sont laids », lui dirait-elle un beau jour.)

Après sa scène avec Miticà, Marcella était tombée dans les bras de Jean dès qu'elle était entrée.

– Mon amour, mon cher amour! s'était-elle écriée, en se laissant embrasser aussitôt.

Puis elle avait éclaté en sanglots. Elle avait raconté, non sans une certaine gêne, l'humiliation qu'elle venait de subir. Et comme, à ce moment-là, elle haïssait Miticà, elle croyait que Jean allait s'indigner et se déclarer prêt à la venger en giflant le coupable en pleine rue. Mais Jean s'était montré plutôt conciliant :

– Évitons le scandale, surtout maintenant que tu connais le bonhomme : s'il a été capable de te débiter ces saletés-là, c'est qu'il est capable de pire encore. Or, tu sais, ma situation ne me permet pas... Méprisons-le tous les deux, ce sera une vengeance plus forte. Ignorons-le, passons à côté de lui comme si rien n'était arrivé...

S'il ne lui avait pas donné « cette capricieuse et dangereuse satisfaction » (comme il disait), Jean avait par ailleurs tenu compte avec une extrême délicatesse de l'état d'esprit de Marcella. Il l'avait embrassée sur la figure avec une douceur de caresse, puis l'avait invitée à dîner chez lui. Tandis que Marcella, allongée sur le canapé, se reposait et essuyait ses dernières larmes, il courait faire des courses. Il était revenu les bras chargés : des fraises à la crème, des sardines, des toasts, du gruyère, des olives vertes et noires, de la langue fumée, du rôti de bœuf et deux bonnes bouteilles de vin rouge. Il avait d'abord frappé à la loge pour y laisser ses consignes : « M. Ciutariu est invité ce soir chez son directeur », voilà ce que devait répondre le concierge.

Pendant le dîner, grâce surtout à l'euphorie de Jean, Marcella avait complètement oublié sa mésaventure. Au troisième verre de vin, ils commençaient à s'embrasser sur la bouche et Marcella constatait, avec un frisson de surprise, que les baisers n'étaient plus de douces caresses amicales. Les fraises les plus grosses, ils se les offraient et se les prenaient du bout des lèvres. Ce jeu s'était révélé si troublant que Jean avait enlacé Marcella et l'avait attirée à côté de lui. Bientôt, elle sentait la main du jeune homme sur ses seins, sans pouvoir désormais s'en étonner. Tout devait avoir lieu, tout aurait lieu, et elle en était heureuse, troublée en attendant par ces étapes inconnues, riches en surprises.

Ils avaient ensuite écouté de la grande musique. Jean avait mis le disque préféré de Marcella, la *Symphonie inachevée* de Schubert. (Elle l'aimait à cause du mot *inachevée,* qu'elle trouvait symbolique; elle professait qu'aucun génie sur terre ne pouvait achever son œuvre, le destin des génies étant trop grandiose, surhumain.)

– Entends-tu ses ailes, avait-elle murmuré, toute frissonnante, le sens-tu se débattre, avec ses ailes trop grandes?

Elle en avait les larmes aux yeux. A mi-voix lui aussi, Jean avait récité :

– *Ses ailes de géant l'empêchent de marcher* *...

– Tais-toi, c'en est trop pour moi! s'était écriée Marcella, au bord des larmes.

Après cela, Jean avait choisi, dans sa riche discothèque, le *Boléro,* le disque qu'il mettait toujours quand il s'apprêtait à coucher pour la première fois avec une femme.

– Écoutons « le canard sauvage », avait-il dit.

D'habitude, en pareille circonstance, il disait : « Écoutons notre sang. » Sa nouvelle formule lui ayant plu, il avait ajouté :

– Il y a tellement de sable en nous, Marcella...

Il s'était aperçu à ce moment-là que Marcella tremblait, qu'elle avait les yeux troubles.

– Donne-moi à boire!

Jean lui avait rempli son verre. Ah! pouvoir se donner à l'homme qu'on aime sur une musique pareille, avec un rythme pareil dans le sang, pensait Marcella. Elle avait embrassé Jean sur la bouche et ils étaient restés enlacés aussi longtemps qu'avait duré le *Boléro.* Jean devait se lever pour changer les disques, mais il reprenait aussitôt sa place sur le canapé, en se serrant de plus en plus contre Marcella, en osant des caresses de plus en plus audacieuses. Marcella était heureuse, rêveuse, troublée. Lorsque le *Boléro* s'était achevé, Jean avait commencé à la déshabiller, lentement, tout en la caressant et en l'embrassant.

Le charme avait duré deux heures environ. En effet, quand il avait découvert qu'il venait d'avoir la première pucelle de sa vie, Jean s'était montré réellement charmant. Il parlait à Marcella de l'extase érotique, des joies simples de la chair, de la musique de ses bras. Mais il s'était mis à l'appeler « ma poulette », ce qui la faisait souffrir. Déjà, quand elle l'avait vu se déshabiller devant elle, elle avait enfoui la tête dans l'oreiller. Non par pudeur, mais par terreur de toute image vulgaire. Dans ses fantasmes érotiques et sentimentaux, elle n'avait jamais pu voir un homme nu ou en pyjama. Elle avait horreur des hommes qui déambulent chez eux en gilet ou en pantoufles. Elle les imaginait glissant en sandales romaines ou en escarpins de soie noire. « L'amour charnel est avant toute chose un cérémonial », avait-elle déclaré un jour à Jean, qui en avait déduit qu'elle avait eu pas mal d'amants et qu'il pouvait se mettre sur les rangs sans scrupule. Après avoir fait l'amour, Jean avait l'habitude d'appuyer les pieds contre le mur et de remuer les orteils les uns après les autres. Marcella avait trouvé ce geste répugnant. En outre, elle voyait avec déplaisir les cuisses de Jean, couvertes d'une épaisse toison, car il les avait régulièrement rasées quelques années durant, lors de sa période mystique, de sorte que, depuis, les poils y poussaient à foison, noirs et drus. (Cinq ou six ans plus tôt, à la suite d'une pneumonie, il avait dû passer quelques mois dans un sanatorium, à la montagne, sûr d'être tuberculeux et de mourir dès le retour du printemps. Il n'en était pas moins rentré à Bucarest parfaitement rétabli, mais il déclarait aux filles qu'il était définitivement condamné. Il avait fait alors une crise de mysticisme, catholique d'abord, orthodoxe ensuite. Tout ce qu'il composait à cette époque était purement religieux et, chez lui, il portait une soutane bleu foncé. Il se rasait les jambes, afin d'être – expliquait-il – « le plus loin possible de la bête ».)

Marcella ne savait pas à quelle heure ils s'étaient endormis. Jean donnait des signes de fatigue depuis un bon moment. Elle, au contraire, elle avait un début d'insomnie. Des scènes toutes récentes lui revenaient sans cesse à l'esprit. Elle passait très vite du bonheur extatique à un état de panique. Au moindre pas dans l'escalier, elle sursautait. Elle commençait à se demander ce qu'elle raconterait le lendemain à sa logeuse.

– Dors, ma poulette, lui disait Jean.

Marcella lui souriait affectueusement, l'embrassait, se blotissait sur sa poitrine. Mais il lui était impossible de dormir.

Elle avait l'impression d'avoir fait quelque chose de si responsable, de si important, qu'elle ne pouvait plonger directement dans le sommeil, dans les ténèbres. Sa chair était douloureuse et tout commençait à être différent, elle ne pouvait pas préciser de quelle manière, mais différent...

Malgré tout, elle s'était endormie. Jean, lui, s'était endormi avant elle; la lampe, cela faisait longtemps qu'il l'avait éteinte. Et si elle s'était réveillée dans les ronflements de son amant, ce n'était pas à cause d'eux, mais de cette présence étrangère, de cette chaleur d'homme à côté d'elle.

Marcella garda longtemps les yeux fixés sur Jean, cherchant à distinguer clairement ses traits dans la pénombre, espérant à chaque instant qu'il allait se réveiller et la prendre dans ses bras. Par moments, il lui semblait être seule, elle avait peur et alors elle se penchait sur la main de Jean, la caressait, l'embrassait. Les doigts réagissaient brièvement, paraissaient répondre. Puis la main reprenait sa liberté et retombait, inerte, sur le drap. Marcella se mit à pleurer. Ce furent d'abord des larmes rares et pleines, puis un rideau devant ses yeux, et elle enfouit sa tête dans l'oreiller. Elle ne comprenait pas elle-même pourquoi elle pleurait. Larmes de honte ou de solitude? Ou bien larmes de désir, le désir de ce corps d'homme que maintenant seulement, une fois passés le dégoût et l'indifférence, elle sentait sexuellement en elle, sans pourtant vraiment le connaître encore? Ah! la nuit d'amour qui aurait pu commencer...

VII

– Ioana Cantemir, Ioana Barbara Cantemir, Ioana...

Les yeux au plafond, confortablement étendu sur le canapé, Anton Dumitraşcu répétait lentement, à voix haute, le nom de l'héroïne de son roman, *Effondrements dans la glaise.* Sa main droite, pendant mollement, touchait presque le plancher; sa main gauche s'arrêta nerveusement sur son front. A côté de lui, sur une petite table en cuivre, une cigarette fumait dans un cendrier orné de pigeons de Venise. Sur cette même table, un bloc-notes ouvert et deux crayons bien taillés attendaient.

– Ioana Barbara Cantemir...

Anton détachait soigneusement les syllabes. Ioana... Descendante d'une famille de vieille noblesse moldave. Élevée à Paris, elle a connu dès l'enfance les pires horreurs de la métropole corrompue. Elle est aujourd'hui de retour au pays, sur les terres de ses parents, dans le château de ses ancêtres. Elle y rencontre le répétiteur de son petit frère, un étudiant... Là, le fil de ses idées se déchira. Anton n'était pas encore fixé sur le nom de son personnage principal. Au début, il penchait pour Axente Dumbravà [1]. Un beau nom, d'un seul tenant, pareil à son héros, qui arrivait tout droit de la campagne; fils de pauvres mais fiers paysans, il a dû vaincre d'innombrables difficultés avant de devenir étudiant à la Faculté des lettres et de philosophie de Iaşi... Mais, par la suite, il lui avait paru que Dumbravà était un nom trop commun dans la littérature roumaine contemporaine. Il en avait alors créé trois autres, entre lesquels il hésitait depuis plusieurs jours : Horia Greabàn [2], Haralamb Vântu [3], Pântea Càldare [4] – ils lui plaisaient tous. Des noms âpres, rustiques, impressionnants. Il se décida néanmoins, provisoirement, pour celui qui lui semblait le plus harmonieux : Horia Greabàn...

Dans le parc, par un bel après-midi de septembre, alors qu'il se promène avec son élève, dernier rejeton mâle de la lignée des Cantemir, Horia Greabàn aperçoit soudain Ioana. Vêtue d'une cape, ses cheveux coupés court laissant voir ses oreilles, Ioana Barbara déambule dans le parc comme tirée d'un mauvais rêve. La voix de la terre... « Non, c'est trop banal, se dit Anton. La voix du terroir, la voix des ancêtres, la voix... C'est connu, tout cela, archiconnu. » Il prit sa

1. Boqueteau. *(N. d. T.)*
2. Garrot; 3. Le vent; 4. Chaudron. *(N. d. T.)*

cigarette et en aspira une longue bouffée. « Les morts se réveillent! s'exclama-t-il mentalement, tout en faisant des ronds de fumée. Non, trop banal aussi. On l'a écrit je ne sais combien de fois. »

De toute façon, ça n'a aucune importance pour le moment. On verra bien à l'écriture. Il regarda le bloc-notes ouvert, les deux crayons bien taillés. Sa rêverie sur le canapé se prolongeait un peu trop. D'habitude, il réfléchissait à son roman seulement le temps de boire son café et de fumer deux cigarettes. Après quoi il s'asseyait à son bureau et se mettait au travail. D'une façon fragmentaire, bien entendu, parce qu'il ne s'était pas encore définitivement décidé quant à l'action du roman. Il en avait écrit et recopié la première partie : l'enfance et l'adolescence du héros (qui se nommait alors Axente Dumbravà), jusqu'à son entrée à l'université.

La vie à la campagne, les souffrances à la ville, la nostalgie des champs en fleurs, de l'herbe verte, des maisonnettes blanches du village natal... Anton avait évoqué avec beaucoup de lyrisme aussi bien l'enfance de son héros que sa tristesse d'être séparé du foyer. Pourtant, il n'était pas lui-même fils de paysans; il était né à Bârlad, de parents fort aisés, et avait fait son université à Iaşi, dans des conditions agréables, bien logé et sans jamais manquer d'argent de poche. Mais il pensait qu'il devait préparer ainsi le conflit central de son roman : la vie pure et sacrée du paysan aux prises avec la décadence de la civilisation urbaine. Conflit qui devait se réaliser tant dans l'amour sauvage d'Axente Dumbravà et de Ioana Barbara Cantemir qu'en la personne de tous les amis du héros, des fils de gens pauvres, intellectuels et rêveurs, jetés en pâture à la vie dès la fin de leurs études. « La tragédie d'une génération », voilà ce qu'il aurait choisi comme bande publicitaire pour son livre. Car il ne s'agissait pas seulement du drame d'un fils de paysans aimé puis offensé par une descendante de vieux boyards moldaves. Ce volumineux roman devait également présenter toute une galerie d'éminents jeunes gens sans situation malgré leurs diplômes, de jeunes idéalistes vaincus dès leur premier corps à corps avec la vie. *Effondrements dans la glaise* était un roman psychologique et social à la fois...

Mais le travail n'avançait guère. A part la soixantaine de pages sur l'enfance à la campagne, il n'avait rédigé que des fragments et des fiches, auxquels il renonçait d'ailleurs rapidement, car un épisode annulait le précédent, une nouvelle action remplaçait l'ancienne dans son plan. Après le repas, il s'enfermait dans son bureau, s'allongeait sur le canapé et méditait, sa tasse de café et son bloc-notes à côté de lui. Il fumait une cigarette, puis une deuxième, avant de se mettre à écrire. Il écrivait lentement, attentivement, en choisissant bien ses mots. « Ce qui compte d'abord, se disait-il, c'est la langue, le roumain qu'on écrit. »

Mais aujourd'hui il en était à sa cinquième cigarette, il y avait belle lurette qu'il avait bu son café, et il s'attardait sur le canapé, les yeux au plafond. « Ces taches-là, elles sont apparues cet hiver, avant elles n'y étaient pas... » Il ferma les yeux : « Je pense vraiment à des bêtises... Ioana Barbara Cantemir, c'est un peu long... Ioana Clara Cantemir – au pensionnat, à Paris, on aurait pu l'appeler *Jeanne-Claire...* » L'idée lui sembla bonne. Il prit un crayon et écrivit sur la première page du bloc : « Ioana Clara, *Jeanne-Claire,* Paris, pensionnat. »

A ce moment-là, on frappa timidement à sa porte. Ce ne pouvait être que Maria, sa femme. Anton en fut un peu agacé; normalement, elle ne le dérangeait jamais quand il écrivait.

– Un pli pour toi, Tony. C'est un gamin qui vient de l'apporter de chez *Mânzat.* Il paraît qu'il y a quelqu'un qui t'y attend...

Anton ouvrit la porte sans se hâter. Il prit l'enveloppe, dont il sortit une carte de visite :

Dem. I. Gheorghiu, sous-directeur à la banque Industria, *Bucarest, prie Monsieur le Professeur Anton Dumitraşcu de bien vouloir lui accorder un bref entretien au café* Mânzat.

– Tu y comprends quelque chose? demanda Anton à sa femme en lui donnant la carte de visite.

Ces quelques lignes produisirent sur Maria une émotion diffuse. Une conférence littéraire, un éditeur, qui sait? Peut-être une place à Bucarest...

– Et moi qui ne suis pas rasé! s'écria Anton, irrité. Sans compter que je vais devoir me rhabiller... Encore un après-midi de fichu! Et puis, au fond, je ne le connais même pas...

– C'est peut-être un de tes anciens camarades de faculté, supposa Maria. Ou bien quelqu'un qui veut t'offrir...

Elle ne trouva pas le mot. On pourrait tant leur offrir, tant de choses attendues depuis longtemps.

– En tout cas, précisa-t-elle, c'est un monsieur qui arrive de Bucarest. Il n'est même pas descendu à l'hôtel, c'est le gamin qui me l'a dit. Il est allé tout droit chez *Mânzat,* il connaissait peut-être déjà le café. Là, il a demandé après toi. Et puis, il ne reste pas longtemps, c'est ce qu'il a dit, il repart cette nuit...

– Assez étrange, tout cela, assez inattendu, pensa Anton. Quelqu'un qui viendrait exprès pour moi, quelqu'un de Bucarest? On verra bien...

Il alla rapidement dans la chambre à coucher pour se changer.

Quelques heures plus tard, Maria Dumitraşcu envoyait sa bonne chez *Mânzat.* Anton n'était toujours pas rentré et il ne l'avait pas fait prévenir. Impatiente, elle attendait la réponse dans le jardin.

– Monsieur est avec un monsieur à une table sous la tonnelle...

Voilà tout ce qu'elle avait vu, sans oser déranger son patron, qui ne l'avait même pas remarquée. A ce moment-là, il expliquait à son nouvel ami la psychologie de l'intellectuel de province.

– ... Vous sentez la vie, la médiocrité vous dissoudre, broyer tout idéal, toute pensée élevée. Ainsi, par exemple...

« Il est bien parti, le frangin! se dit Miticà Gheorghiu, de plus en plus gai, car il aimait le vin qu'il avait choisi. Il n'a pas bientôt fini de me bassiner avec ses malheurs et ses lubies? Qu'est-ce que ça peut me faire, à moi, toutes ces histoires? »

– ... Lutter? Mais lutter pour qui? Comme si quelqu'un vous encourageait, comme si on appréciait les intellectuels dans une pauvre ville de province où tout le monde fait de la politique, où...

Sa langue devenait pâteuse. « Il ne tient pas la bouteille », constata Miticà. Il avait compris dès qu'il l'avait vu : un jeune prof pas encore revenu de ses rêves d'étudiant. Et lui qui espérait trouver un confident qui écouterait son histoire d'amour, qui l'aiderait, qui interviendrait directement auprès de Marcella... Ils s'étaient assis cérémonieusement, mais, après la première bouteille de vin – que Miticà avait offerte, un peu gêné –, ils s'étaient mis à bavarder en amis. Miticà avait résumé son histoire d'amour, encouragé en cela par Anton, qui s'était rappelé à ce moment-là que sa sœur leur avait parlé de lui dans une lettre et avait même évoqué un éventuel mariage. Cette lettre, il est vrai, était vieille d'un mois. Mais, en l'apprenant, Miticà avait ressenti une joie subite et avait repris espoir. Ils commandèrent une autre bouteille et décidèrent de se tutoyer. Miticà avoua confidentiellement qu'il était venu à Bârlad pour connaître les parents de Marcella et leur demander la main de leur fille. Il parla d'un voyage de noces à Paris, d'une lune de miel sur la Riviera...

– Je lui offrirai des manteaux de fourrure, je lui offrirai une voiture, déclarait Miticà.

– ... J'ai décidé d'écrire tout cela dans un roman de grandes proportions, auquel je travaille depuis longtemps, soliloquait Anton en remplissant son verre. J'y écrirai, mon cher Miticà... Elle t'appelle bien par ton diminutif, Miticà?

Miticà toussota, puis :

– Elle m'appelle Mitia. Elle aime bien me chouchouter...

Ils éclatèrent de rire à l'unisson, d'un rire sincère et sans contrainte, comme il convient entre deux vieux et bons amis.

– Oui, elle est comme ça, dit Anton. Une bien brave fille, et quel talent... Je suis content, tu sais... Tu m'as plu au premier coup d'œil, et je sais jauger les gens, moi!

Miticà devint rêveur. La fatigue du train, s'ajoutant à celle de deux nuits où il n'avait pratiquement pas dormi, commençait à le bercer d'une agréable torpeur. Sa tête branlait, son corps sommeillait. La journée était chaude. Le vin qu'il avait bu à grandes lampées lui faisait espérer une réconciliation avec Marcella, mais le troublait en même temps. Il avait du mal à suivre le résumé d'*Effondrements dans la glaise,* qu'Anton avait commencé depuis longtemps mais qu'il avait été obligé d'interrompre à plusieurs reprises pour faire place aux divagations.

– Qu'est-ce que tu penses de ce nom : Ieronim Vanghele? demanda Anton à l'improviste.

– Qu'est-ce que je devrais en penser?

– C'est mon pseudonyme littéraire. J'en ai eu d'autres mais, à la vérité, aucun ne me plaisait. J'en cherchais un plus sobre, plus...

– Je comprends, fit Miticà. Je vous connais, vous autres, les hommes de lettres...

Ils parlaient n'importe comment, presque sans s'écouter l'un l'autre. Miticà essayait de ramener la conversation sur ses doutes, sur ce qu'il appelait « les ombres obscurcissant encore le chemin de son bonheur ». Anton le rassurait :

– Ne t'en fais pas, maintenant c'est réglé! Les artistes, elles sont comme ça, elles hésitent longtemps avant de se marier. Elles pensent à leur liberté, à leur carrière, et tout et tout... Mais puisque je te dis qu'elle nous a écrit, qu'elle a écrit à la maison pour nous annoncer que...

Et il revenait vite au résumé de son roman, juste au moment où Miticà reprenait courage.

– ... Le vieux conflit, mon cher Miticà, l'éternel conflit, dirais-je même...

Si rien n'était arrivé, si Marcella et lui étaient restés de bons amis, ils auraient visité Bârlad ensemble, tous les deux, et le soir ils auraient dîné avec ses parents, dans leur jardin, autour d'une grande table, à la lumière d'une ampoule accrochée à une perche... Miticà sentit une fois de plus que certaines choses ne pouvaient plus avoir lieu, aussi banales fussent-elles et à la portée de tout un chacun. C'eût été tellement simplement d'être avec Marcella, en amis, en amants peut-être... « J'ai bien fait de rester ici, de ne pas accepter d'aller chez lui. Là-bas, j'aurais été trop près de Marcella, ça en aurait fait trop d'un seul coup. » Il s'étonnait un peu : quelqu'un qui était le frère de Marcella et qui pouvait s'intéresser à des choses aussi étrangères à leur amour, à leur drame. Quelqu'un qui lui racontait un roman au lieu de lui raconter par le menu l'enfance de Marcella, sa vie à la maison, les rues où elle jouait, les jardins où elle se promenait...

– Comment va Oncle Tache? demanda-t-il soudain, n'y tenant plus.

Anton le regarda, surpris :

– Il va bien... Mais quoi, tu le connais?

– Par Marcella, expliqua Miticà, stimulé. Je connais toute sa vie, y compris ses poulaillers et son couvre-livre rouge...

– Même ça? s'extasia Anton. Tu es formidable! Maintenant, c'en est fini du couvre-livre, il est tellement usé qu'il tombe en charpie... Mais Tache va s'en faire un autre, en cuir rouge aussi, ça le connaît...

Miticà eut envie de voir la rue, au moins la rue où Marcella avait habité. Il avait refusé jusque-là les invitations réitérées d'Anton à aller chez lui ou chez Dumitraşcu père, le pharmacien. « Non, je suis venu exprès pour toi, c'est toi que je voulais connaître d'abord, on verra bien ensuite où on ira », avait-il affirmé. Mais à présent il serait allé n'importe où, de grand cœur. Il aurait surtout voulu voir la petite pièce attenante à la pharmacie, où l'on gardait les essences pour les sirops et où, surtout, jouait Marcella quand elle était petite. Ou encore le jardin derrière la maison, l'escarpolette d'où elle avait fait une mauvaise chute à dix ans...

– Il y a de plus en plus de monde, dit Anton. Tu ne

veux pas qu'on s'en aille? On passera chez moi, comme ça tu connaîtras Maria, ma femme. Elle était une des meilleures amies d'Elena, de Marcella, comme tu l'appelles...

Ils se levèrent et Miticà remarqua que la démarche de son nouvel ami était quelque peu hésitante, détail qui le lui rendit d'autant plus attachant.

– Mon cher Anton, lui dit-il dès qu'ils furent dans la rue, Anton, mon frère, tu ne peux pas imaginer quelle joie ça m'a fait de te connaître...

Dumitraşcu le prit amicalement par le bras. Le soir tombait, il faisait plus frais, c'étaient les vacances, sa conversation avec Gheorghiu l'avait stimulé, bref il se sentait heureux. Bien des choses surviendraient encore : un éditeur, des amis dans le monde des écrivains bucarestois, et ainsi de suite.

– Ce que c'est beau, un début de soirée, chez vous, dit Miticà, rêveur. Et puis ce silence...

– Patriarcal, compléta ironiquement Anton. Tout ce qu'il y a de patriarcal. On se couche à dix heures, il n'y a pas de théâtre, pas de vie intellectuelle, personne ne lit un livre... Ça te plaît parce que tu n'y habites pas comme moi, depuis des années... J'espère quand même... Lorsque j'aurai publié mon roman...

– Viens à Bucarest quand tu voudras, mon père connaît un tas de gens : ça s'arrangera en cinq sec.

– Ce n'est pas si simple que ça, dit Anton.

Et il se lança de nouveau dans son discours passionné sur les malheurs de l'intellectuel provincial. Miticà ne l'écoutait plus. A chaque pas qu'il faisait, il lui semblait se rapprocher de Marcella, d'une Marcella plus vivante, plus concrète, meilleure que celle qu'il avait connue. Ici, c'était sa bien-aimée tout entière qui lui apparaissait différemment : calme, douce, d'une sereine féminité.

– Tiens! elle nous attend sur le pas de la porte, s'écria Anton en apercevant sa femme de loin, et il lui fit un grand signe des deux bras à la fois.

Après minuit, Miticà Gheorghiu se rappela que le dernier train passait à Bârlad un peu avant deux heures et que ses nouveaux amis ne savaient pas encore qu'il était résolu à partir. Tout le monde était d'excellente humeur et il aurait pu filer à l'anglaise, mais il ne voulait pas se conduire aussi mal avec la famille de Marcella. Tout ce qui s'était passé depuis qu'il était allé chez Anton l'inquiétait déjà assez...

– Je te présente le fiancé d'Elena, le fiancé de la célèbre comédienne Marcella Streinu! s'était exclamé Anton en tenant Miticà d'une main et en le désignant de l'autre.

Maria Dumitraşcu avait bredouillé des excuses : elle ne savait pas, c'était pourquoi ils la trouvaient en robe d'intérieur et pas coiffée et...

– L'épouse du prof, avait dit Anton en souriant. Le maître d'école et sa dame, avait-il ajouté pour rire, en caressant sa femme sur les deux joues.

Ils l'avaient invité à entrer chez eux, mais ils n'y étaient restés qu'une demi-heure.

– Allons chez les vieux, avait brusquement proposé Anton. On les trouvera juste en train de se mettre à table, dans le jardin... Nous-mêmes, ça fait un moment que nous ne les avons pas vus, avait-il ajouté en regardant Maria.

– Mais ne leur dites rien, je vous en prie. Ne privons pas Marcella du plaisir de leur faire cette surprise...

Miticà les suppliait en pleurnichant presque, comme un enfant. Maria et Anton avaient solennellement promis. Mais, à peine étaient-ils entrés dans le jardin, derrière la pharmacie – où, en effet, ainsi que Marcella le lui avait raconté, toute la famille se réunissait autour d'une table éclairée par une ampoule accrochée à une perche –, qu'Anton lui avait passé le bras gauche autour des épaules, tandis qu'il étendait le droit en un large geste théâtral :

– Je vous présente le fiancé d'Elena, M. Demetru Gheorghiu, sous-directeur de banque!

Miticà ne se rappelait que vaguement la scène. Il y avait beaucoup de monde autour de la table, il n'avait pu retenir que deux ou trois noms. Il y avait surtout une ribambelle d'enfants, des petites filles de douze-treize ans, un lycéen, un tout jeune élève-officier... Tout le monde lui avait été présenté, les cousins et les cousines de Marcella, venus de Iaşi pour les vacances. C'était Maria Dumitraşcu qui faisait les présentations, souriante mais tout émue, car le vieil apothicaire n'arrivait pas à se remettre de sa surprise.

– Comme ça, sans nous prévenir, sans nous envoyer un mot...

Miticà s'était senti ridicule, malgré tout le vin qu'il venait d'ingurgiter. Anton, tout au contraire, était on ne peut plus prolixe. Il s'était assis à côté de son père et avait réclamé un verre.

– Il est formidable, il connaît même l'oncle Tache, je te jure, il sait tout du couvre-livre rouge... D'ailleurs, je lui ai dit qu'il avait décidé d'en faire un autre...

Maria essayait de faire la conversation à Miticà :

– Elle joue dans quels théâtres, actuellement, Elena?

Miticà, hésitant, avait fait un geste vague.

– Elle a refusé quelques engagements, avait-il fini par dire. Je pense qu'elle a eu raison. Elle a largement le temps de prendre une décision...

– Figure-toi, disait Anton à son père, qu'il va l'emmener sur la Riviera, mon rêve... Écoute, Maria, avait-il répété plus fort, sur la Riviera, sur la côte d'Azur! C'est ce que j'appelle un voyage de noces!

Il avait éclaté de rire en se rappelant de vieux, de très vieux souvenirs, qui remontaient à l'époque où il était étudiant.

– Elle m'a écrit il y a quelques jours, elle me demandait de lui envoyer un mandat, avait dit le père. Elle écrivait qu'elle ne viendrait pas à la maison pour les vacances... Vous auriez tout de même pu venir ensemble...

Il parlait lentement mais fort, en regardant son interlocuteur dans les yeux. C'était un vieillard svelte, la tête chenue, la moustache encore noire.

Miticà avait menti avec une paisible assurance :

– C'est aussi ce que je lui ai dit, mais elle ne veut pas que ça se sache déjà dans le monde, voyez-vous... Je crois qu'elle a raison...

Les têtes des enfants étaient toutes tournées vers ce jeune homme à moitié chauve, qui les intimidait, mais dont le parler valaque, les gestes assurés, presque aristocratiques, les attiraient. En effet, Miticà se contrôlait strictement, afin de faire bonne impression. Il gardait la tête haute, le poing serré, il tirait fréquemment sur les manches de sa chemise pour être sûr qu'on aurait bien remarqué ses boutons de manchettes en or sertis de deux gros saphirs. Il était très poli et répétait à tout propos « pardon », avec un léger accent français. Mais, plus le temps passait et plus l'atmosphère se réchauffait, devenait familière. Miticà avait accepté de grignoter quelque chose. Anton continuait à réclamer du vin. Maria le regardait, étonnée, un peu humiliée à cause de son laisser-aller, mais ravie en même temps de le voir si heureux, si animé. Miticà, à son tour, devenait loquace, il parlait sans attendre les questions, il parlait de Marcella, de Marcella aujourd'hui, de Marcella demain. La noce aurait lieu à Bârlad, ici même, dans ce jardin. Leurs amis de Bucarest viendraient tous.

– Ce n'est pas la place qui manque! avait crié Anton. Au besoin, ils pourront dormir à l'officine!

Il avait éclaté de rire et secoué le bras de son père. Cousins et cousines s'étaient mis à rire aussi. « Vraiment – se disait Miticà – ce sera si beau dans ce jardin, illuminé par des lanternes chinoises comme il en avait vu à Paris... » Il commençait à croire leur noce imminente, et que Marcella serait sienne, que tous ces gens qui l'entouraient seraient bientôt des proches qui l'appelleraient par son prénom, qui lui adresseraient leurs vœux pour les fêtes. Plus il parlait passionnément de son mariage, plus celui-ci lui semblait réel, immédiat.

– Tu sais, maintenant je regrette de ne pas avoir amené Marcella! avait-il déclaré brusquement en se tournant vers Anton.

– Tu vois, je te l'ai dit aussitôt : la surprise aurait été complète...

Et, effectivement, Miticà regrettait que Marcella ne fût pas à ses côtés à ce moment-là, à cette table-là, entourée des siens. Il croyait sincèrement que c'eût été possible, même après leur dispute et malgré tout ce qui les séparait.

Les enfants étaient presque tous allés se coucher, non sans lui avoir respectueusement souhaité une bonne nuit.

– On se reverra demain, lui avait dit une petite fille.

C'était ce que tout le monde croyait : que Gheorghiu passerait la nuit à Bârlad. Il n'allait tout de même pas prendre le train de deux heures, c'eût été trop fatigant, trop inconfortable. Miticà n'osait pas refuser, de sorte qu'on avait préparé la chambre d'amis, ici même, malgré les insistances d'Anton pour l'héberger chez lui.

– On aurait bavardé encore un peu, expliquait-il.

Cependant, Miticà savait qu'il ne resterait pas. Il avait l'impression que le matin le trahirait, que, une fois dissipées l'obscurité et les vapeurs du vin, Anton et son père, eux au moins, devineraient la vérité. Il ne pensait nullement à ce qui se passerait après son départ. Il ne se demandait même pas s'il s'excuserait par lettre ou s'il prierait Marcella, toujours par lettre, de ne pas trop l'accabler auprès de sa famille. Pour le moment, il était heureux, il avait oublié tout ce qui était arrivé au cours des trois dernières journées, il se sentait si près de Marcella...

Or, voilà, il était minuit passé, et il devait se décider. Ils n'étaient plus nombreux autour de la table, et tous plus ou moins éméchés. Même Maria, les joues rouges, les yeux brillants, qui avouait :

– Je ne peux pas me résoudre à l'appeler par son prénom... Et pourtant, il a un très joli prénom... Mitia...

– C'est comme ça qu'elle l'appelle, Elena, expliquait Anton à son père, elle le chouchoute...

Miticà se leva et sourit :

– Mes chers amis, je vais vous quitter. Je suis vraiment navré, mais je dois partir.

Ils le regardèrent tous sans dissimuler leur surprise. Ils

essayèrent de le retenir : il n'avait rien dit de tel jusque-là, au contraire, on était convenus qu'il dormirait ici...

– Je viens de me rappeler que j'ai une affaire urgente et importante à régler demain. Si au moins mon directeur était à Bucarest... Mais, voyez-vous, il est au bord de la mer, dans sa villa. Et je suis seul...

Toute la tablée se taisait, morose.

– Eh! oui, s'exclama Miticà en se forçant à sourire, je ne suis pas libre comme vous, moi...

Il se mit à serrer les mains rapidement, bien qu'il eût encore largement le temps. Mais il pensait que la séparation devait être brutale, car autrement... Dumitraşcu père garda longuement la main de Miticà entre les siennes. Très ému, il avait les yeux humides, la voix chevrotante :

– Dites-lui qu'elle me manque...

Il hésita un instant puis ajouta, vite, sur un ton plus ferme :

– Et que le bon Dieu vous protège!

Miticà partit en compagnie d'Anton et de Maria, qu'ils laissèrent à la maison. Sur le pas de la porte, elle dit :

– Embrassez-la bien de ma part...

– Ne t'en fais pas, il sait ce qu'il a à faire! s'esclaffa Anton.

Anton avait une excellente opinion de lui-même, ce soir-là. Il avait l'impression de trouver sans retard la bonne réplique, de faire preuve d'une intelligence à la fois lucide et communicative. Il regrettait qu'il n'y ait pas eu quelques-uns de ses amis ou de ses collègues du lycée pour l'écouter. Car il avait une réputation bien établie de pédant maussade...

Miticà Gheorghiu baisa cérémonieusement la main de Maria Dumitraşcu, puis Anton et lui, bras dessus, bras dessous, prirent d'un pas plus rapide le chemin de la gare.

Brusquement, Miticà commença à avoir mal à la tête. Et à se dégoûter. A se dégoûter de lui-même, à se dégoûter de son destin...

VIII

Petru partit de chez lui fourbu, la tête vide, sans volonté. Il aurait renoncé à la leçon pour sommeiller jusqu'au soir, bouclé dans sa chambre, nu, les volets fermés, mais c'était jour de sainte paie. Il était obligé, par cette chaleur torride, d'aller à l'autre bout de Bucarest et de supporter pendant une heure le tapotement d'Annette, afin de rapporter de l'argent à la maison. Cela faisait deux jours qu'ils ne mangeaient, sa mère et lui, que de la soupe aux haricots et de la laitue. Ils se passaient même de leur ordinaire du soir, lait et pain grillé : deux semaines d'ardoise chez le crémier. Mme Anicet ne disait rien, mais ce silence humiliait Petru et l'exaspérait. Il aurait donné n'importe quoi pour mettre un terme à cette morne misère, continue et déprimante. M. Baly était à l'étranger, sa fille Felicia en villégiature – et puis, de toute façon, ils avaient touché quelques mois d'avance, jusqu'à septembre. Ils n'auraient pu attendre de Baly qu'une aide supplémentaire, s'ajoutant à leur pension et donc d'autant plus humiliante...

Petru demandait de l'argent à Nora tous les deux ou trois jours, tantôt un billet de cent lei, tantôt deux de vingt. Il n'en dépensait pas un centime, il donnait le tout à sa mère en prétendant qu'il s'agissait d'un reliquat de salaire ou du paiement des partitions qu'il recopiait la nuit. A la vérité, il avait essayé plusieurs fois d'obtenir des partitions à copier, mais les prix qu'on lui avait proposés étaient tellement dérisoires qu'il avait refusé avec dégoût :

– Vingt lei de la page et un leu d'amende par faute! Ça ferait douze-treize lei pour une heure de travail! Non merci! je préfère encore faire le gigolo...

Il avait claqué la porte et s'en était allé en sifflotant. Ce soir-là, il avait dit à Nora en riant :

– Tu sais, j'ai décidé de devenir gigolo. Pour quelque temps seulement, bien sûr, jusqu'à ce que je sois assez fort...

Nora l'avait pris dans ses bras, l'avait embrassé sur les joues, mais elle avait de la peine.

– Fort, je le suis déjà, avait poursuivi Petru tout en se dégageant machinalement des bras de la jeune femme, mais les temps sont trop durs... Ça passera, ça passera...

Malheureusement, Nora non plus n'avait pas beaucoup d'argent. D'autant que Petru lui avait interdit d'en accepter de Iorgu Zamfirescu, son seul admirateur fortuné. Celui-ci se contentait donc de lui envoyer des présents des plus terrestres : du poulet, des œufs, de la charcuterie, du vin. De temps à autre, Nora recevait un billet de cinq cents lei noué d'une faveur en soie et agrémenté d'une lettre d'amour, mais, de cet argent-là, elle ne disait rien à Petru – elle le donnait à sa mère...

Il faisait très chaud, c'était une chaleur sèche, comprimée, qui semblait raréfier l'air. On avait beau raser les murs sur le trottoir à l'ombre, on n'échappait pas à la fournaise. Petru devait prendre trois tramways pour se rendre à la villa Tycho Brahé, mais il n'avait de l'argent que pour deux et c'est pourquoi il était parti plus tôt. Il descendit du premier place de l'Université et remarqua que des nuages le rattrapaient, poussés par un vent violent qui soulevait des trombes de poussière. Cela lui remonta le moral : il respirait mieux, malgré la poussière qui l'obligeait à garder la bouche fermée et à plisser les paupières. Le ciel s'obscurcit rapidement, complètement. Un ciel d'acier trempé, aux lueurs étranges. Quand son deuxième tramway arriva, Petru avait retrouvé sa bonne humeur. Il avait l'impression d'attendre la pluie comme un arbre, comme un champ craquelé. Cela lui fouettait le sang, lui excitait les nerfs. Il regardait par la fenêtre du tram, presque heureux. Il ne pleuvait pas encore. Le vent soufflait moins fort, il faisait lourd, on entendait un lointain grondement. Être en ce moment à la campagne, voir toute la voûte céleste ouverte au-dessus de sa tête, s'imprégner... Ses pensées furent brutalement interrompues par un embrasement venu de nulle part et de partout, et, pendant une fraction de seconde, il crut que son cœur arrêtait de battre. Un vide douloureux se creusa dans sa poitrine. Puis il entendit le tonnerre, éclatement d'obus. Il ferma les yeux et se mordit les lèvres. Il était pâle. Autour de lui, quelques personnes se signèrent, effrayées.

– C'est pas tombé loin, fit une voix.

Et pourtant, il ne pleuvait pas encore. Deux ou trois grosses gouttes s'étaient écrasées sur la vitre, à l'arrêt précédent, puis le ciel s'était refermé, métallique. Cette tergiversation commençait à énerver Petru. Il vit, réfléchi par les glaces, un nouvel éclair. Un léger serrement de cœur dans l'attente du coup de tonnerre. « Qu'est-ce qu'il a à tellement tarder? » Ce qui irritait Petru, ce n'étaient ni la lumière ni le bruit, mais l'intervalle presque hallucinant qui les séparait. A ce moment-là, il ne pouvait penser à rien, rien ressentir. Tout son être attendait, tendu, l'instant où il pourrait à nouveau respirer librement, redevenir lui-même. Les éclairs se multipliaient, se rapprochaient. Il se mit à pleuvoir, à grosses gouttes, lourdes, espacées. Petru se demanda s'il ne valait pas mieux aller jusqu'au terminus, pour ne pas se faire tremper. Mais il lui sembla deviner, derrière cette idée, une petite lâcheté : ne voulait-il pas éviter de se retrouver seul dans la rue, seul sous ce ciel sombre d'où la foudre pouvait tomber à tout instant? Il descendit donc à son arrêt, en même temps que quelques autres voyageurs, et courut comme eux à la recherche d'un abri. Car, à présent, la pluie se déchaînait avec une colère longtemps endiguée. La rue se rida soudain sous la violence du déferlement. Petru s'adossa à une vitrine, auprès de quelques personnes qui s'y trouvaient déjà. La banne du magasin protégeait à peu près un demi-mètre le long du mur, une bande neutre, jaunâtre et sèche, invraisemblable si on la comparait au reste du trottoir bouillonnant de bulles, à la chaussée transformée en torrent. Petru jeta un coup d'œil sur ses voisins : à sa gauche, une dame assez âgée, un parapluie sous le bras; à sa droite, deux garçons de course l'un porteur d'une panière couverte de toile cirée. Il n'eut pas le loisir de poursuivre son examen : une flambée verte, palpitante, l'aveugla, immédiatement suivie d'une explosion qui le secoua en même temps qu'elle ébranlait le mur, le trottoir. Instinctivement, Petru porta les mains à ses yeux et arrondit le dos, comme pour amortir un choc. Une vrille lui creusa la poitrine, le ventre, la nuque, tout son corps se vida brusquement de son sang. Ses genoux tremblaient, ses os s'émiettaient, il perdait sa verticalité. Il fit un effort pour se contrôler. Il leva les yeux et, derrière l'écran de pluie, il aperçut, juste en face de lui, sur l'autre trottoir, un jeune homme qui serrait les épaules et semblait s'enfoncer dans la muraille comme dans une niche. Il était seul. Et c'était bien inutilement qu'il cherchait à se protéger de la pluie, car le vent soufflait dans sa direction. Pourtant, il restait rencogné dans son mur, le regard droit devant lui.

« Est-ce qu'il a peur, lui? » se demanda Petru. Et il eut honte de sa stupide frayeur, il essaya d'arrêter le tremblement de ses jambes en raidissant les genoux. Centimètre par centimètre, la pluie gagnait la bande de trottoir sèche sous la banne. De grosses gouttes rapides tombaient maintenant si près qu'elles arrosaient le bout de ses chaussures. Petru contemplait avec étonnement ce voile vivant qui effleurait presque son visage, son corps, qui s'attaquait déjà à ses pieds, qui le frapperait bientôt en pleine figure, le submergerait à son tour comme l'inconnu d'en face. Petru regarda du coin de l'œil ses compagnons de hasard. A gauche, la dame avait ouvert son parapluie; à droite, les deux garçons se collaient contre la vitrine. Il se sentit soulagé, rassuré : il n'était pas seul, d'autres se trouvaient près de lui, si près qu'il aurait pu les toucher. Et pourtant, ce sentiment de sécurité n'apaisait pas la panique animale qui s'était emparée de son corps. Il ne réussissait toujours pas à empêcher ses genoux de trembler. Il faisait porter tout son poids sur une jambe et ainsi il l'immobilisait; mais alors l'autre tremblait de plus belle, de la hanche jusqu'au pied, en longues vagues semblables à des spasmes. Il se retrouvait face à une vie étrangère qui montait brusquement dans son corps, plus forte que son orgueil, plus forte que ses nerfs.

Il s'efforçait de rester calme, tout au moins dans la partie supérieure de son corps, de respirer normalement, de garder la tête droite, les yeux fixés devant, bien devant lui, à travers la pluie. Mais un nouveau flamboiement vert et un nouveau coup de tonnerre eurent raison de sa résistance. Il se sentit complètement isolé (la pluie commençait à l'envelopper), condamné.

– Quelle mort stupide, réussit-il à articuler, à voix basse.

Mourir comme ça, écrasé contre un mur! Sans avoir encore rien fait, sans avoir encore rien composé! Des scènes, des souvenirs, des noms défilèrent à toute vitesse dans sa tête. Il se jugeait perdu, il était sûr de ne plus avoir que quelques secondes à vivre, jusqu'au prochain coup de foudre... Tout lui semblait absurde, dénué de sens. Bâtir tant de plans, avancer si lentement dans la vie, compter les années avec une assurance de dément, et puis, tout à coup, se retrouver au bout du chemin, alors qu'on allait simplement donner une quelconque leçon de piano... Il lui paraissait si loin, le moment où il se trouvait dans sa chambre, à l'abri, entre quatre murs épais... Quitter bêtement un abri pareil!

Il n'osait pas lever la tête. La foudre pouvait tomber à tout moment, ici même, à deux pas, peut-être au sommet de son crâne... Il ne pouvait plus penser aux autres passants, qui cherchaient comme lui à s'abriter tant bien que mal, qui sous un auvent, qui dans le renfoncement d'un mur... Il était seul, absolument seul... C'est ce qui doit se passer à la guerre. C'est ce que les hommes doivent tous éprouver sous les bombardements : sentir qu'ils sont condamnés, que le prochain obus éclatera en eux... L'image de la guerre l'humilia... A la guerre, au moins, c'est tout à fait différent : on est condamné à coup sûr... « Est-ce que les autres ont aussi peur que moi? » se demanda-t-il. La dame faisait des signes de croix en bredouillant entre ses dents. Les garçons de courses contemplaient placidement la pluie. L'un des deux venait de dire :

– C'est rien que des nuages qui crèvent...

« Quelle remarque idiote! pensa Petru. Constater une chose contre laquelle on ne peut rien, se contenter de savoir ce qui vous menace, de connaître le nom d'un caprice cosmique qui peut vous tuer à tout instant... » Pourtant, la peur ne paralysait pas ces gens-là. Petru le comprenait à leurs regards, à leurs gestes de protection; l'un des garçons avait retroussé le bas de son pantalon pour ne pas le mouiller. « C'est une preuve d'assurance, de calme », se dit Petru. Il était d'autant plus humilié d'avoir découvert en lui de telles frayeurs animales. Il commençait à réaliser le ridicule de la situation : avoir peur de la foudre alors que des millions d'hommes avaient affronté les obus! Il observa cependant que c'était autre chose, car ces hommes-là pouvaient encore espérer, tandis que lui, il était interdit d'espoir, il était condamné, à chaque instant il pouvait... « Et après, qu'est-ce ça peut faire si je suis foudroyé? Je crèverai, j'en finirai une bonne fois!... » Une volonté bien arrêtée modifia les traits de son visage. Il leva les yeux à la seconde même où le ciel s'embrasait à nouveau. Le même vide se creusa dans sa poitrine, mais il ne céda pas. D'un geste brusque, il remonta le col de sa veste et s'élança au milieu de la rue. Il ne sentait ni l'eau des flaques qui entrait dans ses chaussures, ni les rafales de pluie qui l'aveuglaient; il ne sentait qu'une terrible colère contre lui-même, un mépris absolu de ses propres lâchetés. Il se mit à courir. Il se rappela ce que lui disait jadis sa mère : il ne faut jamais courir pendant un orage, ça fait des courants d'air qui attirent la foudre... « Eh bien voilà, je l'attire, elle n'a qu'à me tomber dessus! Si je crève tout de suite, au moins ce ne sera pas en froussard... » Il courait en évitant plus ou moins les flaques et son effort le ravissait, ses bonds lui donnaient une sensation de force, de plénitude. Il se sentait courageux, prêt à mourir à tout instant le sourire aux lèvres, il avait le sentiment d'être un héros. Et plus son souffle s'accélérait, plus intense devenait ce sentiment enivrant. Il courait, courait. Chaque éclair fouettait sa volonté. Le tonnerre le stimulait presque.

Il s'arrêta au bout d'une dizaine de minutes, hors d'haleine, et se réfugia sous une porte cochère.

***

Il arriva chez les Lecca trempé jusqu'aux os, hirsute, le pantalon tout crotté. Il ne pleuvait plus, mais de grosses gouttes éparses tombaient encore des arbres. Annette le guettait à la fenêtre. Dès qu'elle l'aperçut dans l'allée, elle courut lui ouvrir.

– J'avais tellement peur que vous ne veniez pas!

Puis elle s'aperçut que Petru était tout mouillé et elle le prit par le bras.

– Vous allez vous enrhumer! Entrez vite et retirez votre veste...

Elle parlait d'une voix légèrement étranglée, elle murmurait presque. Petru la suivit volontiers. Il était fatigué, comme avachi, et pourtant il baignait de la tête aux pieds dans un profond bien-être. Il aurait aimé s'affaler sur un canapé et s'y reposer. Mme Lecca sortit du salon. Elle le regarda, stupéfaite, puis lui dit en souriant :

– Vous êtes un vrai phénomène, vous êtes le professeur de piano le plus consciencieux de Roumanie!

Petru s'inclina cérémonieusement, un peu pour de bon, beaucoup par plaisanterie. Il commençait à être de bonne humeur.

– Mais vous devez vous changer tout de suite, tout de suite!

Elle soulignait et répétait les mots comme une maîtresse d'école.

– Annette, emmène-le dans ta chambre... Déshabille-le complètement et fourre-le sous la douche!

Elle souriait mais n'en parlait pas moins très sérieusement. Annette devint rouge comme une pivoine et baissa les yeux.

– Et puis non, c'est moi qui vais le déshabiller, reprit Mme Lecca, songeuse. Il y a longtemps que je voulais vous peindre nu... J'espère que vous n'avez pas honte? ajouta-t-elle sur un ton sévère.

Petru hésita un instant, il se demandait s'il devait mentir ou non.

– Je n'ai pas honte de mon corps, répondit-il posément. De mon linge et de mes vêtements, peut-être... Je viens de faire quelques kilomètres sous la pluie, dans la boue...

– Bon, allez vite vous déshabiller, on causera plus tard... Annette, qu'est-ce qu'on va lui mettre sur le dos? Tiens, va chercher un pyjama de ton père...

– Mais, maman, ce sera trop petit pour lui.

– Il faut pourtant que nous lui trouvions quelque chose, il ne va tout de même pas se promener tout nu à travers la maison!

– Pas besoin, madame, dit Petru, il suffit d'étendre mes vêtements à la buanderie, ils seront secs en un quart d'heure.

– Et d'ici là? demanda Mme Lecca. Vous allez prendre froid... Laissez, je vais vous faire apporter une robe de chambre... Annette, emmène-le prendre sa douche et reviens me voir.

Silencieuse et soumise, ensorcelée, Annette guida Petru. Désormais, rien ne pourrait plus la faire reculer... Elle le tenait, chez elle, dans sa chambre... Petru y entra avec un sentiment vigoureux de maître incontesté. Il se sentait fort, viril, méprisant dans cette maison de femmes. Il connaissait déjà la chambre d'Annette. Elle la lui avait montrée elle-même, elle l'avait invité plusieurs fois à venir y bavarder tranquillement, rien qu'eux deux. C'était une grande pièce aux murs peints en rose, le lit de bois blanc était haut sur pieds. Une vraie chambre de jeune fille. Le pupitre et la bibliothèque plaisaient à Petru, mais pas la glace de Venise, trop chargée à son goût. A côté se trouvait la chambre d'Adriana, et, au fond, la salle de bains.

– Déshabillez-vous là, dit Annette. Je vais chercher un peignoir et je vous le lancerai sans entrer...

Mais elle le regardait dans les yeux, toute tremblante, toute pâle. Petru sentit une vague de chaleur qui montait le long de son dos, qui gagnait sa nuque, qui le submergeait. Il découvrit tout à coup l'érotisme qui se dégageait d'Annette, il vit pour la première fois, clairement, les petits seins ronds qui pointaient hardiment sous le corsage de soie. Les trois années passées avec Nora avaient émoussé ses sens, l'avaient presque dégoûté de toute autre femme. Il éprouvait à présent un sentiment bizarre, de puissance et d'évanescence en même temps, de désir et de résignation. Annette le dévorait des yeux, apeurée et cependant volontaire.

– Bon... d'accord, finit par dire Petru.

Il se déshabilla rapidement, furieusement, et courut à la salle de bains, pour être sûr d'y entrer avant le retour d'Annette. Une fois sous la douche, il se laissa fouailler avec délices. Sa fatigue avait presque disparu lorsqu'il s'essuya avec une énorme serviette blanche à raies orange. Il se rendit compte à ce moment-là qu'il se trouvait dans la salle de bains de deux jeunes filles, que c'était là, entre ces quatre murs, devant ce miroir, que se dévêtaient chaque jour deux corps qu'aucun homme n'avait encore jamais vus. Il frémit à l'idée de s'être lavé avec leur savonnette, de s'essuyer avec une serviette qui caressait chaque jour leurs épaules. Comme s'il avait commis un viol, comme s'il avait pénétré en soudard non dans la salle de bains de deux jeunes filles, mais dans le secret d'une essence, la virginité. Ce sentiment troublant et fortifiant lui donna une assurance compacte, presque brutale. Il se regarda dans leur glace, utilisa leur brosse à ongles, leurs peignes, leurs pantoufles. Puis il s'approcha de la porte et tendit l'oreille. Personne. Il pouvait sortir tranquillement. Il noua toutefois un essuie-mains autour de ses hanches et regagna ainsi la chambre en sifflotant.

Bientôt, Annette frappait à la porte.

– Je l'ai apporté, dit-elle d'une voix sourde. Je peux entrer?

Ces deux ou trois secondes parurent à Petru bien plus longues, bien plus violentes et douces qu'un rêve érotique.

– Oui, répondit-il d'une voix qu'il voulait ferme, et en même temps il jeta l'essuie-mains sur le lit.

Annette entra aussitôt, le vit, grand, brun – elle vit le stigmate de feu qui l'avait fait languir pendant tant d'insomnies, tant de rêves –, et elle resta adossée à la porte, les joues pâles. Petru sentait un torrent de désirs déferler en lui; une extraordinaire curiosité de tout ce qui pourrait se passer; une rare volupté, de violer ainsi les regards d'une pucelle, et la joie de brider ses appétits tout en les excitant, d'attendre au lieu d'oser.

– Tu ne veux pas me le donner? demanda-t-il en soulignant le tutoiement, et il tendit la main.

Annette s'approcha de lui, fascinée. La révélation de la nudité masculine avait été trop forte, la vue de l'image défendue la pétrifiait. Ce n'était plus le désir; ce n'était plus son émoi fautif quand elle le conduisait dans sa chambre, ni sa fièvre quand elle courait, une robe de chambre dans les bras, pour le voir plus vite. Elle était subjuguée, terrorisée par l'autonomie de cette image centrale. Dans ses sens, dans ses pensées, Petru était à présent complètement séparé de tout ce que venait de lui apprendre la découverte de son orgueilleuse nudité.

Elle lui donna le peignoir d'une main tremblante.

– Adriana est à côté, dans sa chambre, murmura-t-elle.

« Elle me dit cela pour que je ne la viole pas, pensa Petru. Ne crains rien, ma petite... » Il passa rapidement la robe de chambre, qui lui couvrait tout juste les genoux, laissant voir ses mollets sveltes, aux muscles longs. Il se regarda dans la glace en souriant. Voilà que je fais partie de la maison, que je suis entré dans la famille... Car tout ce qui s'était passé depuis une dizaine de minutes lui donnait la sensation d'avoir acquis des droits dans la maison des Lecca, d'en être devenu maître – il n'était plus le petit professeur de piano, il n'était plus le salarié toléré à l'heure du thé, le jeune étranger protégé de haut.

– Maman attend au salon, annonça Annette. Elle a dit... de venir comme ça... pour boire quelque chose de chaud...

Lorsqu'elle vit entrer Petru, Mme Lecca se leva vivement de son fauteuil et s'exclama :

– Mon mari va se mettre à faire des cauchemars! Vous avez injecté de la jeunesse dans sa robe de chambre. Ça ne fait rien... Quel âge avez-vous, Anicet?

– J'ai eu dix-neuf ans en février, répondit gravement Petru.

Mme Lecca n'en revenait pas. Elle lui en aurait donné au moins vingt-trois, tellement il était grand, large d'épaules, bien charpenté. Elle se rappela alors ce que lui avait dit M. Baly quand elle avait pris Petru comme professeur de piano : « C'est un garçon précoce, comme son frère, celui qui s'est tué. Tous les Anicet sont ainsi : ils poussent haut comme des sapins et sont des hommes faits à vingt ans. Mon ami Francisc Anicet, leur père, avait été pareil... »

– Veuillez m'excuser, ajouta Petru en constatant que Mme Lecca le regardait sans mot dire, en faisant des yeux ronds.

Il ne savait pas lui-même s'il s'excusait d'avoir seulement dix-neuf ans et demi ou de se trouver là, nu et brûlant, à peine isolé de cette femme et de cette jeune fille par le peignoir léger du professeur Lecca.

– Qu'est-ce que vous voulez boire? finit par demander Mme Lecca. Du thé ou du café?

– Du café.

Mme Lecca sonna la bonne. Celle-ci eut un geste de surprise amusée en découvrant le jeune Anicet affublé d'une robe de chambre trop petite pour lui et chaussé tant bien que mal des sandales de Mlle Adriana.

Annette continuait à le contempler, muette. Le corps nu et son centre de feu restaient imprimés sur sa rétine. Leurs regards se croisèrent. « C'est vrai, tout ce que tu as vu est vrai, c'est *moi !* » semblaient dire les yeux de Petru. Annette remarqua en même temps qu'un changement désagréable se produisait chez sa mère – elle respirait autrement, comme troublée par ce jeune corps, par cette présence virile près d'elle. Annette en conçut un vif dépit : l'idée que sa mère aurait pu peindre Petru nu et donc le regarder en toute quiétude des heures durant, cette idée l'exaspérait. Elle avait l'impression que sa mère devinerait au premier coup d'œil l'effroi mais aussi la convoitise dont elle avait été frappée devant la nudité du jeune homme.

– Vous partez quelque part, cet été? demanda Mme Lecca.

Petru s'assombrit. C'était le troisième été qu'il devait passer à Bucarest. Humilié, il répondit sèchement :

– Non. Nous n'avons pas d'argent.

Il se tourna vers Annette, sans savoir pourquoi.

– Nous avons déjà du mal à joindre les deux bouts à Bucarest, reprit-il d'une voix posée, indifférente, comme s'il parlait de quelqu'un d'autre.

– Dommage, dit Mme Lecca. Hâlé par le soleil, votre corps aurait été plus beau... Ça aurait donné un merveilleux tableau...

Elle paraissait n'avoir pas entendu la remarque de Petru sur sa pauvreté. Annette, elle, avait senti une onde de froid lui courir le long de l'échine. « Voilà pourquoi il me méprise : parce qu'il me croit riche, parce qu'il me croit au-dessus de lui... »

Petru buvait son café, lorsque entra Adriana.

– Le tonnerre m'a rendue folle! s'écria-t-elle. Je n'ai pas pu lire une seule page! Je me suis mis tous mes coussins sur la tête...

Elle aperçut Petru et se tourna brusquement vers sa mère.

– Qu'est-ce que c'est que ce déguisement? demanda-t-elle d'un ton sévère.

– Il ne pouvait pas rester tout nu, expliqua Mme Lecca en souriant, comme d'habitude, d'un air emprunté, presque artificiel.

Adriana examina Petru pendant un moment, attentivement, comme si elle devait faire un gros effort pour comprendre quelque chose de très compliqué.

– Vous êtes tout ce qu'il y a de drôle!

Petru ricana, entre deux gorgées de café. Mme Lecca lui fit un signe. Annette pâlit et regarda sa sœur avec effroi. Celle-ci s'approcha d'elle, la serra sur sa poitrine, l'embrassa.

– Mon cher petit oiseau, murmura-t-elle.

Pâle, méprisante, Annette la repoussa. Elles s'assirent toutes deux sur le canapé, à la gauche de Petru.

– Figure-toi qu'il a réussi à enfiler mes sandales de bain, dit Adriana en riant.

Elle se leva, vint se poster devant Petru et considéra attentivement ses mollets. Elle se sentit soudain nerveuse, sans raison. Elle quitta rapidement la pièce, sans un mot.

Petru ne s'en inquiéta pas : il la connaissait suffisamment pour ne pas s'étonner de ses gestes brusques, incohérents... Adriana revint avec une paire de souliers blancs à talons plats.

– Vous voudrez bien me faire le plaisir de changer? demanda-t-elle poliment en posant les souliers l'un à côté de l'autre sur le tapis.

Petru s'exécuta silencieusement. Mais un énervement agréable, presque érotique, le gagnait aussi. La respiration des trois femmes était un peu précipitée. Elles ne le quittaient pas des yeux. Leurs regards ne le gênaient pas, ils le chargeaient d'une chaleur étrangère, ils le magnétisaient. Il se leva, pour faire quelque chose; il ne pouvait pas continuer à baigner dans ces souffles féminins.

– Je pense que mes vêtements doivent être secs, dit-il en essayant de paraître calme. Je vais m'habiller, et ensuite faisons notre leçon...

Il s'était adressé surtout à Annette. Il remercia Mme Lecca et se dirigea vers la chambre de son élève. Il était nerveux, ses genoux tremblaient. « Quelque chose doit arriver, se dit-il. Si seulement elle me donnait vite mon enveloppe... » Après, il aurait pu se sauver facilement, échapper à cette chose terrible qui s'approchait, qui devait arriver... Il trouva son linge, sec, posé sur une chaise. Son pantalon était nettoyé et repassé, mais il ne vit ni son veston ni ses chaussures. Il allait commencer à se rhabiller lorsqu'on gratta à la porte. Sans lui laisser le temps de répondre, Annette entra, frémissante. Elle avait les joues rouges et tenait la main droite, à demi fermée, au-dessus de son sein gauche. Le sang déferla, trouble, douloureux, tourmenté, à travers le corps de Petru. Annette s'approchait de lui lentement, comme pour étouffer le bruit de ses pas. Elle s'arrêta quand seule la longueur d'un bras la séparait encore du corps nu. Elle ne le regardait plus; elle ne regardait pas non plus ses yeux; elle ne regardait nulle part. Elle sentait un vide dans sa poitrine, un léger et agréable étourdissement, une émotion qui lui desséchait la gorge, qui menaçait de la suffoquer à tout instant. Elle savait qu'elle pouvait mourir; elle savait qu'elle pouvait ressusciter, en écrasant la mort...

– Qu'est-ce que tu veux? murmura-t-elle d'une voix chevrotante.

Du bras droit, Petru la saisit brusquement par la taille, il la serra contre lui et l'embrassa sur la bouche. Ils fermèrent les yeux. Leurs lèvres étaient sèches, amères. Ils ne sentaient plus leurs corps, ils sentaient seulement une fièvre terrible qui les rejetait dans les nuits de maladie de leur enfance. Leurs bras se tordaient, serraient de plus en plus fort, presque jusqu'à l'étouffement, chacun cherchait de nouveaux et encore de nouveaux chemins vers la chair de l'autre. Petru avait les membres lourds, comme si un mal caché lui rongeait les os. La tête renversée, Annette haletait fébrilement, éperdue. Elle n'éprouvait ni volupté ni tourment – mais une étrange sensation de planer, comme si son corps se dispersait.

– Tu m'aimes, n'est-ce pas? demanda Petru. Dis-moi que tu m'aimes.

Il parlait d'une voix étranglée, entre les baisers. Les lèvres d'Annette commençaient à changer de goût, ses joues avaient un parfum inconnu. Sa chair semblait faite pour être mordue, aspirée par les lèvres, par les narines. Les mots fouettaient la volupté. Des mots, n'importe quels mots...

– Dis, tu veux que je t'embrasse, que je t'embrasse, tu veux que je te déshabille?

C'était à peine si Annette pouvait encore murmurer un sourd consentement. Les paroles prononcées par Petru, sa voix pleine exaspéraient l'attente. Seules ces paroles lui prouvaient qu'elle était dans ses bras, qu'elle ne rêvait pas, qu'elle n'était pas la dupe de sa propre imagination; elles seules attestaient la présence de Petru.

– Tu me laisses tout te faire, tu me laisses...? répétait-il. Tu me laisses te déshabiller?

A la vérité, il avait commencé à la dévêtir sans bien s'en rendre compte. Cela était si doux, si extraordinaire, qu'il ne voulait rien précipiter. Il n'avait pas connu d'autre femme que Nora, qu'il avait trouvée presque nue et qu'il avait possédée sans mystère aucun. Ce qui l'exaspérait, dans le corps d'Annette, c'étaient les détails de la virginité, le corsage, les seins, les cuisses. Il ne se heurtait à aucune résistance, mais, le mystère, il le rencontrait sans cesse. Excepté Nora, il n'avait jamais vu de femme nue. Il n'avait jamais vu de jeune fille nue. Et dire qu'il était passé jusque-là à côté d'Annette avec tant d'indifférence, de mépris même... Tout lui paraissait secret, unique. Les seins de Nora, il les avait vus dès le premier instant, et ils ne l'avaient plus jamais ému depuis. Les seins d'Annette lui semblaient totalement, substantiellement différents. Et le petit ventre plat et les cuisses arquées qui brûlaient, qui palpitaient sous ses caresses. Tout, tout, pareil à un recommencement du monde... Il la déshabillait lentement. Il voulait la voir nue – telle était, avant toute chose, sa grande faim. Voir une pucelle, voir un corps frais et pur. Il la coucha sur le lit. Elle n'avait plus que ses socquettes. Les jambes, les cuisses serrées fort l'une contre l'autre rendaient plus virginal encore le triangle d'ombre naissant à la base du ventre. Petru couvait des yeux ce tableau si neuf. Annette respirait doucement, les yeux clos, les lèvres pareilles à une blessure. « Elle est si belle, étendue comme ça devant moi, sous mes yeux, sous mes mains... Pourquoi en faut-il plus, pourquoi en faut-il plus? » se demanda-t-il pendant un instant. Malgré son désir charnel, il s'insurgea pendant un instant à l'idée d'écraser ces formes, de tordre ces volumes, d'altérer cet équilibre fascinant. Puis le désir, pesant, trouble, morbide, reprit le dessus. Il caressait les cuisses d'Annette lorsqu'on frappa légèrement à la porte. Il se redressa, glacé, le souffle coupé.

– Vous êtes là? chuchota Adriana.

Sa voix venait de loin, elle était presque changée, mais il la reconnut aussitôt.

– Je ne me suis pas encore rhabillé, je suis tout nu! cria Petru, effrayé, et, en même temps, il repoussa Annette du bras pour l'empêcher de se lever.

– Ça ne fait rien, fit la voix changée d'Adriana. Je veux vous voir nu...

Annette et Petru étaient livides, muets.

– Oui, mais moi, je ne veux pas, finit par répondre Petru sur un ton cassant, rogue.

Quelques interminables secondes de silence. Puis Adriana aboya :

– Pauvre idiot!

Des pas retentirent dans le couloir, puis la porte de la chambre d'Adriana claqua. Paralysés, une lueur flétrie dans les yeux, ils se regardèrent. Annette était pâle comme un linge, elle avait la chair de poule, elle frissonnait. Elle eut soudain honte de sa nudité et elle la cacha sous le drap. Petru se pencha sur elle pour l'embrasser. Elle s'affola et le repoussa des deux bras, le plus loin qu'elle put.

– N'aie pas peur, murmura Petru en souriant. Il ne se passera rien, maintenant. Ce serait trop moche...

Ils se hâtèrent de s'habiller, sans se regarder. Annette sortit la première, en se mordillant les lèvres. Petru venait à son tour de finir de se rhabiller et il se demandait justement combien de temps il lui faudrait attendre ses chaussures et sa veste, lorsque la porte s'entrouvrit et qu'Adriana les lui jeta. Il était bien embarrassé. Adriana se doutait-elle de quelque chose, pour n'avoir pas laissé la bonne frapper elle-même? Ou était-ce au contraire celle-ci qui, en rapportant le veston et les souliers, avait eu un soupçon et lui en avait fait part? Quoi qu'il en soit, tout cela était assez grave. Il risquait de perdre ses leçons, son gagne-pain... Cette pensée, qui l'humiliait, le rendit brutal. Il se chaussa en jurant. Son appétit sexuel de tout à l'heure se transformait en colère aveugle contre Adriana, contre tous les Lecca, même Annette. Oui, pour une simple bêtise, il risquait de perdre ses leçons les mieux payées, et presque les seules qui lui restaient... Et, par-dessus le marché, pour une bêtise qu'il n'avait pas souhaitée!

Il se dirigea vers le salon à grands pas fermes.

– Commençons notre leçon, mademoiselle, dit-il à Annette, qu'il trouva devant le piano, affreusement pâle, les doigts crispés sur le rebord de bois noir pour ne pas trembler.

Mme Lecca était encore là. Troublée, elle aussi. L'air renfrogné, elle fixait Petru avec insistance.

– Je vais me changer, je dois sortir tout à l'heure, lui dit-elle. Mais pas avant de vous avoir réglé ce que je vous dois.

Petru souffla, soulagé. On n'avait donc rien remarqué pour le moment... Il prit l'enveloppe et la glissa dans sa poche en remerciant, après quoi il se tourna vers Annette et lui sourit :

– Allons-y, mademoiselle.

La leçon commença. Mais, au bout de cinq minutes environ, Annette se leva :

– Il faut que j'aille dire quelque chose à maman...

Et elle sortit aussitôt. Seule avec Petru, elle n'avait pas la force de jouer la comédie. Dans la pièce d'à côté, elle se laissa tomber dans un fauteuil, les mains aux tempes, les yeux dans le vide. Elle était incapable de reprendre la leçon et, pourtant, elle voulait tellement ne pas vexer, ne pas fâcher Petru.

Elle ne comprenait pas ce qui lui arrivait. La dernière phrase de la sonate résonnait encore dans sa tête. Elle avait fait tellement de fautes, tout à l'heure, et lui, il n'avait rien dit. Peut-être n'avait-il même pas écouté... « Lui » – jusqu'à ce mot qui sonnait désormais *autrement,* qui exprimait tout autre chose... Elle s'aperçut qu'une odeur étrangère l'enveloppait, une odeur très vague et pourtant tout à fait distincte. Elle renifla son bras, son épaule. Pas de doute, ce parfum qui l'enveloppait, c'était celui de « l'autre »; elle commençait à y distinguer aussi une nuance familière, féminine, probablement la savonnette dont il s'était servi une heure plus tôt... Elle eut l'impression que cette odeur d'homme était entrée en elle, que le viol s'était produit malgré eux. Une peur stupide, un terrible regret l'accablèrent soudain. Elle se mit à pleurer sans savoir pourquoi. Elle pleurait doucement, en cachette, la figure dans son bras.

Dès qu'Annette s'était levée, Petru avait compris qu'elle n'allait pas parler à sa mère. De toute façon, il était content de rester seul. Trop de choses étaient arrivées, trop vite, en trop peu de temps... Mais, Annette ne revenant pas, il commença à s'inquiéter à l'idée que Mme Lecca ou Adriana risquaient de la trouver, et, comme dans cette maison tout se passait bizarrement, Annette pouvait fort bien avouer d'elle-même son aventure... Il tâta l'enveloppe dans sa poche. S'il perdait ses leçons... Il n'aurait sans doute plus qu'une chose à faire : voler... Ces idées noires lui rendirent son assurance. Il s'approcha de la fenêtre, tira l'enveloppe de sa poche et compta les billets. D'habitude, il ne procédait à cette opération que dans la rue, après s'être éloigné de la villa. Il tressaillit : il avait eu l'impression qu'il y avait mille lei de trop. Il recompta. Il ne s'était pas trompé. Il y avait trois mille cinq cents lei au lieu de deux mille cinq cents. Les billets à la main, il regardait par la fenêtre. Il ne savait que penser. Une erreur? Ou peut-être Mme Lecca avait-elle ajouté mille lei à bon escient, pour le tenter ou pour n'importe quelle autre raison... Il n'était ni vexé ni fâché. Tout pouvait lui arriver.

A ce moment précis, Mme Lecca entra, en vêtements de ville :

– Je ne sais pas ce qu'elle a, Annette, elle vient de me dire qu'elle avait mal à la tête et qu'elle ne pouvait pas continuer sa leçon.

Petru se retourna brusquement, les billets à la main. Il rougit.

– Je viens de voir que vous m'avez donné mille lei de trop, dit-il en montrant deux billets de cinq cents.

Mme Lecca éclata de rire et lui mit la main sur l'épaule. (C'était la première fois qu'elle se permettait un tel geste.)

– Trêve de plaisanterie, Anicet. C'est de l'argent qui ne se voit pas. Vous saisissez? Qui ne se voit pas. Inutile de me le montrer. Vous auriez dû faire semblant de ne pas le remarquer, tout comme je ne l'avais pas remarqué moi-même... Ou alors, figurez-vous que ce sont des frais de voiture. Au lieu de venir à pied ou en tram, vous pourriez prendre la plus élégante des voitures de louage... Mais vous n'avez pas de fantaisie pour deux sous...

Petru l'écoutait en souriant bêtement. Il ne savait que répondre. Il avait l'impression de recevoir une volée de bois vert.

– Ma foi, si ça vous chiffonne, je peux les reprendre, ajouta Mme Lecca. Moi, ça ne me défrise pas...

Et elle les reprit en effet, elle fourra rapidement les deux billets dans son sac. Ce geste fit la joie de Petru. Le courage lui revint et il dit :

– Quand j'aurai besoin d'une voiture, je vous préviendrai...

Mme Lecca s'en alla. Petru était seul, libre, heureux. Comme s'il avait passé un examen ardu, ou évité un malheur. Il s'assit au piano et se mit à jouer.

Il jouait avec passion, isolé dans ce bonheur qui n'appartenait qu'à lui, passant de Debussy à Chopin puis à Mozart, ravi de la légèreté avec laquelle il franchissait ces gouffres. Il s'interrompit pendant quelques instants, les mains au-dessus du clavier comme s'il essayait de se rappeler quelque chose, puis il attaqua sa suite de lieder, *Étoiles filantes.* C'étaient des compositions que personne n'avait entendues, qu'il n'avait d'ailleurs pas encore intégralement transcrites. Elles étaient nées durant les nuits de l'hiver dernier, lorsqu'il avait renoncé à tenir son journal; il les avait écrites essentiellement pour Nora et pour lui. Il était ému à l'idée que Nora ne reconnaîtrait pas sa présence dans ces airs, bien qu'elle en fût l'inspiratrice.

Il chantait, plus fort lorsque le surprenait la nouveauté des sons sur ce piano qui n'était pas le sien, de sorte qu'il n'entendit pas la porte s'ouvrir. Les deux sœurs s'immobilisèrent sur le seuil, la main dans la main. Elles ne comprenaient pas bien ce qu'elles entendaient. Du reste, Adriana ne connaissait rien à la musique et elle était fascinée par n'importe quelle mélodie organique. Annette se douta bien que ces lieder étaient l'œuvre de Petru, car ils étaient trop indiscrets, parfois trop brutaux dans leur sincérité, mais elle ne put pénétrer plus avant. La voix de Petru la choquait par moments – une voix de chanteur de bastringue ou de boutiquier s'égosillant pour amuser des copains. Une très triste vulgarité s'insinuait çà et là dans ces airs autrement si purs, si éthérés.

Petru continuait à jouer et chanter, heureux. Après ses

dernières « étoiles filantes », il reprit les morceaux du milieu, ceux qu'il aimait le mieux, qui étaient le plus près de lui. Il s'arrêta brusquement : il venait de sentir la présence des deux jeunes filles. Naguère, cet « espionnage » l'aurait mis hors de lui. Aujourd'hui, il lui semblait naturel. Tout semblait naturel à son bonheur. Des oiseaux seraient venus écouter sur le rebord de la fenêtre qu'il n'en aurait été nullement surpris...

Il s'approcha d'Annette.

– C'est fini, cette migraine? lui demanda-t-il avec gentillesse, en lui caressant la joue.

Il faisait à présent assez sombre dans la pièce et Petru ne remarqua pas la pâleur d'Annette. Quant à Adriana, elle fixait le jeune homme avec ahurissement, de l'air de quelqu'un qui s'évertue en vain à comprendre une chose pourtant simple.

– A qui la faute, si elle souffre? lui dit-elle.

Petru ne répondit pas. Il leur serra la main, mais, au moment où il allait sortir, Annette le retint :

– Je vais vous faire un brin de conduite...

Ils marchaient l'un à côté de l'autre dans le parc, sans parler. Annette le prit par le bras.

– Tu sais, dit-elle d'une voix neutre, tu peux venir la nuit dans ma chambre, n'importe quand. Tiens, c'est cette fenêtre-là...

Petru s'arrêta pour bien voir de quelle fenêtre il s'agissait; il la regarda longuement, attentivement. La proposition d'Annette ne paraissait aucunement l'étonner; comme s'ils se connaissaient depuis longtemps, comme si depuis longtemps ils étaient des amants.

– Ça vaut mieux comme ça, dit-il et, se penchant légèrement, il l'embrassa sur la bouche.

Puis il s'en alla à grands pas, sans se retourner. Une fois dans la rue, il se rendit compte qu'il était très tard et que sa mère l'attendait peut-être sur le pas de la porte sans avoir rien mangé.

IX

Miticà Gheorghiu rentra de Bârlad exténué, presque malade. Il n'alla pas au bureau trois jours de suite, pendant lesquels il ne sortit qu'une fois de chez lui, pour acheter à manger. Le reste du temps, ce fut la femme de ménage qui lui fit ses courses. Il passa la première journée à dormir, d'un sommeil lourd, empoisonné, entrecoupé de cauchemars qui le faisaient pleurer, hurler. Il voyait Marcella accrochée à la portière d'un wagon, sur le point de tomber, et rien ne pouvait arrêter le train...

Il eut ensuite l'impression qu'elle se trouvait à côté de lui, dans sa chambre, mais qu'elle ne voulait pas le réveiller – et alors il tendait les bras dans le noir pour l'attraper, d'abord bien la tenir et ensuite seulement ouvrir les yeux pour la voir... Il rêvait d'elle sans cesse et, dans ses rêves, elle ne lui en voulait jamais, n'était jamais méchante, même pas triste. Elle lui souriait et lui caressait le front en lui disant : « Pauvre Mitia! »

Le quatrième jour, Miticà se réveilla profondément dégoûté de lui-même, de l'amour, de tout ce qui s'était passé à Bârlad. Il haïssait presque Marcella. Sa soif de vengeance le taraudait à nouveau. Ah! s'il avait pu la surprendre seule, l'entraîner chez lui, ou dans n'importe quel endroit discret, pour l'humilier, la faire souffrir...

Il déambula longtemps dans les rues, envoya un mot à sa banque pour prévenir qu'il reviendrait le lendemain, et dîna au *Continental* avec deux connaissances. Il leur raconta avec force détails son amour pour Marcella et pimenta son récit d'autres détails, imaginaires ceux-ci, sur le compte de la jeune femme : Elle l'avait quitté pour de l'argent, elle le trompait avec un mauvais pianiste de jazz, elle avait plusieurs riches amants, l'un banquier, un autre commissaire à la

Sûreté, un troisième boursicoteur. Il en connaissait un personnellement et savait qu'il avait des maladies vénériennes. Alors, aimer une femme pareille!

– Si vous pouviez vous figurer combien je l'ai aimée! Je voulais l'épouser, je vous en donne ma parole, et pourtant je savais bien qu'elle n'était plus vierge. Mais je me disais : « Est-ce que ça compte encore, de nos jours? » Seulement, quand j'ai appris le reste! Et avec qui, en plus! Un sale type qui...

Et de les couvrir tous d'injures : Marcella, le commissaire qui l'avait contaminée, le banquier... Cependant, Miticà se rendait compte que, s'il continuait à boire, il risquait de faire quelque chose de grave : jeter une bouteille sur les musiciens, battre les amis avec lesquels il dînait...

– Allons-nous-en, dit-il en se faisant violence, allons-nous-en chercher des filles...

Il était encore tôt, onze heures à peine. Ses amis lui proposèrent d'attendre la fin d'une revue d'été : il y aurait à la sortie des filles jeunes et gaies, autre chose que la volaille qu'on ramasse dans la rue. Ils pourraient faire une fameuse noce, avec quelques copains qu'il ne serait pas difficile de dénicher. Car les amis de Gheorghiu pensaient faire leur B.A. en organisant une petite fête avec des filles, de la musique et du bon vin : ce pauvre Miticà, après tout ce qu'il a enduré, il n'y a que ça pour lui changer les idées...

– Qu'est-ce que tu veux, c'est la vie, lui dit sérieusement, pour le consoler, Ionel Sergescu, lui aussi ancien étudiant en droit à Paris, aujourd'hui fonctionnaire et, depuis peu, militant d'un parti politique.

En attendant la fin des revues, ils entrèrent au jardin d'été du *Modern,* où ils prirent chacun un cognac.

– On est tous passés par là, philosopha Ionel Sergescu.

Ces consolations globales énervaient Miticà. Le premier amour, le premier chagrin et tout ce fatras d'adolescents, très peu pour lui...

– Au moins, tu l'as bien...? s'enquit l'autre ami, Rudescu.

– Va te faire foutre! répliqua Miticà.

Et il se mit à inspecter le jardin. A quelques tables de

la leur, il vit des gens qu'il connaissait. Entre autres Eleazar, un ami de Jean Ciutariu, qui dominait tous ses commensaux de sa voix forte, de son rire insensé qui éclatait toutes les cinq minutes. Dans les restaurants, les cafés, les cénacles artistiques, Eleazar était connu comme le loup blanc. Il avait toujours une révolution à prêcher, une réforme à préconiser.

C'était un ami de Ciutariu et ce fait même le rendait désormais odieux à Miticà. Jusque-là, sa sincérité et la brutalité de ses discours lui avaient beaucoup plu. Mais il ne pouvait pas oublier que c'était Ciutariu lui-même qui le lui avait présenté. Il attendit donc de croiser son regard et, quand Eleazar le salua, il tourna la tête sans lui répondre.

– Ça va faire du vilain, dit Sergescu pour rire. Il est cinglé, ce type...

– C'est ce que je voudrais, rétorqua sèchement Miticà. Si je me battais avec quelqu'un, ça me calmerait peut-être.

Mais rien ne se passa. Eleazar était trop occupé : on l'entendait parler, rire, taper du poing sur la table.

– Les gars, moi j'en ai marre d'attendre la fin de la revue, s'écria Miticà, et il demanda l'addition. C'est trop compliqué. Et puis j'ai d'autres ressources...

Il fit un clin d'œil, mais son visage restait fermé. Ils sortirent et descendirent la rue Sàrindari. Les deux amis de Miticà étaient un peu perplexes : il refusait toute tentative de consolation et devenait de plus en plus nerveux.

Ils traversèrent le boulevard et prirent le chemin de la rivière. Miticà semblait pressé d'arriver quelque part pas loin, mais, comme un taxi passait, il l'arrêta. Sergescu lui demanda où ils allaient.

– Qu'est-ce que ça peut te faire? répondit sèchement Miticà.

Puis, au chauffeur :

– Roulez tout droit, je vous dirai où tourner.

Après quoi il se tut et alluma une cigarette. Il faisait le mystérieux pour embêter ses amis. Ils roulaient à présent rue Izvor.

– Ici, tournez à droite.

Miticà fit arrêter le taxi devant une maison aux volets

clos. Il descendit seul, sonna, parla brièvement au concierge et entra. Une dizaine de minutes plus tard, il revenait avec deux filles légèrement vêtues, un châle sur les épaules. D'après leurs voix, elles paraissaient très jeunes. Elles se serrèrent tant bien que mal dans la voiture.

– On va où? demanda de nouveau Sergescu.

– Qu'est-ce que ça peut te faire?

Miticà voyait bien que son entêtement le rendait ridicule, mais il ne pouvait pas résister à l'envie d'agacer les autres, de les rendre à leur tour brutaux et irritants. C'était sa façon d'apaiser son inexplicable nervosité, dont il commençait à redouter les conséquences éventuelles.

– Ça faisait longtemps qu'on ne t'avait pas vu, constata l'une des deux jeunes femmes.

– J'étais amoureux, expliqua Miticà. Pour la première fois de ma vie, j'ai été amoureux! Maintenant, c'est passé...

La jeune femme appuya sa tête contre celle de Miticà et minauda :

– Elle est plus belle que moi?

Sergescu éclata de rire, mais Miticà examina la jeune femme un bon moment, aux lumières du boulevard, comme s'il soupesait soigneusement les deux beautés, avant de décréter :

– Elle est comme toi.

Ils s'arrêtèrent chez un traiteur, où ils achetèrent du vin, des liqueurs, des fruits, des plats froids. Enfin, le taxi les déposa chez Miticà. C'était lui qui avait tout payé, partout. Les jeunes femmes prirent les paquets de nourriture et les deux amis se chargèrent des bouteilles, tandis que Miticà courait devant pour ouvrir et allumer.

– Vous pouvez parler fort et taper des pieds, annonça-t-il, il n'y a rien à craindre : tout le monde dort à cette heure-ci!

L'une des filles se mit à rire. Miticà la prit dans ses bras et l'embrassa sur la bouche.

– Marcella! s'exclama-t-il.

Il allait rajouter quelque chose, mais il se ravisa et la lâcha. Une fois entrés chez lui, ils déposèrent leurs achats et les deux garçons purent contempler tranquillement leurs compagnes. L'une, blonde, très petite, se tenait timidement au milieu de la pièce. L'autre, une rousse, un peu plus grande, lui lança :

– *Don't look so silly !*

Sergescu et Rudescu se regardèrent avec un étonnement ravi.

– Vous ne vous attendiez pas à cette surprise-là! dit Miticà en riant. Ces demoiselles ont fait leurs études en Angleterre! Allez, Marcella, viens te faire bécoter...

La petite blonde sourit mais ne bougea pas. L'autre s'approcha de Miticà et lui dit, caressante :

– Moi aussi, je suis Marcella...

Et elle l'embrassa.

– N'importe qui est Marcella, commenta Miticà, philosophe. Allez, à poil!

Elles se raidirent; la plus petite recula et s'adossa au mur.

– Pas comme ça, s'il vous plaît, demanda doucement la rouquine. Pas tout de suite, buvons d'abord un verre...

Sergescu ouvrit quelques bouteilles. Rudescu offrit des fruits aux deux jeunes femmes. Leur façon d'être et, surtout, leurs figures honnêtes lui en imposaient, et il leur faisait un brin de cour.

– Où avez-vous appris l'anglais, mademoiselle? demanda-t-il très poliment à la blondinette.

– Nous sommes nées dans le Devonshire pendant la guerre et nous y avons fait nos études primaires, répondit-elle non moins poliment.

Ravi de la surprise qu'il avait faite à ses amis, Miticà les regardait d'un air fier.

– Vous êtes donc sœurs? s'enquit Rudescu.

– Plutôt une sorte de cousines, dit la jeune femme en souriant, et elle baissa les yeux.

Miticà interrompit cet interrogatoire, qui paraissait mettre les filles mal à l'aise :

– C'est une histoire compliquée, je vous la raconterai une autre fois. Mais sous le sceau du secret le plus absolu! Et gare à toi, Sergescu, je te connais...

Les deux compères promirent une discrétion totale. Ils étaient fascinés par la découverte de Miticà : deux jolies filles, raffinées, qu'on pouvait avoir n'importe quand, et probablement des filles de bonne famille... Par-dessus tout, la discrétion qu'exigeait Miticà leur faisait envisager cette aventure d'un autre œil. Le temps passant, et la boisson aidant (Sergescu était prompt à remplir les verres), les filles se départirent de leur retenue, elles se firent tendres. Elles chantèrent des romances anglaises, dansèrent sur la musique du phonographe. Seul Miticà n'avait pas l'air de s'amuser : il s'était affalé sur le canapé et fumait, les yeux mi-clos.

– Moi, j'attends que vous vous mettiez à poil, leur lança-t-il. D'ici là, vous pouvez danser...

– Quel cochon tu fais! s'écria la rouquine.

– Va te faire foutre! grommela Miticà, soudain morose.

Il s'aperçut que la petite blonde le regardait d'un air apeuré. Il se leva, s'approcha d'elle et la prit dans ses bras.

– Excuse-moi, Marcella, je ne voulais pas te froisser, lui dit-il d'une voix douce. Au fond, je ne faisais que réclamer mon droit, n'est-ce pas? A quoi bon tous ces anglicismes, comme si nous étions dans le Devonshire?

Il eut l'impression d'avoir dit quelque chose de très drôle, il en rit tout seul, bruyamment, et répéta :

– T'entends? Comme si nous étions dans le Devonshire!... C'est moi qui ai payé!

– Tais-toi, Miticà, tu nous gâches notre soirée! s'exclama Sergescu.

Miticà lui adressa un regard haineux. Il avait terriblement envie de se disputer, avec n'importe qui :

– Toi, occupe-toi de tes oignons, t'es pour rien dans cette soirée! Elles, c'est mes filles à moi, que j'ai dégotées moi-même et qui sont venues chez moi... Ceux à qui ça ne plaît pas...

Les deux couples arrêtèrent de danser, excédés. Miticà avait tombé la veste et, la chemise déboutonnée, faisait les cent pas sans regarder personne.

– Mon vieux, si tu as le vin mauvais, tu n'as qu'à nous

montrer la porte et nous nous en irons, dit Sergescu sur un ton distingué. Nous ne sommes pas gens à nous incruster.

Miticà se domina encore une fois :

– Allons, laisse tomber, buvons plutôt un Cointreau avec ces deux poupées...

Ils remplirent les verres et les vidèrent. Miticà prit les deux jeunes femmes par les épaules et les embrassa sur les joues, ému.

– Marcella numéro un, dit-il après avoir embrassé la blonde. Marcella numéro deux, poursuivit-il après avoir embrassé la rousse. Excusez un cochon d'ivrogne qui n'a bu que pour oublier l'amour! Mes copains sont témoins.

Il les embrassa derechef mais, comme elles riaient fort, il se ressaisit et se contrôla. Il se dirigea vers le phonographe et se mit à chercher un certain disque.

– Le voilà, *Dans tes bras* *...! s'écria-t-il, tout content.

Il posa le disque sur le plateau, tourna furieusement la manivelle pour être sûr que le son ne baisserait pas justement sur cette chanson, puis il s'allongea sur le tapis, sous le pavillon, pour mieux entendre. Ils connaissaient tous l'air et ils se mirent à chantonner : *Dans tes bras, je me sens si peti-tee* *... Les yeux clos, la tête penchée (son menton touchant presque sa poitrine), Miticà fredonnait, radieux, des débuts de vers. Un rayon de lumière, en tombant droit sur sa tête, mettait en évidence la curieuse et précoce calvitie qui divisait son crâne en deux : une zone lumineuse, au front énorme, et une autre sombre, aux cheveux courts et laineux qui poussaient en bataille, drus et raides. *Dans tes bras, je me sens si peti-tee* *...

Il revit la terrasse du *Lafayette* où il avait écouté pour la dernière fois cette chanson avec Marcella. Elle le regardait dans les yeux, elle avait même serré sa main dans la sienne, elle chantonnait avec lui. Et il avait cru tout le temps qu'elle pensait à lui en chantant, que ses yeux brillaient pour lui, car elle se serait en effet sentie si petite dans ses bras d'athlète...

Il entrouvrit les yeux et vit les deux couples plus étroitement enlacés qu'au début de la chanson – la blonde dans les bras de Rudescu, la rousse sur les genoux de Sergescu. Pris d'un vif dégoût, Miticà ricana et referma les yeux.

– *Is he in love?* demanda la blonde.

Miticà leva la tête et répondit d'une voix forte, avec une prononciation correcte, souvenir des leçons particulières qu'il avait prises pendant quelques mois :

– *Yes, I am in love!*

– Bravo, Miticà, s'exclama Sergescu, tu t'anglicises! A la Devonshire, autrement dit?

Les jeunes femmes éclatèrent de rire. Leurs compagnons les serrèrent plus fort, plus hardiment. Les préliminaires étaient d'ailleurs dépassés. Restait à voir ce que dirait Miticà. Mais Miticà ne disait rien. Toujours au même endroit, sur le tapis, devant le phonographe, il leur demanda seulement de remettre le même disque. Ce qu'ils firent, après quoi ils recommencèrent à s'embrasser à qui mieux mieux, excités par l'alcool. Sergescu avait éteint les lampes, sauf deux veilleuses, l'une au-dessus de la tête de Miticà, l'autre à côté de la table de chevet, presque cachée.

Lorsque la chanson s'acheva pour la deuxième fois, Miticà rouvrit les yeux, troublé, dégoûté, las.

– Alors, mon vieux? lui cria Sergescu. On n'en peut plus, nous!

Miticà entendit des murmures, des rires étouffés, des bruissements. Il se leva et passa en souriant devant le lit, sans avoir la curiosité d'y jeter un coup d'œil pour voir laquelle des filles s'y trouvait, attendant encore, presque toute nue. Il s'approcha de la porte.

– J'ai une idée, dit-il. Je vais faire un tour... Je ne rentrerai pas trop vite, ne vous en faites pas!

Il descendit l'escalier, les mains dans les poches. La rue était déserte, fraîche. Il entendit chanter des coqs, dans plusieurs directions en même temps. C'était une sonnerie de clairons qui le ragaillardit, qui venait de très loin, de ses excursions de lycéen, de ses départs en vacances, quand il se levait aux aurores pour mieux savourer l'émotion de l'attente. Il se dirigea vers le bout le plus éloigné de la rue. Une fois là, il s'engagea dans une autre rue, plus longue, et se mit à errer ainsi, les mains dans les poches, les yeux sur le bitume, jusqu'au moment où il rencontra les premiers balayeurs des rues et où il s'aperçut que le jour s'était levé. Il se décida à faire demi-tour. A la maison, il trouva sa porte bouclée. « Quels idiots, se dit-il, amusé, ils n'ont même pas remarqué le verrou automatique! » Il frappa, doucement d'abord, puis de plus en plus fort... « Ils ont dû s'endormir; ils ont fait l'amour et puis ils se sont endormis... » Il finit par entendre un glissement de pieds nus et un tâtonnement derrière la porte. C'était l'une des deux filles; les stores étant baissés, il ne put voir laquelle. Il distingua seulement son corps nu, blanc mat, filer vers le lit. Ses formes et sa teinte mate lui rappelèrent cependant une quantité d'actes précis. Et du coup il l'identifia : c'était la rouquine, Marcella numéro deux... Miticà scruta la pénombre. Pas trace de ses amis, ils étaient probablement partis. Et c'était à ce moment-là qu'ils avaient claqué la porte. Cette constatation et cette déduction le réjouirent. Il s'approcha du fauteuil et commença à se déshabiller, sans bruit. Mais, malgré ses précautions, il heurta du pied une bouteille vide oubliée par terre. La rouquine se réveilla de nouveau :

– T'as pas bientôt fini, mon chou, qu'on puisse enfin dormir?...

Il se coucha auprès d'elles, fraternellement, les deux bras étendus vers les deux corps.

Trois jours plus tard, en fin d'après-midi, Miticà aperçut Marcella en compagnie d'Irina Pleşa, boulevard Academiei. Elles s'apprêtaient à traverser et elles ne le remarquèrent pas. Il hésita quelques secondes : devait-il les suivre ou passer son chemin? Il ne connaissait Irina que de vue et savait qu'elle était une assez vague amie de Marcella, qui ne la voyait que rarement. Mais cette amie, aussi vague fût-elle – se dit-il soudain –, pourrait peut-être transmettre quelques mots de sa part à Marcella, qui serait bien obligée de les écouter. Il entreprit donc de les suivre, d'assez loin. Les jeunes filles allèrent ensemble jusqu'à la statue de Take Ionescu, où elles se séparèrent, et Marcella se dirigea vers l'arrêt du tramway. Miticà sentit une brusque chaleur lui embraser la poitrine : Marcella aurait pu le voir, car elle s'était tournée dans sa direction. Pendant un instant, il distingua assez nettement lui-même son visage, qu'il trouva moins mobile, mais plus fin, plus fardé. Le tramway arriva rapidement. Miticà n'avait pas été découvert. Il remonta le boulevard en courant, sur les traces d'Irina. Il faisait de grands pas, presque des bonds, pour ne pas avoir l'air ridicule. Il ralentit dès qu'il se rapprocha d'elle.

– Veuillez m'excuser, mademoiselle Pleşa, de vous aborder comme ça, commença-t-il timidement. Je vous ai aperçue en compagnie de mon amie, Marcella, et je me suis permis...

Il ne trouvait pas ses mots. Il baissa les yeux, confus. Ce fut Irina qui l'aida : elle lui dit qu'elle savait qui il était, que Marcella lui avait parlé de lui, il y avait déjà un certain temps. Miticà s'anima :

– Je sais que vous êtes de bonnes amies, autrement je n'aurais pas osé... Mais je dois vous avouer que nous nous sommes brouillés. Pour une bêtise, naturellement... Elle, elle ne sait pas combien je souffre, combien je l'aime! Je voudrais faire quelque chose, le lui dire, lui écrire peut-être. Je ne sais pas quoi faire...

Il avait parlé très vite, avec chaleur, en dévorant Irina des yeux, comme si d'un seul geste elle pouvait faire son salut. De son côté, la jeune femme était émue. En fait, moins à cause de la passion désespérée de Miticà qu'en raison des souvenirs que celle-ci réveillait en elle : les premiers mois de son amour, la froide figure marmoréenne de Dinu, ses yeux toujours perdus dans la contemplation de choses invisibles pour elle...

– Je vous en prie, je vous en supplie, répétait Miticà.

Il la priait d'intercéder auprès de Marcella, d'essayer de la convaincre de le recevoir chez elle, rien qu'une fois.

Tous les sentiments charitables d'une mère, d'une sœur,

d'une amie étreignirent le cœur d'Irina. Elle pensa que ce n'était pas le hasard qui plaçait Miticà sur son chemin – une mission lui était confiée, qu'elle devait accomplir à tout prix. Elle rentra chez elle en maîtrisant à grand-peine son exaltation. Elle s'était retrouvée dans les tourments de Miticà. Mais, surtout, elle avait retrouvé son ancienne faiblesse : consoler, se dévouer. Elle décida d'aller voir Marcella le soir même, et elle lui téléphona aussitôt. Mais on lui répondit qu'elle n'était pas encore rentrée et qu'elle dînerait peut-être en ville. A la vérité, Marcella s'était rendue chez Jean Ciutariu, comme tous les soirs. Irina ne réussit donc à la joindre que le lendemain. Elle alla immédiatement lui rendre visite, comme convenu par téléphone. Mais elle la trouva en larmes, au bord de la crise de nerfs. Marcella venait de recevoir de Bârlad une longue lettre affectueuse dans laquelle son père lui parlait de la visite de Miticà Gheorghiu, de l'excellente impression que celui-ci lui avait faite – mais où le vieux Dumitraşcu reprochait aussi à sa fille de ne pas l'avoir prévenu, de s'être fiancée par surprise... Irina lisait la lettre et elle n'en croyait pas ses yeux. « Il est fou, ce garçon! » se dit-elle. Il n'était plus question de parler de ce qui l'amenait à une Marcella en sanglots.

– Qu'est-ce que je vais devenir, maintenant? Qu'est-ce que je vais faire? gémissait-elle.

Irina voulut la caresser, mais ses gestes étaient froids, faux, malgré les efforts qu'elle faisait pour s'émouvoir. Tandis qu'elle lui effleurait les cheveux, elle remarqua que Marcella était pieds nus (ses pantoufles en soie, à pompon rose au bout, avaient glissé sur le tapis) et qu'elle avait des orteils tordus, déformés par les cors, des veines saillantes aux chevilles.

– Je le tuerai! s'écria Marcella. Il m'a compromise, il m'a ridiculisée!

Les pleurs l'enlaidissaient, la vieillissaient. Les sanglots épaississaient son cou. Irina ne put s'empêcher de la trouver disgracieuse dans le peignoir bon marché qui moulait trop ses formes.

– Tu ne l'aimais pas du tout? demanda-t-elle pour dire quelque chose.

– Je le hais, gémit Marcella. Moi, l'aimer? Lui! Je n'ai jamais pu l'aimer...

Irina se rappela : « Au fond de son cœur, elle m'aime, mais elle est capricieuse et elle se fâche pour un rien. » C'était à peu près ce que lui avait dit ce Gheorghiu la veille; vraiment, il devait être complètement vicieux ou fou à lier...

– Il ne faut pas en faire une montagne, dit-elle. Tu n'as qu'à écrire à ta famille que tu as rompu tes fiançailles. Un peu plus tard, bien sûr... Si tu le faisais tout de suite, ça pourrait éveiller leurs soupçons.

Marcella s'excusa de s'étendre sur le canapé, elle était épuisée. Irina passa quelques heures avec elle, l'aida à prendre son bain, à s'habiller, à se farder.

– Ne mets pas trop de rouge, lui conseilla-t-elle.

– Mais je suis si pâle, balbutia Marcella.

Miticà, qui attendait au bureau un coup de fil d'Irina, reçut le lendemain la lettre que voici :

Monsieur,

Mon amie m'a appris certaines choses ahurissantes à votre sujet. La malheureuse a vécu des heures atroces après avoir reçu une lettre de Bârlad, où il paraît que vous vous êtes fait passer pour son fiancé. J'ignore comment vous comptez réparer cette grave indélicatesse. Devant une telle surprise, j'ai évidemment renoncé à plaider votre procès passionnel. Inutile de vous dire quelle a été ma confusion.

Salutations distinguées.

Miticà avait placé ses derniers espoirs dans l'intervention d'Irina. Il espérait sans raison, contre toute évidence, puisqu'il savait que Marcella recevrait sous peu une lettre de Bârlad et que cette lettre annulerait toute possibilité de réconciliation. Lorsqu'il lut la missive d'Irina, il fut pris d'un profond chagrin : Marcella lui sembla plus loin encore.

Il ne lui restait plus qu'une chose à faire : l'enlever... Il sortit de chez lui, déprimé, sans savoir que faire ni où aller. Cela faisait plusieurs semaines qu'il n'avait pas mis le pied à son club; tout le monde y connaissait ses mésaventures, et dans une version qui le rendait carrément ridicule. Indécis, il se tenait sur le pas de sa porte, les mains dans ses poches, en train de se demander s'il ne ferait pas mieux ce soir-là d'aller voir ses parents au lieu de faire la noce. Il était sur le point de traverser lorsqu'un coursier passa à côté de lui et entra dans son immeuble. Émadditional comme un collégien, Miticà lui courut après : Marcella lui avait peut-être écrit! Le coursier avait effectivement un pli pour lui :

Mon cher Miticà,
Donne-nous le numéro et le nom de la rue de la mystérieuse maison du Devonshire, avec les prénoms et les noms précis. Nous en sommes fous tous les deux. Nous dînons au Modern, *où nous t'attendons. Si tu ne peux pas venir, envoie-nous l'adresse exacte par le coursier.*

Yours, *Ionel Sergescu.*

Miticà lut rapidement le mot puis le déchira, dépité.

– Il n'y a pas de réponse.

Il partit, d'un pas lourd mais ferme, vers la maison de ses parents. Il savait qu'il y trouverait exactement ce qu'il lui fallait : être morigéné, rabaissé, se voir proposer des plans grandioses de réorganisation de sa vie.

Les jours suivants, il passa le plus souvent qu'il le put devant la maison de Marcella et devant celle de Ciutariu. Apercevoir Marcella aurait suffi à son bonheur. Une nuit, il attendit jusque très tard, pour voir s'allumer sa fenêtre. La jeune femme rentra vers deux heures, en voiture. C'était sans doute Ciutariu qui la ramenait. Miticà avait fait le guet dans une encoignure quatre heures durant. Il avait fumé cigarette sur cigarette, jusqu'à en avoir la bouche amère et la tête enbrumée. Lorsque l'auto s'arrêta devant la maison, il faillit se précipiter pour se colleter avec l'homme qui raccompagnait Marcella. Il eut du mal à se retenir. Il fut pris de nausée et, dès qu'il vit la lumière se faire dans la chambre de la jeune femme, il repartit chez lui, d'un pas chancelant, la tête vide, en crachant fréquemment.

Un matin, il la rencontra inopinément. Ils s'aperçurent quand ils étaient à quelques pas l'un de l'autre, trop près pour s'éclipser. Marcella pâlit, son pas hésita. Miticà passa tranquillement, en la regardant dans les yeux tout en faisant semblant de ne pas la voir. Il fut ensuite assez fier de cette maîtrise de soi, ce qui ne l'empêchait d'ailleurs pas de se tourmenter, car il ne pouvait oublier la pâleur de Marcella, l'effroi de ses yeux. Ce soir-là, il rentra directement chez lui et but jusque tard. Il remit une dernière fois *Dans tes bras* *..., puis il brisa le disque, ramassa soigneusement les morceaux dans un vieux journal et descendit les jeter lui-même dans la poubelle de l'immeuble.

X

Pendant près de deux semaines, Petru et Alexandru se virent tous les jours. C'était le plus souvent Alexandru qui venait impasse Màtàsari, car Petru était plus à l'aise dans sa chambre, où il pouvait interrompre la conversation pour jouer du piano, mettre les pieds sur la table, secouer ses cigarettes n'importe où. Au cours de leurs longues discussions, Alexandru évitait de parler de Viorica, et Petru de Nora. A plusieurs reprises, Alexandru trouva Mme Anicet seule et dut écouter les mêmes lamentations, qu'il ne connaissait que trop. Il les supporta toutefois avec plus de respect et lui donna raison avec plus de chaleur, content de ne plus sentir, dans la misère de cette maison, la légère odeur d'alcool qui l'avait choqué lors d'une précédente visite. Il évitait néanmoins de faire devant Petru la moindre allusion aux plaintes de Mme Anicet. S'il comprenait la situation, il ne se jugeait pas pour autant en droit de s'en mêler. Il invita Petru à l'accompagner au bord de la mer Noire, à Movilà, tout en sachant que son ami refuserait : il avait ses leçons et comme, cet été-là, ils étaient plus pauvres que jamais, il ne pouvait pas laisser sa mère seule à Bucarest.

Cependant, au bout d'un certain temps, les deux amis cessèrent complètement de se voir. Après tant d'heures passées ensemble, ils avaient épuisé tout ce qu'ils avaient à se donner et à se prendre. Ils sentaient tous deux qu'ils commençaient à parler au hasard, un peu fatigués par leur propre véhémence.

– J'ai une foule de choses à faire avant le départ, déclara Alexandru.

Cette séparation pour la durée des vacances arrangeait Petru. Il ne regretta l'absence d'Alexandru qu'un seul soir, après son aventure à la villa Tycho Brahé. Mais il était rentré à la maison assez tard et le lendemain il n'éprouvait plus le besoin de la raconter; il la trouvait d'ailleurs passablement stupide.

De son côté, Alexandru commença à cette époque à prendre régulièrement ses repas avec les autres Pleşa et à prêter une oreille attentive à leurs conversations. Jusque-là, quand il ne se trouvait pas chez Petru ou ne se promenait pas dans les rues malgré la chaleur, il passait le plus clair de son temps dans sa chambre. « Il a mauvaise conscience », pensaient-ils tous, y compris Irina... L'oncle Dem avait réussi à étouffer le scandale du suicide de Viorica Panaitescu. Il avait également réussi à faire affecter son neveu dans un service auxiliaire où il bénéficiait de permissions longues et répétées. Tante Aristie, elle, restait intraitable, mais Irina commençait tout doucement à la persuader de se départir de sa sévère froideur envers un jeune homme rongé de remords.

Un soir, Irina alla trouver Alexandru dans sa chambre et lui demanda si elle pouvait passer un moment avec lui. Elle avait besoin d'une « présence », d'un ami, expliqua-t-elle. Elle était au bord des larmes : Dinu n'était pas décidé à venir passer deux mois avec elle à Movilà, alors qu'il le lui avait promis dès l'hiver. Alexandru ignorait tout de ce Dinu Paşalega.

– Tu le connaîtras bientôt! s'exclama Irina avec enthousiasme. Tu verras, c'est un gars formidable!

Elle lui raconta que, lorsqu'elle l'avait connu elle-même, un an plus tôt, à un pique-nique, Dinu était amoureux de Felicia Baly.

– C'est du moins ce qu'il prétendait, ajouta-t-elle d'un ton mi-coquet, mi-méprisant. A cette époque, tous les garçons étaient amoureux de Felicia et elle, elle faisait semblant de ne pas s'en apercevoir. Dinu m'a plu du premier coup et je me suis dit : « Pourquoi ne tomberait-il pas amoureux de moi? »

Irina contait son histoire d'une voix qu'elle voulait neutre, comme s'il s'agissait d'un pur hasard ou d'une simple passade. C'était elle qui avait invité Dinu à danser, elle qui lui avait donné rendez-vous en ville le lendemain. Ils se voyaient régulièrement après les cours. Dinu était en dernière année à Polytechnique (« Il sera ingénieur cet automne », précisa Irina) et il avait énormément de travail. Elle restait parfois dans sa chambre jusqu'à minuit et s'émerveillait de le voir étudier avec tant d'assiduité.

– Naturellement, je lui ai vite cédé, sans rien exiger, crut bon de révéler Irina, sur un ton dont elle s'appliqua à souligner l'indifférente légèreté.

Alexandru grimaça un sourire. Il avait toujours eu de la répugnance pour la frivolité banalisée et le sans-gêne amusé qu'affectaient certaines jeunes filles dès qu'on abordait des questions sexuelles. En l'occurrence, les mots que venait de prononcer Irina lui paraissaient franchement ridicules.

– J'ai compris que je l'aimais. Le reste n'avait plus d'importance...

Irina croyait que cette déclaration frapperait son cousin et qu'il marquerait son approbation. Mais il se borna à la dévisager sans mot dire.

» Il faut absolument que tu fasses sa connaissance, décréta la jeune femme en se levant pour s'en aller. Tu verras que j'ai vraiment bien choisi... Mais si tu savais à quelles difficultés, à quels obstacles absurdes je me heurte...

Elle fit quelques pas et s'arrêta devant Alexandru.

– Maman est au courant d'une seule chose : que je l'aime. Et j'ai cru comprendre qu'elle ne s'opposerait pas à... tu saisis... à un éventuel...

Elle eut honte de finir sa phrase. Elle venait de se rappeler ce qu'Alexandru lui avait dit le jour de son retour, sous la tonnelle. Elle essaya de se rattraper :

– Il y a tellement d'autres bêtises qui tracassent maman. Elle prétend que Dinu est trop jeune, qu'il doit d'abord terminer ses études... Elle peut dire tout ce qui lui chante. Moi je me tais, mais je n'en pense pas moins. Il me suffit de savoir que je l'aime...

Alexandru comprit que ces derniers mots s'adressaient à lui et il s'empressa d'approuver :

– Tu as bien raison!

Irina ne put s'empêcher de lui lancer un regard reconnaissant.

– Avec toi, je m'entends mieux, dit-elle doucement. Nous sommes du même âge... Bien que tu aies des préjugés absurdes contre l'amour...

Elle fit un effort pour rire, mais n'y arriva pas. Elle s'approcha de la porte. Ils n'étaient décidément pas sur la même longueur d'ondes, ils ne communiquaient pas. Normalement, sa confession aurait dû susciter une foule de questions. Or, Alexandru se contentait de l'encourager du regard, quelquefois d'un geste ou de deux mots.

– Mais le gros problème vient d'ailleurs, reprit Irina. Du père de Dinu. Tu sais, l'ingénieur qui veut construire un avion...

Alexandru ignorait tout du père comme du fils, mais, cette fois-ci, Irina n'avait pas grand-chose à raconter. Elle ne le connaissait que vaguement et c'était, du reste, pourquoi elle le craignait tant. Il lui était arrivé de le voir chez Dinu, de passage tout comme elle. Car Paşalega père habitait, seul, une maison du quartier de Dealul Spirei, à la remise assez vaste pour servir de hangar à son aéroplane. Irina avait été désagréablement impressionnée par le regard dur et froid, sinon hostile, du vieil homme. Il avait la figure ridée, et sa maigreur ascétique mettait en évidence ses pommettes osseuses. Il était grand quoique légèrement voûté, il avait de grosses mains calleuses de travailleur. Seule sa voix était chaude et douce – la voix de Dinu. Et Irina d'achever son portrait :

– Son vieux rêve, c'est de construire un avion. Il est plutôt maniaque – Dinu le reconnaît lui-même – et, par-dessus le marché, il est patriote. Il a mis au point un système très compliqué de défense nationale au moyen d'un aéroplane robot qu'il a baptisé *Tudor Vladimirescu* [1]. Il est tellement naïf! Tu te rends compte, un avion *Tudor Vladimirescu...*

Irina fit mine de rire. Mais, avec ce qu'elle savait du vieux Paşalega, elle ne pouvait que rire jaune. Elle savait que, à peine veuf, il avait obligé Dinu à jurer qu'il consacrerait sa vie à la réalisation de cette lubie, l'avion *Tudor Vladimirescu.* Dinu lui avait avoué combien il se sentait lié par ce serment. Il ignorait si son père lui permettrait jamais de se marier et, de toute façon, le serment était on ne peut plus clair : « Mener à bon port ce glorieux monument qui montrera au monde entier, par-delà les siècles, la grandeur du génie roumain. »

– Enfin, moi je m'en moque. J'aime Dinu et il m'aime. Pour le moment, ça me suffit...

Irina s'en alla le sourire aux lèvres, mais le doute au cœur. « Si au moins j'étais sûre qu'il m'aime un peu à ma façon... » Triste, inquiète, elle se demandait si elle n'en avait pas trop dit à son cousin. Elle eut une nuit agitée. Elle réentendait la voix de Paşalega père répéter : « Mon fieu, eh, mon fieu, il a une grande mission à remplir en ce bas monde, qui ne lui laissera guère de temps pour la ripaille ni pour les épousailles. » Oui, il lui avait dit cela d'une voix douce, d'une voix de prière...

Quelques jours plus tard, Alexandru fit la connaissance

1. Chef des insurgés lors du mouvement d'émancipation nationale de 1821. *(N. d. T.)*

de Dinu – un grand gaillard bien découplé, au visage osseux mais juvénile, au front droit derrière lequel on était tenté de n'imaginer que des *x*. Bref, une tête de polytechnicien. Dans cette figure volontaire et virile, seuls les yeux détonnaient : mélancoliques, inassouvis, parfois étonnamment tristes.

Ils partirent tous trois – Irina, Alexandru et Dinu – se promener au hasard dans les rues. Ils disposaient de deux heures. Ensuite, Dinu devait se rendre à Dealul Spirei, où il dînait avec son père et un ami de ce dernier, un certain Steriu. Comme ils se taisaient tous les trois, Dinu se mit à raconter la vie de ce Steriu, richissime jadis, élevé à Zurich, qui avait épousé une laitière par amour et, tout jeune, avait émigré au Brésil pour y devenir planteur de café.

– C'est quelqu'un d'intéressant, plein de surprises. Un jour, j'ai découvert qu'il connaissait la chimie, qu'il lisait le latin, qu'il parlait à merveille de la musique... Il descend d'une vieille et riche famille de Moldavie, ce qui ne l'a pas empêché d'épouser la première fille qu'il a eue, une laitière allemande... Il m'a tellement parlé de Rio de Janeiro! Il disait quelque chose à propos du ciel...

Dinu s'interrompit brusquement et, gêné, regarda Alexandru. Il venait de se rendre compte que celui-ci ne l'écoutait pas, peut-être même qu'il le méprisait à cause de son bavardage. Irina serra nerveusement le bras de son amant :

– Il était comment, le ciel? Dis, il était comment, le ciel à Rio?

Dinu hésita.

– Sans doute très bleu, dit Alexandru. C'est ce que j'ai entendu dire : un ciel très bleu, bleu comme la mer...

Il leva les yeux au-dessus des toits des maisons. Quelles bêtises peuvent débiter trois personnes intelligentes obligées de rester ensemble, de s'écouter et de faire semblant d'être enchantées...

– Alexandru, tu aimerais être à Rio de Janeiro en ce moment? demanda Irina.

Alexandru ne reconnaissait pas sa cousine. Une oie blanche qui minaude, qui cherche des naïvetés charmantes et ne trouve que des sottises flagrantes. « Probablement parce qu'elle est amoureuse et qu'elle se promène avec l'homme qu'elle aime », pensa Alexandru. A la vérité, si Irina disait n'importe quoi, c'était pour meubler les silences; elle sentait que les deux jeunes gens n'avaient pas sympathisé, que la communication ne passait pas entre eux, et cette pénible sensation l'exaspérait.

– Pourquoi forcément à Rio de Janeiro? rétorqua Alexandru. C'est si beau, ici aussi...

– Steriu racontait quelque chose dont je me souviens toujours avec émotion, dit Dinu. Il avait débarqué avec cent mille francs en pièces d'or et il ne voulait pas se faire remarquer. Alors, il portait le sac dans lequel il les avait cachées comme s'il était léger, comme s'il ne pesait presque rien, comme on porte un sac dans lequel on a mis un casse-croûte ou quelques fruits. Et il a fait plusieurs kilomètres ainsi, jusqu'au moment où il a senti ses muscles pendre comme des filins décordés. Oui, comme des filins décordés...

Dinu s'interrompit, rêveur. Il devait penser à quelque chose de troublant, car il sourit.

– Il pouvait y avoir combien de kilos d'or? demanda Irina.

– Peu importe le poids, répondit sèchement Dinu. Il y avait cent mille francs or, ce qui ferait plus de cinq millions aujourd'hui. Avoir cinq millions dans un sac, savoir qu'on porte d'une seule main une somme pareille, une puissance pareille...

Alexandru sursauta : Dinu avait parlé avec une passion quasi amoureuse.

– Ah! posséder une somme pareille, pouvoir en disposer à sa guise, poursuivit Dinu, qui paraissait oublier la présence d'Irina et d'Alexandru à ses côtés.

– Vous voudriez tellement être riche? lui demanda Alexandru.

Dinu le dévisagea d'un air surpris.

– Non pas riche, mais milliardaire, archimilliardaire! Il n'existe rien d'autre au monde, je ne pense pas qu'il puisse exister autre chose au monde...

Il secoua la tête et se contrôla.

– Excepté l'amour, reprit-il en souriant à Irina. Mais la pauvreté est humiliante même quand on est amoureux... Elle est un état larvaire, un état extra-humain, prénaturel, comme disait je ne sais qui...

Ils parlèrent d'argent jusqu'au moment où ils durent se séparer. Irina avait les yeux brouillés de larmes.

***

Annette se sentait très seule dès que tombait la nuit. Elle eût aimé se promener dans le parc, mais elle avait peur des ombres trop vivantes et, surtout, des bruits sourds, des bruissements, des murmures qu'elle entendait tout autour dès qu'elle osait s'aventurer plus avant sous les arbres. Quant à Adriana, elle détestait mettre le nez dehors dès qu'il faisait nuit. Elle s'enfermait dans sa chambre et lisait jusque tard – quand elle ne se disputait pas avec sa mère. Annette se retrouvait donc seule dès que s'achevait le dîner. M. Lecca se retirait dans son bureau-bibliothèque, Mme Lecca passait au salon pour étudier des effets de lumière artificielle sur ses toiles, et les domestiques se couchaient tôt. A dix mètres de la maison, et même dans l'allée principale, Annette se sentait isolée, en danger, risquant de se faire avaler par les ténèbres ou happer par les branches crochues des arbres, de ces arbres pourtant si amicaux le jour, mais qui l'effrayaient si fort la nuit – il leur poussait des ailes et des griffes d'écorce, ils glapissaient et ricanaient. Tout se transformait autour d'elle : l'herbe brillait comme passée au vif argent, le gravier crissait tout seul, sans être touché, les troncs craquaient autrement que pendant la journée, on eût dit des gémissements humains... Annette aurait tellement aimé avoir quelqu'un à côté d'elle, n'importe qui, et pénétrer tout émue, en retenant son souffle, parmi les arbres les plus gros, jusqu'au cœur du parc, là où s'élevait un petit tertre envahi de lilas sauvage. Elle devait pourtant se contenter de regarder par la fenêtre, en chemise de nuit, le buste entièrement penché à l'extérieur; de cette façon, elle n'avait pas peur, elle savait qu'elle pouvait à tout instant allumer sa lampe, courir se réfugier dans les bras de sa mère.

Ils finirent de dîner à dix heures et tout le monde se retira – peut-être plus vite encore que d'habitude. A table, Adriana n'avait pas desserré les lèvres. Liza lui avait proposé de participer à une excursion dans les monts du Fàgàraş, mais Mme Lecca refusait absolument de la laisser y aller, et Adriana boudait depuis plusieurs jours. Ce soir-là cependant, avant de se lever de table, Mme Lecca lui dit en riant :

– Tu peux y aller, mon petit. Je voulais seulement te taquiner, pour voir à qui tu tiens le plus : à ta chère maman ou à une amie? A une amie comme Liza, bien entendu...

M. Lecca avait appris à cette occasion que sa femme et sa fille aînée étaient brouillées et qu'elles ne s'étaient pas parlé plusieurs jours de suite. Tout le monde quitta la table de bonne humeur et M. Lecca invita sa petite famille au salon.

– Madame, mesdemoiselles et chères filles, veuillez accepter ce verre de ma main...

C'était un vieux rituel de la famille. Aux grandes occasions, fêtes, anniversaires, commémoration de quelque astronome illustre, mais aussi en d'autres jours fastes, que fixait l'un des deux époux, M. Lecca invitait sa famille au grand salon, allumait toutes les lampes et envoyait chercher à la cave une bouteille de porto de sa collection, pour partie héritée, pour partie acquise pendant sa jeunesse.

« Madame, mesdemoiselles et chères filles, veuillez accepter ce verre de ma main... »

Annette connaissait cette formule depuis fort longtemps, à une époque où elle n'avait pas encore la permission de goûter au porto, mais seulement d'assister à la cérémonie. Son premier verre, elle l'avait reçu pour ses quatorze ans. Depuis, elle y avait droit régulièrement, en de telles occasions. Quand elle était enfant, le cérémonial lui paraissait bien plus mystérieux et fascinant. C'était avec émotion qu'elle regardait alors son père s'approcher de sa mère et de sa sœur, un verre à la main gauche, la bouteille poussiéreuse

– le cul enveloppé dans une serviette jaune pelucheuse – à la main droite. Depuis quelques années, les mains de M. Lecca tremblaient trop fort et les verres n'étaient plus qu'à moitié remplis.

Adriana, quoique réconciliée avec sa mère, avait filé aussitôt dans sa chambre : le départ avait lieu le lendemain et elle n'avait encore rien préparé. Pour une fois, Mme Lecca était allée se coucher. Annette se retrouva seule au salon. Alors, elle emboîta le pas à son père. Elle le vit traverser pièce après pièce, d'un pas mesuré et sûr, sans jamais heurter un meuble malgré la pénombre. Une fois à la bibliothèque, il alluma la grande lampe à abat-jour vert posée sur le bureau et s'installa dans son fauteuil en faisant attention à ne pas s'asseoir sur la queue de pie du long habit noir qu'il portait. Il ne remarqua pas sa fille, pourtant entrée sur ses pas et plantée maintenant au milieu de la pièce, attendant d'être vue pour pouvoir parler. Il ouvrit doucement un classeur qui se trouvait sur son bureau, en retira une feuille de papier, l'approcha de la lampe, puis chercha rapidement dans un répertoire alphabétique à la reliure de cuir noir, qui ne quittait jamais le bureau, l'origine du document copié et les renvois à tous les volumes où il était reproduit et discuté. La nuit, il travaillait seulement au classement des documents qu'il avait recueillis, sur les chevaliers teutoniques en particulier et sur les ordres de chevalerie en général... Il enleva ses lunettes et prit sa pochette blanche pour les nettoyer. Il vit Annette à ce moment-là et sursauta. Telle qu'elle se tenait, grande et pâle, les mains au dos, elle avait l'air d'une apparition surnaturelle amenée par quelque soif de vengeance au milieu de la bibliothèque.

– Qu'y a-t-il, mon enfant?

Annette ne répondit pas. Elle s'approcha du bureau, toujours les mains au dos, le regard très triste. M. Lecca se leva lourdement. Il souhaitait la réconforter, lui dire un mot gentil, la câliner, mais il n'osait pas.

– Tu as besoin de quelque chose, Annette?

Elle fit non de la tête. Comment expliquer qu'elle avait

envie de se promener dans le parc, mais qu'elle était seule, qu'elle avait peur?

– Je suis juste venue te voir, papa, dit-elle doucement. Tu me permets de rester un peu avec toi?

Agréablement surpris, M. Lecca n'en était pas moins très gêné. Il n'avait pas l'habitude de recevoir des visites ici, à une heure pareille. Annette s'assit sur le tabouret en cuir, à côté de la bibliothèque tournante. Son père resta debout, il ne savait pas ce qu'il devait faire.

– Je ne voudrais pas te déranger, reprit Annette d'une voix plus ferme. Continue à travailler, s'il te plaît...

Et elle sourit affectueusement. M. Lecca se rassit dans son fauteuil en frottant ses mains blanches et décharnées. Il reprit la copie du document et feignit de lire :

Omnem nostram possessionem, cum omnibus hominibus communem habemus...

Mais il ne comprenait rien. Il jeta les yeux sur la fin du document : tiré à part, Landulfi, *Hist. mediolanensis,* p. 65. Il s'agissait de l'hérésie cathare, bien entendu, mais, dans le halo de l'abat-jour vert, il sentait le regard d'Annette peser sur lui, sa présence, ses questions non dites et incomprises...

– Qu'est-ce que tu as? demanda-t-il soudain. Tu n'as pas sommeil?

Annette essuya une larme qui perlait au coin de son œil. Ses pupilles paraissaient un peu élargies et plus brillantes, sans plus. Et son père ne remarqua rien d'autre.

– Je n'ai rien, répondit la jeune fille. J'avais envie d'être avec toi...

M. Lecca rougit. Il ne s'attendait absolument pas à un aveu aussi incongru. Il pensa qu'il devrait lui répondre d'une façon ou d'une autre, par exemple lui dire : « Ma chère petite fille », ou se lever et lui tapoter les joues. Mais il ne put que sourire, troublé, presque paralysé.

– *Oh là là* *! fut tout ce qu'il trouva à dire, après quoi il recommença à se frotter les mains.

Annette s'approcha du bureau.

– Maman t'a dit que nous avions prêté ton peignoir à M. Anicet?

Elle jugeait soudain cela de la plus haute importance, une chose à communiquer sans faute à son père. Celui-ci la considéra avec une surprise feinte. A la vérité, il ne comprenait pas du tout de quoi il s'agissait, mais il était ravi d'entendre sa fille dire quelque chose de concret, à quoi il pouvait en tout cas répondre par des mots.

– C'est à cause de l'orage, expliqua Annette, excitée. Comme il était trempé jusqu'aux os, maman lui a fait prendre une douche et après elle lui a fait mettre ta robe de chambre. Tiens, tu vois bien, elle ne te l'avait pas dit!

M. Lecca avoua, en simulant un vif regret, ne pas être au courant. Il réclama des renseignements supplémentaires : Comment cela avait-il pu arriver? Anicet n'avait-il pas pris froid? Etc., etc. Mais ce sujet n'intéressait déjà plus Annette. Elle avait espéré un instant qu'autre chose pourrait se passer, que son père pourrait lui poser une autre question. Ils se turent tous deux, en se regardant par-dessus la lampe.

– Tu ne vas pas avoir peur de dormir seule après le départ d'Adriana? demanda M. Lecca, pour rompre le silence.

– Oh! non! s'exclama Annette avec une chaleur inhabituelle dans la voix.

Car elle ne dormira pas seule, elle le sait bien. Petru sera avec elle, il faudra qu'il soit avec elle, chaque nuit... Elle plissa les paupières, et un frisson de peur, de plaisir, d'impatience la parcourut.

– Tu as froid? s'inquiéta M. Lecca.

– Non, papa, je n'ai pas froid, mais pas du tout! J'ai frissonné comme ça, sans raison...

M. Lecca sourit et se mit à pianoter doucement sur la reliure en cuir noir de son répertoire, d'abord avec deux doigts, puis avec trois, puis de nouveau avec deux. Il suivait attentivement le mouvement de ses doigts et ce jeu innocent le distrayait. Il échappait ainsi à la présence troublante et incompréhensible de sa fille.

– Je m'en vais, je vois que je t'empêche de travailler.

M. Lecca tressaillit. Il voulait s'excuser, il cherchait une formule, mais Annette se pencha au-dessus du bureau et tendit sa joue.

– Bonne nuit, papa.

M. Lecca l'embrassa en lui prenant la tête entre ses mains. Cela ne lui était jamais arrivé : c'était la première fois qu'une de ses filles venait ainsi, venait d'elle-même et lui demandait de l'embrasser... Il sentit une brusque émotion, une étrange chaleur lui monter à la tête. Il appuya son front contre sa main droite et regarda Annette traverser la bibliothèque d'un pas léger, sans se retourner.

***

Le jour de sa leçon, Petru rencontra Adriana au salon et il eut l'impression qu'elle le toisait avec mépris. Ils se revoyaient pour la première fois depuis l'orage. Il soutint son regard comme si de rien n'était.

Avant de s'asseoir au piano, Annette chuchota :

– Adriana part aujourd'hui en excursion. Maintenant, tu peux venir. Je t'ai attendu toutes les nuits, depuis... Mais maintenant, tu dois venir, tu dois...

Sa voix, d'habitude timide si ce n'est plaintive, avait changé, elle était devenue ferme, presque impérieuse.

Petru ne savait que dire. Il lui fit signe de commencer à jouer. Il aurait voulu prendre son ton sec de professeur, la voix impersonnelle dont il se servait pour demander, par exemple, un billet de tramway. Mais, à présent, la proximité de la jeune fille le troublait; c'était un trouble stupide, sensuel et cérébral à la fois. Il ne pouvait détacher les yeux de cette nuque qu'il voyait pour la première fois, si enfantine encore et pourtant si fascinante. Il avait tellement envie de la caresser qu'il eut du mal à se retenir. Dès qu'il était entré dans la pièce, son regard s'était arrêté sur ses seins, qu'il avait vus nus si peu de jours auparavant...

– Dis-moi que tu viendras ce soir, ce soir...

Et Annette tourna, leva la tête vers lui. Il ne pouvait plus la repousser. Il ne pouvait plus lui résister. Il se pencha et l'embrassa sur la bouche, violemment, en la mordant presque... Annette fit tourner le tabouret et reprit la sonate comme si rien ne s'était passé. Petru était bien plus ahuri, bien plus décomposé qu'elle.

– Il faut que tu viennes, dit-elle tout en jouant. Tu sais qu'on ne ferme jamais la porte de la cour. Tu sais... que personne ne peut te voir...

Dans le tram, en y repensant, Petru trouva étonnante l'exaltation si précise et si rigoureuse d'Annette. Elle n'avait pas oublié un seul détail : « On ne ferme jamais la porte... » Il ne voulait pas y aller, malgré ses promesses et ses serments lorsqu'elle l'avait menacé de ne pas fermer l'œil de la nuit s'il s'avisait de ne pas venir... Ce qui l'irritait, c'était l'impression d'obéir à un ordre, d'être poussé à l'aventure non par sa volonté ou sa folie, mais par l'audace d'une fillette. Il décida plusieurs fois de ne pas y aller. Cependant, un peu avant onze heures du soir, il sortit de chez lui, ferma la porte à clé et s'en alla vers l'arrêt du tramway. Plus le temps passait, plus il devenait impatient. Dans le centre, il attendit le deuxième tramway en se mordant les lèvres pour ne pas se mettre à hurler à cause de son retard. Une fois arrivé dans le quartier des Lecca, il commença à courir. Cependant, à proximité de la villa, il devint très prudent. Il fit le guet au coin de la rue et ne s'avança pas avant d'être sûr qu'elle était déserte. Il entrebâilla la porte de la cour et se faufila sous les arbres. A présent, il ne craignait plus rien. Il était près de minuit, tout le monde dormait; le professeur Lecca veillait peut-être encore dans sa bibliothèque, mais celle-ci se trouvait à l'autre bout de la maison. La fenêtre d'Annette était ouverte. Sans la quitter des yeux, Petru avançait lentement sous les frondaisons, là où l'obscurité était la plus épaisse. Il aperçut une tache blanche dans l'embrasure. Elle l'attendait donc. Il allongea le pas. Son cœur battait à se rompre; il commençait à avoir un peu peur, tout en sachant que personne ne pouvait le voir. Il rasa le mur jusqu'à la fenêtre. Annette l'aperçut et elle s'écarta en étouffant un cri. Une seconde plus tard, il se trouvait dans sa chambre, le souffle court, avançant à tâtons pour ne rien renverser. Il ne connaissait que très approximativement la chambre d'Annette. Mais aussitôt, la jeune fille fut à côté de lui, toute tremblante dans sa chemise de nuit en soie blanche.

– Tu t'es fait mal? lui demanda-t-elle timidement.

Il ne répondit pas. Il la serra dans ses bras et l'embrassa, longuement, fort, à l'en étouffer... Nora, il ne l'embrassait presque pas. C'était surtout elle qui l'embrassait, mais, comme ils avaient fait l'amour dès qu'ils s'étaient connus, ses baisers ne lui disaient rien, ils l'énervaient même. Avec Annette, c'était tout à fait différent, et Petru frissonnait à l'idée qu'elle était vierge, qu'elle serait bientôt à lui sans avoir jamais appartenu à un autre. La chair ferme, effrayée, inconnue de la jeune fille exaspérait ses sens.

Ils restèrent longtemps sans parler à se serrer l'un contre l'autre, à se fondre l'un dans l'autre. Puis Annette entraîna doucement Petru vers son lit, au fond de la chambre. L'obscurité lui donnait du courage. Elle glissa la main sur la poitrine du jeune homme, par l'échancrure de sa chemise.

– Déshabille-toi aussi, murmura-t-elle.

Elle avait si souvent imaginé le corps nu de Petru contre le sien qu'elle ne redoutait plus rien. Elle l'aida à se déshabiller, elle caressait sa peau, chacun de ses muscles. Elle se mit au lit et l'amena à côté d'elle.

– Je voudrais te revoir nu à la lumière du jour, comme l'autre fois, lui dit-elle à l'oreille.

Nue, elle l'était aussi, les cuisses serrées. L'obscurité les excitait l'un comme l'autre. Ils ne pouvaient voir leurs visages, et chacun s'enhardissait à de nouvelles caresses. Le désir de Petru était exaspéré par le secret qu'il rencontrait partout, par la virginité qui lui résistait alors même qu'elle l'invitait. Il essaya à plusieurs reprises de s'en approcher davantage, mais Annette l'arrêtait en l'embrassant, en le caressant.

– C'est encore si bon, murmurait-elle, si bon, si bon...

Elle se donna à moitié ivre, lorsque son corps avait tellement été proche de celui de Petru que rien ne la déchira, rien ne l'humilia.

XI

– Tu aimerais mourir noyé? demanda Irina à Dinu, qui contemplait silencieusement les vagues, d'un air presque absent, sujet, tout comme les autres, à un étrange ravissement.

– Non, il vaut bien mieux mourir sur le plancher des vaches, chez soi, sur ses terres, et être enterré à côté de sa maison, répondit posément Dinu.

Les autres se taisaient, comme s'ils n'avaient rien entendu. Ils connaissaient tous l'histoire de ces deux jeunes gens qui s'aimaient et que seul l'amour avait pu rapprocher, tellement ils paraissaient différents. Ils les laissaient donc parler.

– C'est pourtant bien mieux de mourir dans la mer, reprit Irina. On vogue à l'insu de tout le monde et on finit par se transformer en eau... Un rien pur et musical, de l'eau...

Le soleil tapait trop fort. Il lui cognait sur le crâne et cette trombe de feu l'écrasait, la dispersait. Cela lui faisait du bien : à présent elle pouvait dire ce qui lui plaisait, chanter les mots comme dans un poème.

– Non, moi je préfère mourir vieux, très vieux et très riche, sur mes terres, répéta Dinu. Je veux savoir que je demeurerai près des biens que j'aurai acquis, près de l'endroit où j'aurai respiré... N'est-ce pas?

Ces derniers mots s'adressaient à Cezar Tomescu et celui-ci tourna paresseusement la tête, distrait. Il avait un terrible coup de soleil, la peau partie en lambeaux, la chair à vif. Recherchait-il à tout prix la souffrance gratuite, pour exposer ainsi ses plaies au plus fort de la canicule?

– Dans la mer c'est très triste, dit-il lentement, en hésitant, comme s'il parlait une langue étrangère. Car on ne se transforme pas en eau, ni en quoi que ce soit de musical, comme le croit Irina, mais on est ramené à brève échéance sur le rivage, décomposé, défiguré. C'est une mort triste et laide. D'autre part, dans la terre aussi... tu te rends compte de ce que ça signifie, rester tout seul sous terre pendant des jours et des jours?

Tomescu regarda ses interlocuteurs comme s'il venait de leur faire une extraordinaire révélation, comme si la mer et la lumière autour d'eux rendaient impensable la sombre et froide solitude d'une tombe creusée dans la terre.

– Je l'ai souvent dit, reprit-il d'un ton passionné, je trouve un seul sens à cette vie d'ici-bas. Être sûr qu'il y aura au moins un être humain qui ne dormira pas cette nuit-là, la nuit de ton enterrement. Qu'il se trouvera quelqu'un pour veiller avec toi, pour ne pas te laisser seul... Pouvoir mourir avec cette certitude, qu'il y aura une personne au moins pour résister au sommeil et à la fatigue et à la douleur, pour passer cette nuit-là à penser à toi, c'est tout : à penser à toi... Pas besoin de te pleurer, de te regretter... A quoi bon tout cela? A quoi bon être pleuré et regretté le jour, si, la nuit, justement la nuit, quand tu es totalement seul, tout le monde s'endort et t'oublie?

Lucu Antonovici n'avait écouté que le début de cette confession inattendue. Lentement, prudemment, habilement, il rapprochait son corps de celui de Luiza; d'abord le bras, puis l'épaule, puis la cuisse. Il la sentait aussi brûlante que lui, il la devinait aussi troublée. Comme par hasard, sa main s'égara sur le dos de la jeune femme. Personne ne s'en aperçut. Tout le monde contemplait la mer. La main avança, glissa doucement vers les seins.

– Comment se fait-il que tu aies du sable jusqu'ici? demanda-t-il. Il n'y a pourtant pas de vent, aujourd'hui...

Luiza le fixa – sans sourire, les joues brûlantes, les pupilles dilatées.

– Si jamais quelqu'un devait m'aimer, continua Tomescu, je ne lui demanderais que ça : ne pas me laisser seul la première nuit, veiller avec moi...

Irina tourna la tête et l'observa. Il était grand et maigre, il avait le cou décharné, les cheveux filasse. Ses épaules, sa poitrine, sa figure n'étaient plus qu'une plaie, hideuse; à la place de sa peau, écorchée plusieurs fois, on voyait des plaques rouges, toute une éruption de boursouflures. Il avait répandu tout un flacon de beurre de cacao sur son corps à vif. Il s'était entêté à ne pas manquer son bain de soleil. « Si jamais une femme devait l'aimer... », se dit Irina. Elle ne savait que penser. Et pourtant, de tels hommes peuvent être aimés, il y a des femmes qui souffrent et qui s'étiolent pour de tels hommes aussi... Elle remarqua alors la main de Lucu près des seins de Luiza. Au premier instant, ce geste la dégoûta. Mais son indignation retomba aussitôt. Pourquoi Dinu n'en faisait-il pas autant, pourquoi ne prenait-il jamais l'initiative? Pourquoi était-ce elle qui devait parler la première, elle qui devait l'embrasser la première? Et pourtant, il était si costaud, il avait une figure si volontaire... Elle le regarda, affalé sur le sable, presque fatigué par un trop long repos de ses membres, les yeux sur la surface bleue de la mer. Il fixait l'eau entre l'horizon et la zone proche du rivage où viennent se briser les vagues, il fixait cette partie qu'il est justement difficile de fixer, qu'il n'est justement pas naturel de fixer.

– Et si je meurs le jour? demanda Lucu, qui, s'apercevant qu'on avait remarqué son manège, retira discrètement sa main. Je meurs le jour, par une belle journée, en plein soleil comme en ce moment. Qu'est-ce que je saurai encore le soir? Quand on est mort, on est mort. A ce moment-là, c'en est fini et de la solitude et de l'obscurité... Qu'est-ce que ça peut encore me faire?

Luiza lui serra le bras.

– Comment peux-tu penser à des bêtises pareilles? s'écria-t-elle sur un ton apeuré, en cherchant à paraître aussi soumise, aussi petite et aussi féminine que possible. (Elle avait trente et un ans, mais elle en avouait dix-neuf; elle s'habillait toujours comme une collégienne et affectait l'innocence effarouchée.) Qu'est-ce qui vous a pris, aussi, de parler de la mort, malheureux? continua-t-elle sur le même ton en se tournant vers Irina et Dinu.

Irina eut l'impression d'avoir déjà entendu cette voix poser cette même question idiote sur la plage, mais longtemps auparavant, en un temps qu'elle ne pouvait pas identifier.

– C'est de ma faute, affirma Cezar Tomescu. C'est moi qui me suis mis à leur expliquer quelque chose de trop compliqué, pour moi y compris. Et, en plus, par cette chaleur...

Il sourit bêtement en les regardant à tour de rôle, en regardant leurs têtes tant bien que mal protégées du soleil, leurs corps à l'horizontale, inertes, presque nus. Personne ne remarqua son sourire stupide et ironique à la fois. « Voilà où j'en suis! Je fais de la philosophie à la plage avec des gens du monde que je connais à peine... »

– D'ailleurs, je file à la buvette, conclut-il. Je suis là depuis vingt-cinq minutes déjà. Demain ce sera un peu plus, si Dieu me prête vie.

Il se leva et passa sa sortie de bain. Lucu l'observait. Une très fugitive grimace quand l'étoffe toucha ses épaules. Mais à peine.

– Ça ne te fait pas mal? demanda Lucu en désignant ses épaules.

– Si, mais je n'y peux rien. C'est parce que je suis blond et que j'ai la peau trop fine. Je ne vais tout de même pas rester enfermé. Je n'ai que quinze jours de vacances, alors je ne peux pas me permettre d'en perdre un seul... Il y a quelqu'un d'autre qui vient?

Seuls les deux amoureux, Irina et Dinu, se levèrent. Irina était un peu gênée par la laideur écorchée et rouge de Tomescu, gênée aussi par ses grandes jambes poilues, par son vieux peignoir miteux.

– Et Pleşa, pourquoi il ne vient jamais à la plage avec nous? demanda Tomescu.

– Il a sympathisé avec David Dragu, l'écrivain, répondit Irina. Ils passent toutes leurs journées ensemble, à bavarder, à s'amuser. Mais Dragu est malade des yeux, il ne supporte pas la lumière trop forte. D'ailleurs, il ne descend à la plage que très tôt le matin et puis le soir, quand le soleil se couche...

– Dommage, dit Tomescu. Nous, nous devons supporter

la conversation de cette bande d'abrutis. Et pas moyen de s'en débarrasser! Ils sont d'une sensibilité...

– C'est à cause de la mer, dit Irina en riant.

– Non, ce n'est pas à cause de la mer. Ils sont devenus sensibles parce qu'ils sont des ignorants ou, pire, des cuistres. La sensibilité est un état louche, un état de suspension. J'ai une théorie...

Il n'eut pas le temps de l'exposer. Ils arrivaient à la buvette. Ils se dirigèrent vers la table où se trouvaient David Dragu, Alexandru Pleşa et Anton Dumitraşcu, qui paraissaient très agités. Dragu pérorait en gesticulant, une paire de lunettes sur le nez, une autre – des lunettes noires – à la main. Il répondit à peine à leur salut.

– ... Il faudrait tordre le cou une bonne fois à cette légende de la province qui tue les talents et qui étouffe les intelligences! Moi aussi, j'y ai vécu, en province, pendant deux ans! Et d'ailleurs, j'en viens. Ce n'est pas la ville de province, ce n'est pas le milieu qui sont responsables. Si les gens sont des ratés, c'est parce qu'ils sont médiocres, parce qu'ils sont stériles, parce qu'ils n'ont pas de substance...

Dinu apporta des chaises, ils se serrèrent autour de la table. Tomescu retira son peignoir; à l'ombre, ses brûlures avaient l'air encore plus sanguinolentes. Dumitraşcu lui lança un regard courroucé – le raclement des chaises l'agaçait, l'impassibilité avec laquelle Tomescu se déshabillait en public et cherchait un portemanteau lui semblait presque une offense.

– Qu'est-ce que ça veut dire, l'influence du milieu provincial sur l'intellectuel? poursuivait Dragu. Un intellectuel véritable résiste à n'importe quel milieu! Je me suis mal exprimé : pas un intellectuel véritable, mais un homme véritable, substantiellement, dont rien ni personne ne peut annuler l'identité, sauf la mort. Si on est soi-même, *soi-même* avant tout, si on a des racines qui plongent profondément dans la vie, dans le concret, rien ne peut nous amoindrir, rien ne peut faire de nous des ratés. On n'est pas plus parfait et réel à New York ou à Paris que dans un bourg de Valachie ou un village de Bessarabie. Un Newton, un Dante, un Kant auraient survécu et créé dans n'importe quelle ville de province roumaine! Ce n'est pas à la ville qu'il faut s'en prendre, mais à l'âme des hommes, qui croient tous qu'une grande ville éclairée à l'électricité rend idéaliste et optimiste, tandis qu'une petite ville boueuse engendrerait des dépressifs et des ratés! L'homme doit demeurer lui-même quel que soit le milieu – c'est à cet homme-là que je crois! Un homme qui n'a pas besoin de décor pour rêver, pas besoin de confort pour être heureux, pas besoin de milieu pour penser...

Alexandru écoutait avec une joie inattendue. Il avait l'impression d'entendre éclaircir des pensées qui l'avaient troublé bien souvent, lorsqu'il se demandait s'il n'avait pas tort de retourner en Roumanie, si certains pays ou certaines villes ne fabriquaient pas des ratés, si le ratage était une prédestination, s'il était en nous ou hors de nous.

– Pourtant, l'intellectuel se heurte à tellement de difficultés en province, dit Anton Dumitraşcu en rougissant légèrement. Il n'y a personne pour le comprendre, l'encourager, l'aider... Bref, il n'y a pas de milieu, voilà, pas de compréhension, pas de moyens de travail...

– Pourquoi auriez-vous besoin d'être compris, encouragé, aidé par ceux qui vous entourent? coupa David Dragu. Est-ce que c'est cela qui fait de vous ce que vous êtes? Ces béquilles, ces prix que décernent les gens? Je ne comprends pas ce que l'encouragement et la compréhension ont à voir avec l'intelligence et le génie!

– Alors on risque de n'être jamais reconnu, répondit Anton. On risque de s'enterrer définitivement dans une...

– Mais, bon Dieu! qu'est-ce que ça peut vous faire d'être ou de ne pas être reconnu? Vous ne comprenez donc pas que ça n'a qu'une importance secondaire, que votre réalisation authentique se fait de façon autonome, grâce simplement à votre force d'âme, sans l'encouragement ou le patronage de qui que ce soit? Toute la confusion vient de là : on affirme qu'il n'y a pas de milieu favorable en province. Et après? En tout cas, il y a des hommes, et les hommes peuvent se réaliser n'importe où, avec ou sans milieu. Ne voyez-vous pas que la littérature roumaine plus que toute autre au monde ne cesse de poser d'une manière pesante et désastreuse ce problème de la ville de province, cimetière des illusions, cloaque sans fond et je ne sais quoi encore? Je pense qu'il y a eu dans la Russie tzariste des villes de province plus déprimantes que celles de la Roumanie moderne, et pourtant la littérature russe ne s'en est pas désolée en cinquante volumes et personne n'a justifié par là son ratage. Au contraire, des âmes extraordinaires s'y trempaient, des conflits y couvaient, des tragédies y éclataient, une philosophie y naissait... Non, ce n'est pas la ville de province qui est responsable, mais l'insuffisance du jeune homme qui succombe après seulement deux ou trois années de lutte. La province est un moyen de sélection. Les hommes véritables, les hommes vivants, entiers, y résistent, ils restent eux-mêmes et réalisent leur vie. Les autres, les médiocres et les amoindris, disparaissent. La ville de province est un moyen de sélection naturelle. Et aussi un moyen de vérification de notre race. Il reste à voir combien d'hommes résistent, peuvent être eux-mêmes dans une ville de province, et combien s'empressent de parvenir, de réussir par la politique.

David Dragu avait parlé beaucoup plus longtemps et plus vite que d'habitude. Anton Dumitraşcu, bien qu'ennuyé de voir rejeter avec tant de véhémence sa thèse favorite, était flatté d'être l'objet de cette longue sortie de Dragu. Il avait fait sa connaissance récemment et, depuis, il ne le lâchait pas d'une semelle dès qu'il le voyait sortir de sa chambre. En partant de Bârlad, il était loin d'espérer avoir une chance pareille : se lier avec un des jeunes auteurs les plus intéressants! Dragu avait publié peu de temps auparavant deux volumes qui avaient remis son nom au goût du jour dans la presse de Bucarest. Lors de ses débuts – quelques années plus tôt dans les colonnes d'un grand quotidien –, il avait été aussitôt remarqué. Mais le temps passait et il en restait au stade d'éternel débutant, sans aller plus loin que des articles véhéments dans toutes sortes de revues. On commençait à penser qu'il n'avait été qu'un espoir sans lendemain, comme tant d'autres jeunes gens usés après quelques années de journalisme. Et on l'avait définitivement considéré comme un raté lorsque, quittant la capitale, il avait renoncé à publier pour se contenter d'un poste de prof de français et de philo dans une obscure cité de province. On avait même parlé d'un deuxième Pavel Anicet : « Rappelez-vous, ce jeune homme qui promettait, au début de ses études, de briller d'un éclat incomparable au firmament de la culture roumaine, et puis qui s'est soudain replié dans sa coquille, qui a refusé de publier, refusé de travailler, qui a gaspillé son temps, pour finir par se suicider. » Comme Pavel Anicet, dont il avait été le meilleur ami, David Dragu semblait avoir renoncé à toute ambition, à tout effort. Pendant près de deux ans, personne n'avait plus rien su de lui. Et tout à coup, alors que ses anciens amis bucarestois le croyaient abruti par la province et la mélancolie, il avait publié deux livres : *Morale de l'animal politique* et *Des eaux printanières.* Le premier était un traité d'éthique qu'il avait commencé à l'époque où il travaillait comme correcteur de nuit dans un quotidien bucarestois et dont il avait publié quelques fragments. Mais personne n'avait cru qu'il l'achèverait. Et, surtout, personne ne s'était douté de l'ampleur de son projet. Or, les deux livres avaient remporté un franc succès.

– Un moyen de sélection, dit Cezar Tomescu, un moyen de vérification de la race... Ne serait-ce pas un peu exagéré? On pourrait utiliser d'autres moyens : par exemple, l'hygiène ou la culture... Pour voir si le Roumain restera lui-même quand il commencera à se laver tous les jours. Moi, je crois que non. On a constaté que l'Église orthodoxe reculait dans les villages où l'on introduisait le savon. Les paysans s'y convertissent simultanément à l'adventisme et à la toilette. Les sectes et l'hygiène marchent la main dans la main... Alors, qu'adviendra-t-il quand nous introduirons des grandes écoles, des bibliothèques, des « milieux culturels »? Dieu sait à quoi ressemblera notre identité roumaine à ce moment-là...

Dragu, qui l'avait écouté jusque-là avec stupéfaction, en remontant deux ou trois fois ses lunettes, qui lui glissaient sur le nez, ne put s'empêcher de l'interrompre :

– Mais c'est un tissu d'énormités! Est-ce que vous pensez sérieusement que l'identité roumaine – et d'ailleurs toute identité – peut se juger sur des modifications superficielles produites par des causes non moins superficielles? Peu importe que le savon amène les sectes avec lui. Vous croyez qu'elles feront disparaître l'Église orthodoxe? Pas du tout! Dans une centaine d'années, les sectes deviendront orthodoxes, elles se fondront dans la grande et unique religion collective, et le paysan y aura gagné le savon, et l'électricité...

Tomescu éclata de rire. Ses dents paraissaient trop blanches, trop belles, déplacées dans sa figure d'écorché.

– Je ne sais pas si vous avez raison, dit-il. En tout cas, elle est formidable, l'image que vous nous présentez : l'éternel paysan roumain grugeant les sectes et les industries modernes et préservant son « identité »... Ce serait grave, très grave. Alors, rien ne pourrait le changer, rien de rien, même pas le savon?

– Mais pourquoi tenez-vous tellement à le voir changer? demanda Alexandru, que commençait à irriter la tournure que prenait la discussion.

– Parce que j'ai une haute idée de l'être humain, répondit nonchalamment Tomescu. Si j'aime beaucoup les Roumains tels qu'ils sont aujourd'hui, je dois avouer que je les aime encore plus dans l'éternité. Et je redoute que ma nation périsse si elle ne change pas... Malheureusement pour nous, l'homme parfait ne s'arrête pas au niveau du Roumain...

– C'est absurde, absurde et énorme! s'écria Dragu. Qu'est-ce que ça veut dire, « l'homme parfait »? Encore l'éternelle abstraction, l'éternelle...

Il s'interrompit, un bras en l'air, à la recherche d'un mot fort, d'une expression crue. Tomescu ne lui laissa pas le temps de trouver :

– L'homme, l'homme parfait n'est pas une abstraction et ne peut pas être une utopie. Que cela nous plaise ou non, cet homme parfait a existé plusieurs fois sur terre et nous n'avons aucune raison de penser qu'il ne réapparaîtra plus. L'homme parfait n'est pas un summum, il n'est pas un aboutissement. Il peut se révéler à n'importe quelle époque, bonne ou mauvaise. Ainsi, il est apparu durant une centaine d'années (dans certaines parties du monde, bien sûr) juste après l'avènement du Christ. Ensuite, mais pas longtemps, lors de la première croisade. Il a aussi vécu dans quelques villes pendant la Renaissance. Puis au début du dix-neuvième siècle, oui, du dix-neuvième... Mais également avant Jésus, à l'époque de Bouddha, par exemple, ou à celle des tragiques grecs...

– Bon, bon, fit Dragu, impatient, je vois que vous nous énumérez là les principales étapes de l'histoire universelle...

– Pas toutes, dit Tomescu avec un sourire désabusé. Car, malheureusement, l'homme parfait n'a pas été présent à toutes les étapes essentielles de l'histoire, mais à certaines seulement. Celles où une collectivité, grande ou petite, s'est rendu compte d'une chose simple, très simple : la mort existe.

Il avait parlé sur un ton affecté, théâtral; lentement, en marquant les virgules et les points, en regardant à tour de rôle ses interlocuteurs dans les yeux. Il le faisait pour les énerver, pour les forcer à ricaner. Il voulait se sentir seul parmi eux, vraiment isolé, tenu à l'écart par leur ironie, et, malgré tout, leur dire tout ce qu'il pensait sur ce sujet.

– Pardon, dit Dumitraşcu, je vous ferai remarquer que les hommes se sont rendu compte de tout temps que la mort existait.

– Inexact, répliqua Tomescu en souriant d'un air faux, tout à fait inexact. Il ne s'agit pas de la mort biologique, ni de toutes les superstitions qui s'y rattachent. Il s'agit d'autre chose : de l'obsession de la mort au sein d'une collectivité qui commence à souffrir, à s'interroger, à espérer, à créer en pensant à la mort. Aussi petite que soit cette collectivité, et même si elle n'est formée que d'une élite, son influence autour d'elle est énorme. Et une telle influence engendre l'homme parfait. Se rendre compte qu'on mourra, pas le *constater,* mais le *savoir...* Ce fut le cas des premières générations qui ont suivi Bouddha et Jésus, ce fut le cas du temps des tragiques grecs et des premiers croisés... On vit autrement quand on sait que la mort existe, et peu importe qu'on espère en une autre vie, au ciel, comme les chrétiens, ou qu'on en doute, comme les Grecs et les bouddhistes...

– Où sont, dans tout cela, la Renaissance, le début du dix-neuvième siècle? demanda Alexandru.

– Excellente question, répondit Tomescu, toujours aussi théâtral. Pendant la Renaissance, la gloire, l'érotisme, l'aventure, tous ces idéaux servaient aux élites d'instruments pour supprimer la mort, oui, *d'instruments !*

Il fit une pause, comme s'il s'attendait à un tollé général, puis il reprit, d'une voix plus sèche :

– Et, au milieu du dix-neuvième siècle, on a assisté à quelque chose de grave, de grave et de très triste : le spiritisme. On s'est mis à imaginer une vie *post-mortem* confortable, agrémentée d'apparitions bien mises en scène, de conversations presque téléphoniques, de manifestations positives, puisque, ne l'oublions pas, le positivisme était à la mode... Et pourtant, il y a eu à ces deux époques de courtes périodes propices à l'homme parfait. Aussi vulgairement qu'il ait imaginé la mort, n'empêche qu'il l'imaginait. Tandis qu'il y a des époques où plus personne ne l'imagine.

Il baissa les yeux, comme s'il avait brusquement honte d'avoir tant parlé. Anton Dumitraşcu donnait des signes d'impatience, il tournait de plus en plus souvent la tête en direction de la plage.

– Tenez, poursuivit néanmoins Cezar Tomescu, en ce moment, en Russie soviétique, il se passe quelque chose d'ahurissant. On tente d'effacer complètement la réalité de la mort, de façonner des gens qui accepteraient la mort aussi simplement qu'un divorce. C'est très grave. Si l'homme oubliait totalement l'existence de la mort, l'existence d'une *fin,* il risquerait de retourner au singe. L'explication est simple : ce qui stimule surtout l'homme actif, l'homme créateur, c'est l'idée qu'un jour tout s'achèvera et qu'il aura une fin, un repos définitif. Cultivez au maximum la conscience de cette fin, et vous obtiendrez des hommes qu'ils fassent les efforts les plus extraordinaires. Celui qui sait qu'il mourra un jour, et qui le sait *en permanence,* celui-là est capable de déplacer les montagnes, il est capable des libertés les plus acharnées, des actes les plus courageux. « Puisque je dois mourir de toute façon, se dit-il, au moins j'en aurai fait le plus possible et le plus librement possible... » Les Russes veulent que les hommes oublient la signification de la mort, qu'ils la prennent pour un fait quelconque. Eh bien, en quelques générations, ces hommes-là deviendront paresseux, indifférents, presque inconscients. Ils ne sauront plus qu'ils ont une *fin*... Ils le sentiront instinctivement, comme les bêtes, sans le transformer en énergie, en construction. C'est très grave...

Tomescu était le premier à s'étonner que personne ne l'eût interrompu. Dragu l'avait écouté très attentivement, mais le problème lui paraissait trop grave pour le discuter dans ces circonstances. Au départ, ils parlaient de choses bien plus simples. Alexandru crayonnait machinalement sur les marges d'un journal. Il connaissait trop peu Tomescu, qui lui donnait toutefois l'impression d'être un de ces intellectuels qui discutent de n'importe quoi avec n'importe qui.

Dumitraşcu se leva brusquement :

– C'est à vous rendre cinglé! Voilà deux heures que je l'attends! Qu'est-ce qu'elle peut bien faire depuis tout ce temps?

Irina ne put s'empêcher de sourire en le regardant d'un air amusé. Il rougit et bredouilla :

– Excusez-moi d'interrompre la conversation, maintenant surtout... Mais il faut que je retrouve ma femme...

Il la retrouva, dans leur chambre, au lit, très pâle. Elle lui sourit et dit, rassurante :

– Ce n'est rien. J'ai eu mal au cœur, il y a une heure environ, mais maintenant je me sens très bien... C'est sans doute le changement d'air...

Quelques jours plus tard, Anton la trouva de nouveau dans leur chambre, alors qu'il l'attendait sur la plage tout en parlant avec David du roman moderne. Allongée sur le lit, tous les oreillers sous la tête, elle avait l'air très fatiguée. Sa figure était vieillie, fanée.

– Mais tu es malade, ma chérie! s'écria Anton en lui prenant la main.

– Je te jure que je n'ai rien, tu peux me croire... Je me sens un peu fatiguée, c'est tout.

– Je vais appeler un docteur!

Maria Dumitraşcu protesta vivement. Ils n'étaient pas assez riches, et les vacances coûtaient trop cher, pour aller de surcroît jeter leur argent par les fenêtres en payant aux médecins des consultations inutiles! En vérité, elle venait d'apprendre qu'elle était enceinte. Le premier signe avait été constitué par un malaise, un jour où elle cherchait son mari sur la plage et où des voisines avaient dû la ramener dans sa chambre. Elle les avait priées de ne rien dire à Anton : elle voulait lui annoncer la nouvelle elle-même. En fait, elle se demandait si elle devait lui en parler. Car Anton lui avait déclaré à plusieurs reprises qu'il ne voulait pas avoir d'enfant pour le moment, au début de sa carrière d'enseignant et d'écrivain.

Il lui disait :

Laisse-moi d'abord finir mes *Effondrements*...

Il se disait :

« Un loupiot, des cris, des langes, des maladies! Adieu, quiétude de mon bureau; adieu, rêves de ma jeunesse... »

« Et puis, supputait Maria, si je lui annonçais ça maintenant, alors qu'il vient de trouver un groupe d'amis avec lesquels il peut bavarder toute la journée, sûr que ça ne le mettrait pas de bonne humeur. »

Elle commença à s'inquiéter quand ses malaises se répétèrent. A sa connaissance, ce n'était pas normal. Mais elle hésitait toujours à se confier à Anton et, d'autre part, elle n'osait pas aller voir un médecin, qui, en cas de complications, risquait de la renvoyer à Bârlad. Et de gâcher du même coup les vacances d'Anton. Qui se sentait si bien, si heureux ici, qu'un retour prématuré à la maison ne pouvait que le déprimer pour un bon bout de temps.

Anton retrouvait tous les jours le même groupe : Alexandru, Irina et Dinu, David, Cezar, Lucu et Luiza. Une sorte de complicité s'était établie rapidement avec Irina parce qu'elle était une amie de sa sœur Elena, Marcella Streinu comme on l'appelait ici. Anton s'était amèrement plaint de l'injure faite aux Dumitraşcu par Mitică Gheorghiu, qui avait honteusement abusé de leur bonne foi. Honteuse aussi, Marcella avait dû renoncer à ses vacances à la mer : elle le leur avait écrit elle-même, dans une lettre déchirante (à la vérité, Marcella attendait que Jean Ciutariu fût en vacances pour l'accompagner à la montagne, où il voulait passer le mois d'août à composer). Mais ce que recherchait surtout Anton, c'était l'amitié de David Dragu, qui, bien que n'ayant que deux ans de plus que lui, le fascinait par sa maturité et sa personnalité. Ses conversations avec David étaient réconfortantes, même quand elles l'irritaient ou l'humiliaient. Car David avait une manière dure de parler aux gens; une dureté qui s'apparentait parfois au mépris. Alexandru Pleşa était le seul avec lequel il se conduisait différemment : il lui parlait d'une façon familière, le prenait par le bras, l'invitait à manger à sa table. Ils avaient fait connaissance depuis peu, mais dans des circonstances particulières. David Dragu avait envoyé ses deux livres à Petru Anicet et, dans la lettre qui les accompagnait, il mentionnait qu'il passerait le mois de juillet à Movilă et que, à l'automne, il reviendrait s'établir à Bucarest, où il avait été affecté, d'ailleurs sans l'avoir demandé. Alexandru avait fait le voyage de Movilă surtout pour le rencontrer. Et, bien qu'étant venu avec tante Aristie et Irina, il passait presque tout son temps avec Dragu, abandonnant la table familiale pour prendre ses repas à celle du jeune écrivain. Cette intimité, Anton en rêvait. D'abord, Dragu lui plaisait beaucoup. Et puis, étant donné le succès de ses livres, son amitié l'aurait aidé à trouver un éditeur pour *Effondrements* ou à publier ses manuscrits dans les grandes revues bucarestoises. Cependant, malgré tout le mal qu'il se donnait, il n'arrivait pas à obtenir la cordialité des rapports qu'il devinait entre David et Alexandru ou Cezar. Il se heurtait même à une réserve non dissimulée, mais il ne désarmait pas. Dans le groupe, on avait vite remarqué son assiduité et on l'avait surnommé « le pot de colle maritime ». David ne supportant pas le soleil, Anton avait renoncé à aller à la plage aux heures normales et il n'y descendait que lorsqu'il le savait enfermé dans sa chambre. Anton avait toujours une question à poser, un avis à demander, un détail à se faire éclaircir, et, chaque fois qu'il engageait la conversation, il essayait de donner l'impression de n'être venu que pour cela, de vouloir repartir aussitôt, nullement amateur d'interminables bavardages, surtout à un moment où il était en plein travail. Mais il restait là, naturellement, jusqu'au moment où le groupe se dispersait. Aucune promenade en bateau la nuit ne se faisait sans lui. Lorsqu'on avait décidé d'organiser une excursion en voiture à Balcic et Caliacra, il voulait en être, mais Maria avait refusé, sous prétexte qu'elle ne supportait pas la chaleur, et il avait dû y renoncer aussi. Cette journée-là, il l'avait entièrement passée dans leur chambre, à écrire. Maria était heureuse : il était là, à côté d'elle, et elle le voyait en train de créer.

Un soir, Anton rencontra Luiza, Lucu, Irina et Dinu qui redescendaient la colline.

– Nous sommes allés jusqu'à Tuzla, dit Lucu.

– Tu as bien fait de ne pas venir avec nous, ajouta Irina. Ces jeunes gens ont dit du mal de toi...

Anton sourit, très embarrassé. Il essaya d'esquisser un geste désinvolte, mais il le manqua.

– Ils affirment que tu négliges ta femme, précisa-t-elle. Comme tous les intellectuels, d'ailleurs... Je me demande pourquoi vous vous mariez, vous autres, les intellectuels, les écrivains, les philosophes...

Il y avait une certaine dureté dans sa voix. Elle parlait pour Dinu, car le couple Dumitraşcu ne l'intéressait guère. Là-haut, sur la colline, pendant qu'ils rentraient de Tuzla, Dinu avait tenu des propos contradictoires : d'une part, il accusait Anton de garder sa femme enfermée toute la journée dans leur chambre, et, d'autre part, il prêchait la liberté absolue des hommes, qui – prétendait-il – se doivent d'abord à eux-mêmes.

– Mais je ne la néglige pas, protesta gauchement Anton.

Elle est comme ça, elle n'aime pas la société... Et en plus, en ce moment, elle est un peu malade.

– Qu'est-ce qu'elle a?

– Je ne sais pas, elle ne veut pas me le dire.

Luiza le regarda dans les yeux et lui demanda, sur un ton partagé entre l'ironie et la défiance :

– Tu es bien sûr de ne pas savoir ce qu'elle a?

– Mais certainement! se récria Anton.

– Alors, moi, je vais te le dire! s'exclama Luiza. Je ne voulais pas en parler devant eux, mais puisque tu affirmes ne pas être au courant...

Cependant, elle hésitait encore.

– Je vous donne ma parole d'honneur que je n'en sais rien, déclara Anton. Je voulais faire venir un docteur, mais elle a refusé...

– Eh bien, tu ferais mieux d'en appeler un au plus vite, dit sèchement Luiza. Je regrette que ce soit moi qui doive te l'apprendre, mais sache que ta femme est enceinte.

Anton rougit, la regarda d'un air hébété, puis regarda les autres. Il éprouvait plusieurs sentiments en même temps : la peur d'une grossesse difficile, l'humiliation d'être prévenu par une vague connaissance devant d'autres vagues connaissances, le dépit de constater que Maria avait décidé d'avoir un enfant sans se soucier de lui, qui n'en voulait pas... Les autres n'étaient pas moins embarrassés. Ils ne se doutaient de rien, bien entendu, et la brusque révélation de Luiza les prenait au dépourvu.

– Si je te le dis, poursuivit Luiza d'un ton détaché mais sérieux, c'est parce que je suppose qu'elle se tait de peur de gâcher tes vacances...

– Mais c'est impossible! s'écria Anton. Quelle bêtise... Ne pas me prévenir... Excusez-moi... Il faut que... Je vais faire venir un...

Luiza l'interrompit. Elle avait l'air plus sévère, vieillie. Elle n'arborait plus son masque ni sa voix de gamine.

– Je te prie de ne pas lui dire que c'est moi qui te l'ai appris. Je le tiens moi-même d'une de nos voisines. De toute façon, tu devais bien finir par le savoir... Le mieux, ce serait que tu la questionnes comme si de rien n'était...

Anton, écarlate, remercia et tourna les talons. Il s'efforçait de marcher d'un pas rapide mais assuré, le pas d'un homme résolu, au regard dur mais au cœur tendre.

– Voilà où nous en sommes! commenta Luiza, mi-triste, mi-moqueuse. Quelle fichue jeunesse!

– Au fond, s'il n'était pas au courant, ce n'est quand même pas sa faute, remarqua Lucu.

Luiza le toisa avec un immense mépris. D'ailleurs, depuis qu'elle était allée passer la nuit dans sa chambre, elle le regardait presque toujours avec mépris. « Encore un qui n'est pas l'amant de mes rêves, encore un qui ne sait pas endormir une femme après lui avoir fait l'amour... »

– Bien sûr, répondit-elle, il faudrait tout vous mâcher! Mais un homme, ça doit avoir de l'imagination, et de la présence, surtout de la présence... Voilà un petit monsieur qui prétend nous tartiner des romans psychologiques et qui ne sait même pas que sa femme est enceinte! Vous ne trouvez pas ça scandaleux, vous? Vous vivez tous dans les nuages, vous vivez chacun avec une idée, ou avec une obsession...

Irina l'interrompit, contente d'avoir trouvé une alliée. L'égoïsme des hommes, tel était son sujet de prédilection. Égoïsme dans l'amour, égoïsme dans le confort, égoïsme dans la souffrance. Refuser jusqu'à la consolation quand on est triste et seul, y a-t-il pire preuve de l'égoïsme masculin?

– C'est une loi générale, dit-elle avec une indifférence feinte. Les hommes ne peuvent connaître que ce que leur permettent leurs instincts. Or, ils ont de ces instincts...

Et elle éclata de rire, en faisant un clin d'œil rusé.

– Tandis que les femmes, reprit-elle, sont toujours tentées par une connaissance contraire à leurs instincts, par une expérience qui les fait souffrir, toujours.

Et elle souligna le mot « toujours ». Elle se tourna vers Luiza, mais elle pensait à Dinu.

– Les femmes ne possèdent pas l'instinct de conservation, voilà tout, poursuivit-elle. Une femme amoureuse n'est jamais distraite, il n'y a pas de recoin de son cœur où elle n'introduise pas la présence de celui qu'elle aime...

Elle pensait à Dinu, elle pensait à Alexandru, si serein, si « lui-même » après le suicide de cette malheureuse jeune fille. Pouvoir être sûre des pensées d'un homme, certaine qu'il ne cache pas derrière son front des secrets qu'on ne percera jamais, certaine de s'y trouver, et de s'y trouver seule... « Ah! pourquoi sommes-nous condamnées à aimer des " intellectuels ", pourquoi ne sommes-nous pas nées dans d'autres classes, où les hommes ne pensent pas, où les femmes ne doutent pas, où l'amour est simple et monotone? »

– La femme n'est pas moins esclave des instincts, répliqua Dinu. En particulier de l'instinct de conservation de l'espèce, qui, vous n'êtes pas sans le savoir, est plus fort que l'instinct de conservation individuelle. C'est ce qui explique que l'amour soit absolu chez la femme : elle s'oublie, elle s'oublie jusqu'à s'annihiler afin de garder l'homme qu'elle aime, c'est-à-dire le mâle, le futur géniteur de son enfant...

Irina rougit. « Mais ce n'est pas cela, mon Dieu, ce n'est pas cela! Pourquoi une aussi lamentable confusion? »

– L'amour de l'homme est plus vite consommé. Dès que l'instinct de conservation de l'espèce est assouvi, l'autre instinct capital, l'instinct de conservation individuelle, reprend le dessus. Et voilà l'homme de nouveau seul, loin de sa maîtresse... Toutes ses pensées, qui vous exaspèrent parce qu'il ne vous en entrouvre la porte que rarement, et alors même à contrecœur, ne sont qu'un habillage de ses instincts individuels. Le pauvre, il souhaite simplement rester seul, c'est-à-dire rester vivant, intact. L'amour absolu est un petit attentat biologique. Personne ne peut y résister... La solitude de l'homme est peut-être bien égoïste, mais il n'est pas moins égoïste, le désir de la femme d'être tout le temps avec lui, dans son cœur, dans son âme, dans ses rêves même...

Les longues discussions sur des thèmes rebattus ennuyaient Lucu. Il scruta la mer, déjà sombre à cette heure.

– On aperçoit la navette de Constantinople, dit-il.

Les autres s'arrêtèrent un instant et tournèrent la tête vers le point rouge que leur indiquait Lucu. Irina était triste, lasse. « Dire qu'il a fallu que ce soit Dinu qui me serve des arguments pareils, tirés des livres de classe : la conservation individuelle, la conservation de l'espèce! »

– Écoutez, dit Luiza, n'en parlez pas... ne parlez pas de cette affaire des Dumitraşcu. C'est eux que ça regarde...

***

Anton frappa. Pas de réponse. Il tourna la poignée. La porte était fermée à clé. « Elle doit dormir, se dit-il. Pourtant, à cette heure-ci... » Il frappa de nouveau, appela. Maria lui répondit d'une voix faible :

– Excuse-moi, Tony, je ne me suis pas encore habillée. Je vais t'ouvrir tout de suite...

Mais la porte resta close. Maria était trop faible pour se lever et nettoyer sa vomissure.

– Ouvre-moi comme tu te trouves, je suis seul! cria Anton.

Pas de réponse. Il commença à s'inquiéter : Lui serait-il arrivé quelque chose? Se serait-elle évanouie? Et puis, brusquement, cette question : une fausse couche? Il eut alors très peur et frappa à coups redoublés.

– Je ne peux pas descendre du lit, dit Maria d'une voix à peine audible.

Anton en eut les jambes coupées et dut s'adosser au mur. Il la voyait dans une mare de sang, en train d'avorter. Tous les mystères de la grossesse et de l'accouchement, dont il n'avait que la plus vague idée, lui semblaient à présent extrêmement dangereux, mortels peut-être... Il se pencha pour regarder par le trou de la serrure, tout en sachant pertinemment que la clé était sur la porte. Il fallait l'enfoncer! Ou bien, essayer de passer par la fenêtre... Mais il eut beau la secouer, elle était fermée aussi. Il courut, hébété, chez le propriétaire.

– Ma femme s'est trouvée mal dans notre chambre, et la porte est fermée à clé!

Il avait les traits décomposés, ses jambes tremblaient. Il

n'était jamais passé par une panique pareille. La situation lui paraissait catastrophique et il se promettait d'offrir une fortune à quiconque pourrait ouvrir la porte et sauver Maria.

Il fallut casser un carreau pour tourner l'espagnolette. Anton sauta aussitôt dans la chambre. Une odeur fétide frappa ses narines. Maria, très pâle, les yeux cernés, se mordait les lèvres pour ne pas geindre. Anton ouvrit la porte et envoya quérir un médecin. Puis il s'approcha de Maria et lui prit la main. Il avait envie de pleurer, de tomber à genoux, de lui demander pardon. Maria suivait chacun de ses gestes d'un regard vitreux. Tout à coup, elle lui serra fortement la main. Anton fut glacé d'effroi : quelque chose allait-il arriver en ce moment, quelque chose pouvait-il arriver tout de suite? Maria gémit, livide. Une voisine, mise au courant, entra avec des sels, mais elle comprit immédiatement qu'ils étaient superflus.

Le médecin, spécialiste seulement en vénérologie, crut pouvoir diagnostiquer une appendicite.

– Voyez-vous, c'est qu'en plus elle est enceinte, lui dit Anton.

Et ils se regardèrent, en silence, comme si de leur silence dépendait le sort de la jeune femme.

Ce soir-là, au dîner, Cezar fut le premier à remarquer l'absence d'Anton.

– Sa femme est malade, dit Lucu en essayant de ne pas avoir l'air de s'en moquer.

– Comme quoi les épouses peuvent servir à quelque chose, dit Cezar. Au moins, quand elles tombent malades, elles gardent leur mari à la maison.

Puis il se tourna vers Alexandru :

– Ce sera comment, dans l'État futur? Ce sera la monogamie, ou la parfaite liberté?

Alexandru s'étonna :

– Peu importe cette question sexuelle et sentimentale.

J'ignore ce que veut dire cet « État futur », mais je suis certain que nous nous affranchirons complètement de tout chantage passionnel...

– Alexandru, tu es monstrueux! lança Irina, qui écoutait depuis la table voisine.

– Je parlais seulement pour les hommes, répliqua sèchement Alexandru.

Dinu éclata de rire. Il la trouvait tordue, cette logique bonne seulement pour les hommes. Pourquoi pas, alors, une morale, une métaphysique, une esthétique réservées aux hommes?

– Quand donc es-tu devenu révolutionnaire? demanda-t-il à Alexandru. Depuis quand t'occupes-tu de l'État futur?

– C'est une perfidie de Cezar, et ça ne m'intéresse pas : l'État se fait toujours seul. Cela dit, oui, je suis un révolutionnaire, comme tout homme qui veut vivre sa vie librement...

– Alors, qu'est-ce que tu fais de ton expérience militaire? interrogea Cezar, à qui Alexandru avait expliqué pourquoi il avait demandé à être versé dans une garnison de province. Est-ce qu'il ne s'agissait pas d'une forme de vie collective, très rigoureuse en plus? Quel est le rapport avec une vie libre?

Alexandru hésita quelques instants avant de répondre.

– J'ai vaguement le sentiment que la liberté individuelle est un état imparfait de la liberté, dit-il enfin, d'un ton blasé. Vaguement et confusément, je l'avoue. Je crois pourtant que la liberté collective, celle de l'espèce humaine si possible et, sinon, d'une branche au moins de cette espèce, est bien plus grandiose, bien plus euphorique...

Irina, qui l'écoutait en souriant, l'interrompit :

– Rappelle-toi pourtant quel genre d'expérience collective tu as connu au régiment!

C'est qu'ils sont exaspérants, ces garçons qui échafaudent théorie sur théorie, mais qui, placés devant leurs responsabilités, quand ils doivent dire « oui » ou « non », prennent leurs jambes à leur cou. Alexandru parle de liberté collective, et il laisse mourir une jeune fille qu'il aimait...

– « Liberté euphorique », ce n'est pas mal, dit Cezar. Une liberté collective de l'espèce humaine... Certes... Il y a la liberté dionysiaque, celle d'un troupeau parfaitement et également intoxiqué qui galope la nuit par monts et par vaux pour se repaître de la proie sacrée... Maintenant que nous sommes civilisés, la liberté de l'espèce humaine s'obtiendra dans des régiments parfaitement et également intoxiqués par un mythe collectif... Quel uniforme avez-vous choisi, vous, les soldats de la liberté euphorique?

Alexandru se mit à rire de bon cœur.

– Tu as raison, dit-il, tu as tout à fait raison. Ces choses-là, quand on les dit autour d'une table bien garnie, dans une station balnéaire chic, devant des amis intelligents, elles paraissent toujours ridicules ou à tout le moins absurdes. Oui, il ne faut jamais les dire *ici.*

Il souligna le dernier mot, et sa figure s'assombrit.

– Il faut peut-être les dire seulement dans les casernes ou les champs de tir, devant les régiments euphoriques, ironisa Cezar.

– Non, pas non plus. On ne doit les dire que lorsqu'on sent sa vie en danger, sa liberté menacée. Lorsqu'on est humilié, diminué par les gens qui nous entourent, lui rétorqua Alexandru, d'une voix dont le sérieux, l'amertume même contrastaient avec le ton généralement mi-plaisant, mi-fade de leurs conversations.

– Alors, dit Cezar, sache que la liberté collective dont tu rêves ne peut se réaliser que dans une ivresse collective, dans une exaltation uniforme... Il y a des époques où de telles exaltations uniformes atteignent effectivement des sommets extraordinaires. Par exemple, l'exaltation des croisés, ou celle des foules qui s'enfuyaient devant les barbares. Mais de pareilles exaltations collectives ne sont pas « euphoriques », elles sont réelles, elles correspondent à une expérience collective réelle. Il s'agissait de « libertés collectives » parfaites parce que les gens étaient dominés par le sentiment de la mort, qu'ils redoutaient ou vers laquelle ils se dirigeaient avec joie. Oui, un sentiment grandiose était présent : la mort. Sentiment qui leur permettait de se racheter pour toute la bestialité et la médiocrité de la vie qu'ils avaient menée jusque-là. Ils savaient que la mort les attendait et cela les élevait au-dessus du plan biologique des trop féconds mammifères pour les amener au plan humain, au plan de l'homme parfait. Tandis que vous autres, aujourd'hui, vous prêchez la liberté collective au nom de la panse ou de la race...

– La faim est humiliante, coupa sévèrement Alexandru. La faim humilie l'homme plus que la mort. Peu m'importe la mort, ce qui arrivera quand j'aurai crevé; ce qui m'importe, et m'importune, ce sont tous ces obstacles qui m'humilient, qui me diminuent à mes propres yeux.

– Tu te trompes, dit paisiblement Cezar. La faim ne peut humilier qu'un homme comme toi, qui se pose le problème de l'humiliation. Les autres, les hommes qui appartiennent à l'animalité, la faim ne les humilie pas, tout comme elle n'humilie pas les animaux. A-t-on jamais vu un animal affamé humilié? Non, il est seulement apathique ou, au contraire, nerveux. Les hommes qui ont faim sont des révoltés pour des raisons biologiques, pas pour des idées morales ou sociales. Un homme affamé tue comme un loup et puis il dévore...

– La faim dégrade toujours, affirma Alexandru. Le fait même – comme tu l'avoues – qu'elle renvoie l'homme dans le biologique est dégradant.

– Elle ne l'y renvoie pas. Il y était depuis longtemps, il s'y sentait comme chez lui. Quand il n'avait pas faim, il ne tuait pas, c'est vrai, mais il mentait, il volait et violait.

Alexandru s'énerva :

– Nous parlons pour ne rien dire! Qu'il y ait été ou non avant, je m'en moque! Je constate une chose : *il y est* maintenant, et ça me suffit. Aujourd'hui, ça m'est égal, parce que j'ai à manger, ce qui me permet de demeurer moi-même. Mais demain, si je n'ai plus à manger, je risque de devenir un autre, de changer d'idées et de sentiments. Voilà ce qui est intolérable, voilà ce qui est humiliant : savoir que, à cause de son ventre, on peut être un génie aujourd'hui et un imbécile demain, un philosophe aujourd'hui et un chef d'insurrection demain, aimer Paul Valéry aujourd'hui et Ilia Ehrenbourg demain! Peut-on tolérer de pareilles humiliations?

– Pourquoi pas? répondit Cezar, toujours aussi calme. Il n'y a pas que la faim pour humilier l'homme. Tout l'humilie, tout le menace dans son identité. Ne trouves-tu pas humiliant de savoir que tu aurais pu être totalement *un autre* si tu étais né à New York au lieu de naître à Bucarest? Nous sommes tous *par hasard* ce que nous sommes. Nous aurions pu lire d'autres livres, connaître d'autres gens, voyager dans d'autres pays, aimer d'autres femmes... Vous tous qui aimez (il fit un geste vague en direction d'Alexandru, Lucu, Irina, Dinu), est-ce que vous ne vous trouvez pas humiliés dans l'absolu de votre amour lorsque vous pensez que c'est *par hasard* que vous avez rencontré celui ou celle grâce à qui vous avez pu réaliser cette merveilleuse expérience? Ce n'est donc pas l'humiliation qui occupe le centre de notre discussion, mais une question plus simple : qu'est-ce qui met l'homme face à la réalité? Qu'est-ce qui le fait penser, de tout son être? Qu'est-ce qui le fait sortir du biologique, sortir même du psychologique? Une seule chose : la contemplation de la mort, l'attente, la pensée de la mort, appelez cela comme vous voudrez. C'est seulement quand un groupe humain se pose directement et passionnément ce problème – un groupe humain, j'insiste là-dessus, pas un simple individu –, c'est seulement alors qu'on obtient la liberté et la révolution et le sens de l'existence et toutes ces choses après lesquelles vous courez... Mais, à ce que je vois, le monde moderne ignore ces expériences collectives stimulées ou alimentées par la présence de la mort, par le sentiment que l'homme est mortel, qu'il existe une âme, qu'il existe au moins une mort. Les expériences collectives d'aujourd'hui viennent du ventre. Les malheureuses!

Dinu était fasciné. Quel débit, pour un garçon apparemment si mou! Quels graves problèmes chez un fonctionnaire des chemins de fer! Dans leur groupe, personne ne connaissait bien Cezar Tomescu. Ils savaient de lui ce qu'il avait bien voulu leur confier lui-même : il était employé à l'économat de la gare de Craiova, il avait passé un an à Bucarest, rien qu'un an mais cela lui avait suffi pour s'y ennuyer et il avait demandé à retourner en province; il avait appris l'anglais et le russe tout seul, sans professeur, et il était insomniaque. « J'ai dû étudier tout le temps pour ne pas me suicider, avait-il dit un jour. Entre la culture et la neurasthénie, j'ai choisi la première. » « Il y a partout des talents qui sommeillent, méconnus de tous, pensait Dinu. Des gens exceptionnels passent à côté de nous, anonymes, alors que nous admirons bêtement toutes sortes de cuistres simplement parce que la presse et " l'opinion publique " en parlent, parce que la politique et la littérature ont répandu leur nom... »

Alexandru allait répondre, sérieusement, à Cezar, qu'il s'était éloigné du sujet, lorsque Luiza entra dans la salle et vint à leur table.

– Maria Dumitraşcu va assez mal, annonça-t-elle, soucieuse. Elle doit prendre demain matin le premier train pour Constantza. Il faut l'opérer d'urgence...

Assaillie de questions, elle hésita avant de répondre :

– Ce n'est pas sûr, mais il s'agit sans doute d'une grossesse extra-utérine...

Ils se turent tous. Ils entendirent, à une table voisine, une voix de baryton que leur conversation avait couverte jusque-là :

– Qu'est-ce que ça peut faire, que je lui ai dit, qu'est-ce que ça peut faire si la douane est chère? Vous, combien vous payez cash?

Irina était impressionnée. Elle demanda, inquiète :

– C'est grave? Est-ce qu'il y a... est-ce qu'il y a des risques?

On entendit à nouveau la voix de baryton, très proche, très nette :

– J'ai tout de suite vu où il voulait en venir. Non, que je lui ai dit, très peu pour moi...

Luiza rapprocha sa chaise de la table :

– C'est assez grave. Pauvre femme... Sans compter que, jusqu'à Constantza...

Encore une pause. A la table voisine, quelqu'un répondit enfin :

– Ça dépend comment on le prend. Moi, je serais toi, j'y aurais pas envoyé dire...

– Mais Anton, il ne se doutait donc de rien? demanda Cezar, qui regrettait maintenant ses propos ironiques sur les maladies des épouses.

Luiza soupira et haussa les épaules en guise de réponse.

Alexandru se sentit soudain déprimé – une indicible, une absurde tristesse. Il voulut se ressaisir – au diable ces sentimentalismes! –, mais il n'y arriva pas. Il fixait le fond de son verre en s'abandonnant entièrement à un stupide état de vacuité.

Il regrettait surtout de ne pas avoir eu le temps de répliquer à Cezar. Il regrettait que son adversaire ait eu le dernier mot. Il avait tant de choses à lui répondre, tant de choses à préciser. Et tout cela avait été irrémédiablement écarté par une nouvelle idiote, une de ces nouvelles qui vous rendent triste sans rien vous offrir en compensation, sans vous inciter au moins à la contemplation. Vraiment, à quoi bon apprendre les malheurs d'autrui?

Un couple très jeune passa à côté d'eux. La fille marchait devant en riant. Son rire était soit artificiel, soit d'une extraordinaire sincérité.

– Je te jure que je n'ai pas peur, disait-elle, tu peux me croire! Je nageais avant d'avoir dix ans... Et jamais jusqu'ici...

Luiza rompit le silence, nerveuse :

– N'en parlons plus, ça pourrait lui porter malheur... Reprenez plutôt votre conversation.

XII

Quelques jours plus tard, les vacances de Cezar s'achevèrent. Personne ne le salua à son départ, car il était trop tôt : huit heures du matin. Il avait loué une voiture avec Anton, qui allait voir Maria à Constantza. On venait de l'opérer et il n'avait pas encore de nouvelles. Anton aurait préféré pouvoir rester à Constantza pour être plus près d'elle, mais il n'avait presque plus d'argent et le mandat qu'il avait réclamé par télégramme à Bârlad n'était pas encore arrivé. Il était donc rentré à Movilà, où la chambre était de toute façon payée à l'avance.

– Vous pensez que c'est grave? demandait-il à tout un chacun. Ça peut vraiment être grave?

Il quémandait à tout venant consolation et réconfort, car son imagination lui représentait toujours la même scène : Maria sur le billard, blême, les bras croisés sur la poitrine. Il n'osait pas formuler l'image, se dire : « Elle est morte! » Les détails se bousculaient de façon incohérente dans le film qu'il se projetait : Maria se trouvait sur la table d'opération, entourée de médecins en blouses blanches, et pourtant elle avait les bras croisés sur la poitrine.

– Tu crois qu'il pourrait lui arriver quelque chose? demanda-t-il à Cezar dès que l'auto démarra.

Bien sûr, il peut lui arriver quelque chose, bien sûr! Avec tous ces hommes vêtus de blanc et masqués de gaze (comme dans les films qu'il avait vus), ces hommes aux mouvements sinistres... Voilà qu'ils se penchent au-dessus d'elle (Anton se refusait à imaginer la position de Maria sur la table d'opération; il clignait des yeux, secouait la tête, dès que l'icône de son corps nu commençait à se préciser dans la position grotesque préalable à l'intervention), ils se penchent et farfouillent avec leurs instruments nickelés au bout de leurs mains gantées de caoutchouc. (Ces lames acérées vont-elles vraiment taillader, trancher, mutiler la chair de Maria?)

– ...Ne t'en fais pas, dit Cezar pour conclure sa longue et philosophique consolation. Je ne sais pas dans quelle mesure la médecine est une science, mais je suis certain que la chirurgie en est la seule branche véritablement scientifique, qui enregistre des progrès chaque année.

– Que le bon Dieu t'entende! s'écria Anton en poussant un soupir de soulagement.

Et pourtant... et pourtant, Maria est restée sur le billard, livide et immobile. Les médecins se retirent, ils la laissent seule. Pourquoi lui ont-ils croisé les mains sur la poitrine?

– Qu'est-ce que tu vas faire? demanda Cezar. Tu te remets à ton roman?

– Je veux d'abord échapper à ce cauchemar, répondit très vite Anton, voir Maria complètement rétablie. Ensuite, nous irons chez un ami qui a un vignoble du côté de Tecuci...

Il se tut, songeur. Les choses pourront-elles redevenir ce qu'elles ont été?

Cezar regardait les champs défiler le long de la route. Sa figure avait fini par se hâler, ce qui en atténuait la laideur. Seul son nez restait le même : fort, pelé, luisant. Laisser un jeune imbécile comme Lucu coucher avec Luiza! La voir humiliée, dégoûtée par ce petit crétin, et ne rien tenter pour la conquérir, se satisfaire de vagues conversations spirituelles, la regarder s'éloigner (peut-être va-t-elle directement le rejoindre), la désirer chaque nuit sans rien oser, rien de rien... Et tout cela, parce que l'autre est un peu plus jeune et beaucoup plus beau! Redouter le refus d'une femme qu'on ne reverra jamais plus! Redouter sa moquerie face aux trésors d'intelligence et de philosophie qu'on a dépensés uniquement pour attirer son attention, uniquement pour se frayer un chemin plus sûr vers son corps... Et puis se résigner bêtement, poursuivre les conversations brillantes en faisant semblant de ne s'intéresser ni à Luiza ni aux autres corps se prélassant au soleil. Se fabriquer une petite gloire, faire petitement profession d'intelligence, être admiré par les femmes pour sa mémoire et son esprit critique... et ne faire aucun autre geste, aucun geste viril, de peur d'un refus, de peur du ridicule, de peur de tomber de son piédestal...

Cezar avait l'impression de se donner la nausée. « Même cette malheureuse Maria, je l'ai désirée; je me disais que, habituée aux profs, elle devait respecter l'intelligence par-dessus tout, et que j'avais donc mes chances... » Déprimé, humilié, il se tourna vers Anton :

– Si au moins tu pouvais te remettre à ton travail avec toujours autant d'allant... Tu sais, cet accident...

S'apercevant qu'il allait commencer un petit discours sur l'accident, il se tut brusquement, en souriant à part soi, non sans amertume. Anton n'osa pas interrompre sa rêverie : Cezar lui paraissait réfléchir à quelque chose de grave, de très personnel, presque solennel...

Ils ne parlèrent plus guère jusqu'à Constantza. La voiture de louage filait tout droit vers la gare et ils faisaient chacun le même plan : « Je vais vite sortir mon portefeuille et je vais essayer de payer tout seul; je dirai : laisse, mon vieux, je venais de toute façon à Constantza. »

A la gare, Cezar serra chaleureusement la main d'Anton et le pria de lui donner des nouvelles de Maria :

– Il suffit de m'écrire à *Économat de la gare, Craiova.*

Ils se séparèrent sur ces mots.

***

D'Alexandru Pleşa à Petru Anicet :

Comme tu le sais, je suis venu ici surtout pour rencontrer Dragu. Sans lui, je me demande comment j'aurais tué le temps, bien que j'aie également fait la connaissance d'un autre gars intéressant, un certain Tomescu, employé de gare en province, très instruit et, en même temps, pince-sans-rire. Il me faisait penser à un raisonneur * *de roman anglais. Je sais que tu as la belle vertu de ne pas lire de romans, mais j'espère que tu comprendras ce que je veux dire. Ce Tomescu est totalement inconnu. Je pense que dans un État bien géré, on ne lui* permettrait pas de le rester. On le mettrait à la place qui lui revient, même contre sa volonté. Il se sent peut-être mieux là où il est en ce moment, mais c'est une façon de trahir la collectivité, donc toi et moi en même temps. Rencontrer des gens pareils à des places de domestiques tandis que les choses vont mal dans le pays, voilà une constatation qui suffit pour vous rendre révolutionnaire.

Je m'aperçois que je me mets à divaguer, alors que je t'écrivais surtout pour te parler de Dragu, que je trouve même plus intéressant que ses livres. Je suis surpris que tu ne me l'aies pas signalé plus tôt et je me demande pourquoi vous n'êtes pas devenus de meilleurs amis. Il me parle très chaleureusement de toi, mais j'ai l'impression qu'il ne te connaît pas bien. Nous bavardons beaucoup, lui et moi. Personne n'est parfait, certes, et bien des choses me séparent de lui, mais son intelligence est impressionnante. Et pourtant, et pourtant... Je me demande, mon cher Petru, d'où nous viennent ces réserves envers des gens qui n'ont que cinq ou six ans de plus que nous, qui réunissent tant de qualités et auxquels l'âge et l'idéal devraient nous lier. Je ne te cacherai pas que Dragu me donne souvent l'impression d'être presque un étranger. Je vois qu'il ne peut pas comprendre certaines choses évidentes pour moi. Je crois qu'au fond de lui-même il regrette d'être né à notre époque. Bien qu'il ait si souvent traité de la morale dans ses écrits, je me dis parfois qu'il ne sait pas exactement comment poser ce problème. S'il connaissait certain triste épisode de ma vie, il me déclarerait « immoral ». Je crois qu'il me soupçonne de ce qu'il appelle la « fluidité ». La pensée ne l'effleure pas que cette « fluidité » se rattache à une certaine conception de la liberté, et donc de la dignité.

Il ne connaît pas bien ta situation, mais il t'admire. Je m'y attendais. Il n'a que vaguement entendu parler de Nora et un jour il m'a demandé s'il n'y avait pas de risque pour ta santé. Je l'ai rassuré. En ce qui concerne les femmes, toi, lui et moi, nous sommes assez cyniques. Dragu est quelquefois formidablement plébéien et à ces moments-là son langage est tout ce qu'il y a de plus cru... Il a un don unique pour dire aux gens leurs *quatre vérités. Il faut voir les têtes sous-humaines qu'ils font en l'écoutant !*

Je ne te demande pas ce que tu fais, parce que je le devine. Une des filles Lecca, Adriana je crois, est une camarade de faculté de ma cousine, Irina. Elle me dit qu'elle est très intéressante, qu'elle lit Pascal... Et moi qui ne me doutais de rien ! Il faudra que tu me la présentes : Pascal est une de mes vieilles passions. Et je deviens son défenseur chaque fois qu'il sert de confort spirituel à nos jeunes filles de bonne famille. Ma cousine, je l'excuse parce que, depuis six ans environ, elle est presque catholique et qu'elle lit même saint Thomas d'Aquin. Un soir, nous avons longuement discuté de la grâce. Tout ce que disait Irina, elle l'avait pillé dans les cours de Nae Ionescu ; c'est Dragu, dont les citations latines nous ont épatés, qui l'a confondue. La scène a été superbe. Irina, au bord des larmes, alléguait que tout ce qui concerne la grâce est libre de droits d'auteur; que ce qui compte, c'est de comprendre la question, ensuite peu importe qui nous a aidés à la comprendre. « Est-ce que chaque fois qu'on se sert de la table de multiplication on est tenu de mentionner le nom de l'instituteur qui nous l'a fourrée dans la tête ? » Elle ne manque pas d'humour, ma catholique de cousine !

Moi, je n'ai rien lu, et presque rien écrit dans mon journal, malgré le beau cahier tout neuf que j'avais acheté exprès. En revanche, j'ai bavardé, des cinq et des six heures d'affilée. Il est arrivé pas mal de choses amusantes. Un certain Dumitraşcu, futur romancier et actuel professeur, affligé d'une femme, d'un idéal et d'une conscience, m'a fait revivre mes terreurs de lycéen, lorsque j'étais obligé de lire des bouquins sur les paysans ou sur les intellectuels brisés par la vie. J'aime la Roumanie pour l'extraordinaire richesse de ses types humains. Dans une même classe sociale – disons celle des « intellectuels » –, on rencontre des gens qui se sont arrêtés au goût et à la culture de 1870, de 1890, de 1900 et ainsi de suite. On discute encore, dans les « élites », du sàmànàtorism [1], *de l'expressionnisme, de l'art à tendance ! C'est incroyable. Ces gens-là ne s'aperçoivent pas*

1. Courant littéraire traditionaliste du début du siècle. *(N. d. T.)*

qu'un monde nouveau est en gestation, que les hommes y seront différents, et différente leur vie intellectuelle... Ces vacances m'auront beaucoup appris. L'amour ne m'intéresse pas cet été. Il y a même quelques filles qui me regardent d'un drôle d'œil depuis que je leur ai dit que j'avais la vérole et que je suivais un tout nouveau traitement...

Tu me manques, mon cher Petru. Alors, si tu as le temps, écris-moi quelques lignes.

***

De Petru à Alexandru :

J'ai reçu ta lettre lors de l'une de mes rares journées extatiques. Oui, je dis bien « extatique », de « extase ». Dans tes vacances, rien ne m'intéresse, même pas David, dont tu ne devrais pas me reprocher de ne pas te l'avoir signalé plus tôt, puisque tu avoues toi-même que tu le trouves bien loin de nous. Avec ses perpétuelles agonies, avec ses problèmes et ses polémiques, ses études latines, il est un pédant prophétique, et rien de plus. Il n'a rien dans la tête, sauf des réminiscences livresques et des théories grappillées dans des langues que nous ne connaissons pas. Ne me parle donc plus de ses facultés intellectuelles. Pavel l'aimait beaucoup; il disait qu'il avait bon cœur, une forte volonté et le langage le plus pornographique que puisse utiliser un puritain. C'est aussi mon avis. A ceci près que je ne l'aime pas, moi. Voilà d'ailleurs pourquoi j'ai refusé de lui remettre les manuscrits de Pavel, qu'il voulait publier. Je hais le culte des morts, la gloire posthume, les préfaces élogieuses... Que veulent-ils tous de Pavel, pourquoi essayent-ils de se mêler d'un drame dont le héros a disparu courageusement, par sa propre volonté, après avoir bien embrouillé les fils pour que personne ne puisse le comprendre? Suffit sur David, et cela une fois pour toutes.

Mais, Alexandru, quelle journée, quelle extraordinaire journée, et quelle nuit fantastique! En deux mots : une pucelle. En mille mots : Annette! Si je l'aime? Je n'en sais rien et je m'en moque. Si tu savais ce que j'ai découvert, ce que j'ai connu! Toi, tu dirais : une autre morale. Une autre jeunesse, peut-être. Un autre sexe, en tout cas. Autre, autrement, autre chose, tout ce qui désigne autrui, le non-moi qui est au-delà de nous, les hommes, de notre glorieuse mais monovalente masculinité. Il existe un seul homme sur terre du point de vue sexuel, toi et moi et tous les autres hommes, nous sommes malheureusement un seul. Un seul, Alexandru. Mais il existe plusieurs sexes auprès ou à côté de nous. Les don Juan qui parlent d'« espèces » ou de « variétés » disent des bêtises. Il ne s'agit pas de variation, de nuance, de diversité. C'est totalement et organiquement autre chose. Une femme est différente d'une autre femme autant qu'elle l'est d'un homme. Nous, nous ne nous en rendons pas compte parce que, d'habitude, nous sommes des idiots. Ne t'empresse pas d'acquiescer, ça te vise aussi. Toi aussi, tu as papillonné de femme en femme en croyant évoluer parmi des espèces et des sous-espèces. Toi aussi, comme tous ceux qui se croient malins, tu as confondu règnes et variétés. Seul celui qui n'a connu et aimé qu'une femme des années durant peut se rendre compte, lorsqu'il en connaît et aime une autre, qu'elles sont totalement, organiquement différentes. J'ai peur : pendant combien d'années devrai-je aimer Annette et quelles humiliations devrai-je subir auprès d'elle avant de pouvoir connaître un troisième sexe?

Si tu savais mon extase de cette découverte! Moi qui me prenais pour un homme, moi qui croyais tout connaître des femmes et de l'amour qu'on peut leur faire! Ce que j'étais ridicule! Ma découverte, elle ne ressemble à aucun de mes souvenirs. Et me voilà soudain infiniment supérieur à tous les polygames clandestins, dont tu es! Je sais ce que nul au monde ne soupçonne encore. C'est une découverte extatique, mais effroyablement triste. Nous qui pensions avoir résolu le problème en aimant une femme et en couchant avec beaucoup d'autres!

Et maintenant, laisse-moi te raconter un peu les événements. Je suis entré la nuit par sa fenêtre, comme un voleur ou comme un don Juan. Je croyais le faire par curiosité ou par politesse (pour ne pas dire non à une vierge qui me désirait). Mais, après l'avoir prise, j'ai compris que le rideau venait de se lever *sur le premier acte d'une longue tragédie. D'abord, les complications inévitables en pareil cas. Et puis, une brusque envie de lui demander de l'argent, c'est-à-dire de m'humilier et de lui fournir l'occasion de le faire. Bref, de me préparer à me libérer, à me détacher complètement d'elle. Troisièmement, le fait que je doive me séparer de Nora. Je le ferais volontiers, car nous n'éprouvons plus rien l'un pour l'autre et ce ne serait pas douloureux. J'ai eu soin, en trois ans, de préparer ma libération jusque dans les moindres détails. Ce n'est donc pas cela. Mais je ne peux pas le faire pour le moment parce que nous n'avons plus du tout d'argent et que Nora me donne de temps en temps entre quarante et cent lei, ce qui assure la survie des deux derniers descendants des Anicet. Je dois me séparer de Nora et je ne peux pas le faire parce que j'ai besoin de son argent. « Un gigolo », vas-tu te dire. Auras-tu raison? Car nous le sommes tous d'une façon ou d'une autre. Même Napoléon. D'ailleurs, peu importe. Est-ce que j'hésiterais si j'étais seul? Telle est ma voie.*

Comme tu le vois, une nouvelle tragédie. Dont ce ne sera pas moi qui souffrirai, bien sûr, mais mes petites amies. Je le regrette sincèrement. Cependant, l'extase demeure. Tiens, au moment de conclure, je sens que je n'ai qu'à ouvrir le piano pour me mettre à improviser...

David Dragu s'enferma tôt dans sa chambre. Il retira ses lunettes et se mit à marcher de long en large, préoccupé. Il ne pensait pourtant à rien de précis. Entraîné par un sentiment obscur et puissant qu'il ne pouvait pas définir, il n'arrivait pas à y résister. Il était mécontent de lui, en colère contre la situation du moment, contre le « présent » tout entier, qui englobait sa carrière de professeur et d'auteur aussi bien que le fait de passer ses vacances ici, entouré de gens sans intérêt – amis de circonstance, ternes connaissances. Il ne savait pas exactement ce qui le mécontentait et l'humiliait; ce qui engendrait ce sentiment déprimant de ratage, de médiocrité, de vieillesse. « Je n'ai même pas trente ans, se dit-il pour se rassurer. Je peux tout recommencer n'importe quand, prendre un autre chemin, faire autre chose... » Mais son vif dégoût de lui-même et du présent ne venait pas de là. Il avait confusément l'impression d'être un raté, d'avoir la fibre médiocre. Sans pouvoir préciser davantage. Il sentait que, pareillement à tout un chacun, il était passé à côté du but sans le voir...

Il s'allongea sur son lit. Il connaissait assez bien ces crises de lassitude et de dégoût pour savoir qu'elles faussaient tout jugement de valeur. « Il peut nous arriver à tous de trouver vain le monde entier, et la vie dépourvue de sens, se dit-il. Je suis sans doute simplement fatigué. » Il se rappela tout ce qu'il avait réalisé, les obstacles vaincus, son moral toujours bon, son inépuisable capacité de travail. Tout ce qui s'était passé après la mort de son père : la fièvre avec laquelle il avait travaillé pour faire vivre sa famille, son intransigeance intellectuelle et morale. En deux ans, jamais rien à se reprocher. Et il gardait la vigueur, l'optimisme plébéien, l'opiniâtreté du début. « Je suis né pour me battre contre les lieux communs, contre la morale des truismes », se disait-il d'habitude. Rien ne l'impressionnait, de ce qui en émouvait ou en influençait tant d'autres. Il ne se plaignait ni de la pauvreté, ni de la vie de province, ni du public, ni du pays. Il ne cherchait pas à se reposer ou à tricher à l'abri de confortables excuses. Il avait renoncé de son plein gré à une vie d'aventures héroïques pour en accepter une de sacrifices quotidiens. Aussi sévèrement qu'il pût faire son propre examen, il n'avait à rougir de rien. Et pourtant, il se trouvait médiocre, raté, il avait l'impression de s'être trahi, d'avoir bafoué le vrai sens de son existence.

Il sauta du lit et recommença à marcher de long en large. Il mit ses lunettes, alluma la lampe et essaya de lire – n'importe quoi, une revue, un bouquin; ou au moins feuilleter un de ses livres préférés, qu'il avait apportés (Baltasar Gracián, Dante, *Faust*). Mais son mécontentement de lui-même persistait. « Tout laisser tomber – famille, école, bouquins que je dois écrire – et m'en aller bien loin, tout seul... Ou plutôt me faire engager à Bucarest par un millionnaire et publier une revue dont je serais le seul maître, où je pourrais dire tout ce que j'ai sur le cœur, comme je le faisais autrefois... » Mais il se rendait bien compte que son dégoût de lui-même ne venait pas de là, n'était pas dû à l'absence d'une revue personnelle dans laquelle il aurait pu attaquer vingt personnes, au lieu de dix actuellement dans les revues de ses amis. Polémique, critique, pamphlet, tout lui paraissait inutile, inefficace, ridicule. Il aurait pu faire autre chose, lui. Il aurait pu créer autre chose que des livres et des critiques. Autre chose, au-delà de l'intelligence et de la culture, au-delà même de la morale... Un homme nouveau, celui qu'il entrevoit depuis plusieurs années, celui auquel pense Pleşa, celui que tout le monde attend. Pouvoir croiser cet homme nouveau sur son chemin, pouvoir changer les fondements du monde, intervenir avec une réelle efficacité dans la marche de l'histoire. « C'est peut-être ce que veut Pleşa. C'est ce que je voulais il y a quelques années encore. Un idéal héroïque, prométhéen. Pour lequel j'étais prêt à tout sacrifier : mère et sœurs et santé... » Il y avait pourtant renoncé, quand son père était mort. Il était retourné dans la réalité, dans le « concret ». Il eut envie de rire. Il avait été ridicule, absurdement ridicule... « Oui, Pleşa veut la même chose que moi; ce qu'il attend et souhaite, il y a longtemps que j'aurais pu le réaliser. Deux ans de perdus. Toute une jeunesse enterrée. Voilà peut-être pourquoi je me dégoûte tellement. Tout ce que j'ai fait jusqu'ici, n'importe qui aurait pu le faire à ma place. Rien de personnel, rien d'inimitable, rien qui réponde à mes rêves de jeunesse. Et la vie continue de s'écouler, les gens se débattent dans les mêmes drames stupides et tous attendent un homme comme moi, comme celui que j'aurais pu devenir... »

On frappa à sa porte. Il sursauta, mais se réjouit : « On vient peut-être me proposer de sortir... » Il ouvrit.

– J'ai une bonne nouvelle : Maria Dumitraşcu a été opérée et elle va bien! annonça Alexandru, avec une chaleur, un enthousiasme inattendus.

– Ah! je suis vraiment content, s'exclama David. Les

pauvres! Je me sentais un peu coupable : je les trouvais bêtes tous les deux, tu te rappelles mes plaisanteries dans leur dos et...

Il s'interrompit, l'air soucieux.

– Tu travaillais? demanda Alexandru, légèrement intimidé.

– Non, j'allais sortir. On descend à la plage?

David tourna sèchement le commutateur. « Si au moins j'avais la pudeur de ne pas me livrer à des confidences... »

D'Alexandru à Petru :

A quoi te répondre d'abord, mon cher Petru? En tout cas, je n'essaierai pas de te faire changer d'avis sur Dragu. Tu en changeras toi-même cet automne, quand tu le connaîtras mieux.

Quant au reste, je ne sais trop quoi te dire. J'ai bien peur de te retrouver amoureux à ton tour. Avec Nora, c'était autre chose : il y avait une certaine « morale », beaucoup de souffrance, la dignité, le salut. Ce n'était pas un amour sentimental, pas une passion physique non plus. D'après ta lettre, je crois comprendre qu'avec Annette c'est bien plus grave. Je ne sais à quoi m'attendre. En tout cas, à assister à une souffrance stupide et médiocre. Les compromis auxquels te pousse ton manque d'argent m'inquiètent. Cet argent, ne voudrais-tu pas l'accepter de moi? Je ne suis pas très riche, assez toutefois pour être libre. Écris-moi et je me ferai une joie de t'envoyer ce que tu me demanderas.

Je pense souvent à Annette. Tu ne me dis rien d'elle : comment est-elle, t'aime-t-elle vraiment, que veut-elle de toi? Fais attention, Petru, le grand danger peut encore être conjuré. Si tu tiens un peu à elle, sois cruel tout de suite, n'hésite pas à la blesser, ne la laisse surtout pas t'idéaliser.

Ce n'est pas un conseil amical, c'est le conseil d'un camarade. J'imagine que nous sommes tous les deux au front (j'ai recommencé à penser à la guerre, comme tu le vois) et que tu ne sais pas encore comment te protéger des obus. Alors je te montre ce qu'il faut faire, c'est tout. Ne cède à aucun chantage, ne te laisse attendrir par aucune douleur. L'amour est une invention féminine; laisse donc les femmes souffrir tant qu'elles veulent : elles n'avaient qu'à ne pas découvrir ce jeu diabolique! Et n'oublie pas : tu n'as aucune obligation, tu es libre, tu es ton maître. Tout le reste est littérature ou chantage. Répète-toi tous les jours : par-dessus bord, par-dessus bord Annette!

Excuse-moi, Petru, de t'écrire tout cela. Je sais que je ne t'apprends rien. Mais c'est un cri que je n'ai pas pu retenir. Le danger est trop près. De vrais hommes, j'en ai rencontrés si peu! Juste Dragu, Tomescu et toi. Des hommes vivant pour autre chose que le pain ou l'amour. Ici, à Movilà, c'est le règne de la promiscuité sentimentale. Des couples d'amoureux, des regards humides de femmes qui rêvent de maternité, etc., etc.

Irina souffre pour un certain Dinu Paşalega, un bon garçon encore vivant, qui lutte comme il peut contre l'océan passionnel de ma cousine.

Que d'agonies, que de passion, que de sensualité aveugle! J'en arrive à détester la mer, la plage, ce soleil lubrique, cette lune sentimentale. Je préférerais mille fois me trouver dans un village de montagne, parmi des gens rudes, sous un ciel sombre balayé par des vents hostiles et froids. Ici, je patauge dans la promiscuité.

Je me trouve ridicule de faire de la littérature pour te parler de choses aussi simples. En ce qui concerne ta grande découverte – la pluralité des sexes –, je la laisse de côté pour le moment. Nous y reviendrons à Bucarest, dès que nous nous reverrons. J'ai vaguement l'impression que ce n'est qu'une illusion. Incontestablement, tu étais vierge. Nora a pu tout être pour toi, sauf l'amour et la sensualité. Maintenant, tu as perdu et découvert quelque chose d'absolument nouveau. C'est tout.

***

De Petru à Alexandru :

Ce n'est pas pour discuter ce que tu m'as écrit que je te réponds. Je n'en ai ni le temps ni l'envie. Je veux juste te dire ceci : tu n'as rien compris. La mer t'a rendu bête, comme tu l'avoues d'ailleurs toi-même. Tout ton laïus sur les dangers de l'amour est sans objet et je me demande sérieusement pourquoi tu me l'as écrit. Sans doute pour te justifier toi-même, pour justifier ta conception personnelle en la matière. En tout cas, pas pour m'aider. Car tu me connais suffisamment pour savoir que je n'en ai pas besoin, que je ne le comprends même pas. Je sais qu'il n'y a au monde que deux choses vraiment dangereuses : la maladie et la mort. Je ne crains rien d'autre. Ni l'amour, ni les tourments moraux, ni la pauvreté, ni les compromis. Pour le moment, je n'en dirai pas plus là-dessus.

S'il y a un piano à proximité, répète plusieurs fois cette phrase : si, si bémol, la, la bémol, fa dièse. Avant le fa dièse, une courte pause. (Je ne suis pas capable de te l'écrire plus clairement que cela.) Voilà exactement ce que je ressens en ce moment. C'est peut-être dû entre autres à ta lettre. Peut-être à mon aventure de cette nuit. Sache que je couche régulièrement chez Annette et que je rentre à la maison à l'aube. Mais, avant-hier, je suis resté toute la journée chez elle. Pendant qu'on faisait le ménage dans sa chambre, nous nous étions enfermés à la salle de bains. Annette était tellement émue que j'avais envie de la faire crier de plaisir, pour voir ce qui arriverait. Tout s'est bien passé jusqu'à la nuit. Nous étions tous les deux au lit quand la porte s'est brusquement ouverte; c'était M. Lecca :

– Quelque chose t'a fait peur, Annette? J'ai eu l'impression de t'entendre parler toute seule...

Annette était figée; je la sentais, contre moi – elle n'avait même plus la force de trembler. Je ne me rappelle pas ce qu'elle lui a répondu. Moi, je ne bougeais pas, paré contre toute éventualité. Mais j'ai constaté une chose : je n'avais pas peur du tout, je ne pensais même pas au salaire que je perdrais. J'étais curieux de voir la tête que ferait le vieil astronome s'il allumait et nous découvrait, tout nus et très beaux. Heureusement pour Annette, il ne l'a pas fait, il est reparti après avoir ajouté :

– Je me disais que tu risquais d'avoir peur, depuis qu'Adriana n'est pas là...

Quelle nuit admirable ! Frayeur, émotion, volupté, comme je n'en avais jamais éprouvé jusqu'ici. Les contes de Boccace. Pouvoir déclencher de pareilles émotions héroï-comiques, garder l'érotisme à la frontière de la tragédie et de l'humour, comme dans le Décaméron *ou* les Mille et Une Nuits. *Voici des vacances parfaites !*

Certes, tous les obstacles restent debout. Je n'ai pas encore demandé d'argent à Annette. En échange, j'en ai réclamé davantage à Nora. Je lui ai annoncé en passant que j'avais couché avec une jeune fille. Elle a pâli et elle s'est mise à pleurer. Mais elle n'y pouvait rien. Elle m'a demandé si je ne l'aimais plus. Je lui ai répondu qu'il ne s'agissait pas de ça. En effet, quel rapport ? Nora s'est fait une raison. Je crois qu'elle ne serait pas moins heureuse, même si je la « trompais », comme elle dit, à condition de me garder. Mais je pense que c'est moi qui ne pourrai pas rester.

Je compose une symphonie. N'aie pas peur, je n'en ai pas encore écrit une seule phrase, mais je l'ai merveilleusement commencée dans ma tête. Je tente quelque chose d'absolument nouveau : les Hérétiques. *Toi, tu traduirais par « l'hérésie en tant que norme » et tu établirais les inévitables rapports avec le vice, avec Gide, avec Dostoïevski, etc. Rien de tout cela. Une symphonie des* Hérétiques *comme il en existe des bergers, de l'amour, de la tristesse, des héros. Je voudrais rendre leur identité, leur drame humain, sans nulle allégorie, sans nulle apologie. Il y a des hérétiques tout comme il y a des gens blonds ou myopes. Je voudrais montrer l'homogénéité de leur univers. Des hérétiques amoureux, des hérétiques tristes, des hérétiques à l'agonie. C'est une logique nouvelle, qui me tente et m'enchante. Au fond (attends-toi à lire une bêtise, mais une bêtise que j'aime), il n'y a rien d'autre au monde que l'homme libre et la musique. Le reste ne m'intéresse pas : ni la science, ni la vérité, ni Dieu, ni l'amour, ni la société. Mais il existe quelque chose de* réel, *Alexandru, de terriblement réel : l'homme qui peut n'en faire qu'à sa tête – et la musique qu'il peut penser. La force de ces deux réalités me donne parfois le frisson. Je suis sûr que toi, tu me comprends.*

***

– Qu'est-ce qui te fait rire? demanda David.

Alexandru lui montra la lettre.

– Petru vient de m'écrire, répondit-il. Écoute comment il termine : *Il existe quelque chose de* réel, *de terriblement réel : l'homme qui peut n'en faire qu'à sa tête – et la musique qu'il peut penser.* Petru n'accepte aucune autre réalité : ni la vérité, ni Dieu, ni l'amour.

Il eut l'impression que David avait envie de lire toute la lettre, mais il la replia et la glissa dans sa poche. Il faisait d'ailleurs presque noir, et il avait eu lui-même du mal à déchiffrer, là, au bord de la mer.

– Il raconte des bêtises, comme tout le monde, dit David d'une voix sévère. Ça ne rime à rien, *l'homme qui peut n'en faire qu'à sa tête !* Quel intérêt ça aurait, un homme pareil?

Alexandru ne répondit pas. Il restait sous le charme de l'aventure survenue à Petru. En outre, il trouvait que les propos de David étaient empreints d'une ironie malveillante. Il se sentit une fois de plus seul aux côtés de cet homme avec lequel, le plus souvent, il s'entendait si bien. Il laissa errer ses regards sur les flots. David s'allongea lui aussi sur le sable. On était si bien en ce moment, si bien sans soleil, sous un ciel doux, devant la mer étale...

– Au fond, Petru est encore un enfant, reprit David. Il dit ce que nous disions aussi à son âge...

Il se tut pendant un instant, se tourna vers Alexandru et poursuivit sur un ton passionné :

– Si tu savais combien je l'envie malgré tout, combien

elles sont lourdes à porter, ces années qui nous séparent... Elles sont très dures, elles sont horribles, les premières années qui suivent les débuts dans la vie. On a fait quelque chose et on n'a pourtant rien réalisé de durable. On a fait quelque chose et on en est amoindri, appauvri. A dix-huit ans, on est encore libre de ses opinions, de ses actes, libre de choisir sa théorie de la vie. A vingt-cinq ans, une fois qu'on a prononcé son premier mot – et, quoi qu'on fasse, à cet âge-là ce n'est qu'un mot –, on est déjà tari, rivé. Il faut rester soi-même, être soi-même, se réaliser, créer... Si tu savais combien je vous envie, toi, Petru, tous les *hooligans*...

Alexandru tressaillit. Il interrompit David en souriant, mais d'une voix très sérieuse :

– Pourquoi as-tu dit *hooligans?*

– Ne t'en fais pas, ce n'est pas une insulte. Ce mot est beau, très beau. Et il renferme beaucoup de choses. C'est pourquoi je l'aime et je l'emploie souvent... Il y a un seul début fertile dans la vie : l'expérience « hooliganique ». Ne rien respecter, ne croire qu'en soi, en sa jeunesse, en sa biologie, si tu veux... Celui qui ne débute pas ainsi, envers lui-même ou envers le monde, il ne créera rien. Pouvoir oublier les vérités, avoir assez de vie en soi pour ne se laisser ni pénétrer ni intimider, voilà la vocation du *hooligan!*

Il s'interrompit, contempla la mer, puis reprit en souriant :

– Je t'écoutais parler, ces jours-ci, et je me demandais pourquoi tu éprouvais le besoin de te justifier par une morale, par un idéal social. Pourquoi chercher une « vérité » justifiant ton action morale, ton expérience vitale? Pourquoi ce besoin de vérités, de morale, de mission collective? *Tu es ou tu n'es pas?* Est-ce que tu te sens entier, achevé, vital, robuste? Est-ce que tu te sens créateur, dans ta vie intime et dans ton intelligence? Si oui, que t'importent les vérités? Demeure entier, demeure un *hooligan!*

– Moi, ce n'est pas ce mot-là que j'utilisais. Je disais plutôt un homme libre, un homme digne, un homme *nouveau*...

– Palabres! Qui tiennent toutes en un seul mot, ce mot si beau : *hooligan*.

– Pour moi, dit Alexandru en riant, les *hooligans,* c'étaient seulement des nervis, des voyous qui brisent les vitres et assomment les gens.

– Oui, eux aussi ils sont des *hooligans,* expliqua David d'un ton sérieux. Entre eux et toi, il n'y a pas de différence qualitative. Vous avez la même structure, la même vocation. Une totale ignorance des vérités, de l'ordre, de la maturité. Certains brisent les vitres et assomment les gens, d'autres affirment que le monde commence avec eux. Quelle superbe! Quelle orgueilleuse vitalité! Diviser le monde en vivants et en morts ou en bons et en méchants – comme ça, simplement en émettant un jugement de valeur ou en brisant une vitrine –, est-ce que tu réalises toute la violence d'un geste pareil en tant qu'affirmation vitale? Du point de vue administratif, je dirais qu'un *hooligan* des rues est dangereux parce qu'il brise des vitres, tandis qu'un *hooligan* comme Petru Anicet ou toi représente une valeur, parce qu'il est un intellectuel posé qui contribuera à la croissance spirituelle du pays. Mais, du point de vue de votre structure, vous êtes tous pareils. Vous ignorez tous les vérités établies, l'ordre établi, les hommes établis. Vous croyez tous que le monde commence avec vous ou pour le moins, plus modestement, que vous pouvez le rééquilibrer...

David se leva brusquement, nerveux.

– Je ne vous juge pas, poursuivit-il. Il y a quelques années, je n'étais pas différent moi-même. Et ces années-là ont été les seules fécondes pour moi.

Il fit un large geste du bras, par-dessus la mer, par-dessus les collines.

– A cette époque-là, je pouvais faire tout ce que je voulais. Je n'avais ni père, ni sœurs, ni amis. Aucun lien ne m'entravait. Aujourd'hui, je suis prisonnier de toutes sortes de responsabilités, de choses graves, importantes. Et d'abord de ce terrible David Dragu ici présent, ce héros appointé par l'État. Eh bien, je peux te dire que je le méprise et que je le déteste, ce David Dragu, que je le vomis! Tu comprends? Voilà ce qu'on éprouve quand on dépasse l'expérience « hooliganique » : un vif dégoût de soi et du monde et un vif désir d'avoir quarante ans. Aujourd'hui, je voudrais avoir vingt ans seulement au lieu de vingt-neuf, ou en avoir directement quarante. Ou le hooliganisme ou la mort des passions. Si tu savais combien j'ai pu lutter! Si tu savais ce qui t'attend le jour où tu découvriras à ton tour l'inanité de ton homme nouveau, de ta morale collective, le jour où tu découvriras que tout a été fait sur cette terre, et mal fait, toujours à moitié, toujours avec tiédeur. Voilà ce que je ressens actuellement! Et dire que j'aurais pu en faire, des choses, si je n'avais pas ouvert les yeux trop tôt, si je n'avais pas découvert qu'il y avait des gens qui m'aimaient, des gens que, moi, je n'aimais pas et envers lesquels je me suis senti soudain comptable de mes actes et de mes pensées... Et puis, il y a autre chose aussi. Cette deuxième sortie de l'adolescence, cette découverte des vérités et ensuite de leur inutilité. Les *hooligans* également jugent les vérités inutiles. Mais ils en ont d'autres, bien plus terribles, bien plus fertiles... Moi, je n'ai plus rien. Moi, j'attends la quarantaine pour commencer ma vraie maturité...

Alexandru avait écouté David avec stupéfaction, sans oser le regarder. Il éprouvait un mélange de compassion et d'affection pour cet homme qui confessait si brutalement ses misères et ses échecs.

Entre-temps, les dernières lueurs du crépuscule s'étaient éteintes. David s'étendit à nouveau sur le sable, les mains sous la nuque.

– Il doit y avoir plus d'étoiles que je ne peux en voir, dit-il très bas.

Alexandru leva les yeux. Petites et froides, des myriades d'étoiles scintillaient, lointaines lumières.

– A la vérité, tout cela est sans importance, dit David, soudainement apaisé. Ce qui compte, c'est que je vis et que je me trouve ici, à côté de toi qui ne me connais guère et ne me comprends pas, et que, pourtant, ma présence ne t'exaspère pas. Voilà bien ce qui est miraculeux : quoique nous soyons tous deux des êtres humains, tu ne te lèves pas pour essayer de me jeter à l'eau...

DEUXIÈME PARTIE

I

Felicia Baly avait définitivement fixé la date de sa grande soirée : le 15 novembre. C'était trois semaines plus tard. L'automne était très chaud, et la douce clarté du ciel irritait Felicia. Cela lui rappelait certains paysages italiens. Or, toute ressemblance avec ce qui était loin dans le temps ou l'espace la faisait souffrir. Elle aurait préféré un automne froid, brumeux, pluvieux. Elle aurait aimé marcher sous la pluie, le col de son imperméable relevé, la tête penchée, les yeux mi-clos, et rentrer à la maison mouillée, crottée, tremblante, heureuse de mettre ses pantoufles fourrées et de boire du thé bouillant, blottie dans un fauteuil profond. Felicia aimait les automnes bucarestois, surtout quand ils touchaient à leur fin, quand dans les arbres les corneilles commençaient à remplacer les feuilles. C'était pour ces journées de crachin qu'elle rentrait en Roumanie en octobre, et ne repartait qu'après Noël, lorsque l'accumulation des congères ravivait sa nostalgie de la côte d'Azur.

Mais cette année il faisait chaud et les hommes sortaient en bras de chemise sans craindre de prendre froid. Chaque matin, au réveil, Felicia était anxieuse : allait-elle enfin se décider à venir, la bise, avec sa traîne de grisaille? Ce trop bel automne risquait de gâcher sa fête. Ce soir-là devait être humide et froid, ses invités devaient arriver transis et dégoulinants. Car, sa fête, elle était la première de la saison. Les autres ne commenceraient que six semaines plus tard. Le 15 novembre, il n'y avait pas encore de neige et la soirée de la rue Grigore-Alexandrescu devait être différente de toutes celles qui suivraient à Bucarest durant l'hiver.

Différentes, les soirées de Felicia Baly l'étaient aussi par les invités qu'elle y réunissait. A part des gens du monde et quelques hommes politiques amenés par son père, c'était un carrousel d'écrivains, de journalistes, d'étudiants. M. Baly employait depuis plusieurs années quelques secrétaires, choisis parmi les jeunes intellectuels pauvres et méritants. Mais, depuis la mort de Pavel Anicet, la place de secrétaire particulier restait vacante : M. Baly n'avait pas réussi à en trouver un autre aussi digne de confiance et en même temps aussi compétent. Il avait augmenté, en contrepartie, le nombre de ses secrétaires extérieurs, des jeunes gens qui travaillaient dans les bibliothèques ou chez eux et ne venaient que rarement rue Grigore-Alexandrescu. Toujours pris par la rédaction de ses *Anciennes Institutions roumaines,* il avait besoin de nombreux collaborateurs, qu'il payait pour rassembler le matériau nécessaire à sa grande œuvre de synthèse. Cependant, depuis la disparition de Pavel, cette rédaction piétinait. Avec lui, M. Baly avait pris l'habitude de discuter les documents recueillis par les autres collaborateurs sur tel ou tel sujet, de le laisser rédiger tout seul et de se borner ensuite à relire le texte et à déterminer sa place exacte dans le plan général de l'ouvrage. Or, il s'avérait que, parmi les autres secrétaires, aucun n'était capable de faire ce travail. Aussi se contentait-il à présent de surveiller la collecte des documents, ajournant sans cesse la suite de la rédaction, bien qu'il eût trouvé depuis longtemps un éditeur à Oxford.

Felicia avait commencé à prendre du plaisir à fréquenter les milieux intellectuels – notamment d'écrivains et d'étudiants – après avoir fait la connaissance de Pavel, qu'elle n'avait pourtant rencontré que peu de fois. Et puis, un matin, alors qu'elle prenait son thé au lit, on lui avait annoncé son suicide. La mort avait toujours provoqué l'horreur et le dégoût de Felicia. Elle ne voyait que le cadavre, jaunâtre et froid, elle n'imaginait la mort que dans les gestes faits aux obsèques, les pleurs, les cierges, les poignées de terre sur le cercueil; quand on lui parlait de mort, elle sentait aussitôt une odeur de cadavre et d'encens. Mais celle de Pavel la frappa plus profondément. Ils s'étaient vus quelques jours plus tôt et elle avait eu l'impression qu'il lui faisait un brin de cour. Or, il lui avait plu dès le début et elle avait même pensé à une éventuelle aventure. Depuis quelques années, Felicia n'avait que mépris et répulsion pour les hommes. Elle avait eu un seul amour jusque-là, un jeune et bel Italien, un étudiant rencontré dans une exposition à Rome, qui l'avait emmenée en voiture à Ostie. Elle lui avait cédé dès la première nuit et ils avaient ensuite vécu quelques journées de délire. Felicia ne savait rien de lui, rien de sa famille, et elle était heureuse d'avoir perdu sa virginité dans une aussi superbe aventure, si brusquement transformée en passion. Le quatrième jour, le godelureau avait disparu, sans lui laisser un mot, sans payer l'hôtel. Felicia avait souffert, car elle l'aimait et, tout en sachant que leur liaison ne pouvait être qu'éphémère, elle ne croyait pas que la séparation serait aussi grossière. Quel n'avait pas été son désespoir en constatant, quelques jours plus tard, que son bel amant l'avait gratifiée d'une maladie dont elle ignorait jusqu'au nom! Elle était rentrée à Rome bien décidée à se suicider. Par chance, elle avait rencontré à la gare même une amie, une journaliste suisse, à laquelle elle s'était entièrement confiée, effondrée et sanglotante. Dès le lendemain, Felicia commençait un traitement chez un médecin du Corso Emmanuele, ce qui l'avait obligée à prolonger son séjour de deux mois.

Expositions et musées sont prodigieux, avait-elle écrit à son père. *Je dois rester plus longtemps que je ne le pensais. J'ai trouvé de très intéressantes antiquités à acheter. Envoie-moi un mandat...*

Depuis, la simple idée du contact physique d'un homme lui donnait presque la nausée. Elle avait même craint, après cette mésaventure, de voir s'émousser sa passion de l'Italie. Heureusement, il n'en avait rien été et elle y retournait chaque année. Mais, désormais, elle aimait surtout les ports de l'Adriatique, les endroits peu fréquentés, solitaires. Lorsqu'elle avait connu Pavel Anicet, elle avait espéré qu'il pourrait cicatriser sa blessure. Il lui plaisait pour la virilité concentrée, l'intelligence et la passion qu'elle devinait dans ses regards et ses paroles, dans sa présence. Rien d'étonnant donc si la nouvelle de son suicide l'avait presque rendue malade. Elle n'avait pas eu le courage de regarder le corps, d'autant plus que – lui avait-on expliqué – Pavel était défiguré : la balle lui avait brisé la mâchoire, cassé le nez, fait éclater les globes oculaires. Cependant, Felicia avait fait la connaissance de Mme Anicet, de Petru, de David Dragu. Elle avait les yeux vitreux, fixes, mais elle ne pleurait pas. Elle s'était tenue presque tout le temps à côté de Liza et de David, et, comme sa robe noire soulignait l'extrême pâleur de son visage, quelqu'un avait chuchoté :

– C'est la fiancée de Pavel.

Felicia avait entendu et ces mots l'avaient vivement touchée. Du coup, elle avait cru qu'elle était amoureuse de Pavel, qu'il l'aimait aussi et que seul un cruel destin les avait séparés sans leur laisser le temps de se confier leur amour. Tandis qu'elle s'abandonnait à ces chimériques émotions, elle avait vu une grande jeune femme, dont un voile noir dissimulait le visage, entrer discrètement dans la chambre mortuaire. Felicia avait compris aussitôt qu'il s'agissait de la maîtresse de Pavel et elle avait eu peur de l'entendre hurler au moment où elle s'approcherait du catafalque. Mais il ne s'était rien passé de tel et, au bout de quelques interminables minutes, l'inconnue était ressortie, la démarche mal assurée, la main droite sur le cœur. Felicia avait entendu David murmurer à Liza, avec une haine contenue :

– C'est Una... Il s'est tué pour elle...

Felicia avait eu envie de rattraper l'inconnue, de tomber à genoux devant elle, de lui baiser les mains en pleurant. Elle éprouvait le besoin de faire un geste, un seul, mais choquant, mais fou. Car elle était soudain remplie d'admiration et d'amour pour cette femme qui était venue au risque de se faire insulter par les amis de Pavel et qui avait si bien su maîtriser sa douleur. Elle souhaitait faire sa connaissance, en apprendre davantage sur Pavel, pleurer avec elle. Elle avait néanmoins contrôlé cette brusque crise sentimentale et essayé d'en savoir plus. Mais David lui-même n'avait pas pu la renseigner. Il ignorait tout d'Una, sauf qu'elle était riche et que sa liaison avec Pavel avait duré plusieurs années. Felicia ne l'avait pas revue et l'avait d'ailleurs oubliée dès qu'elle était repartie en voyage, tout comme elle avait oublié son « amour » pour Pavel. Lorsqu'elle était revenue de l'étranger, elle était plus sereine et ravissante que jamais.

Mais les amis et les connaissances de Pavel continuaient à beaucoup l'intéresser. Elle avait rencontré plusieurs fois Petru, qui ne lui avait pas plu. Elle le trouvait artificiel, crispé, rhéteur. De son côté, Petru nourrissait envers Felicia une vive antipathie, qu'il ne se donnait pas le mal de cacher. M. Baly et Felicia avaient essayé de se rapprocher de Petru en l'invitant le plus souvent possible, mais on ne cessait de parler de Pavel et de leur père, Francisc Anicet; or, Petru trouvait ses commentaires posthumes insupportables. Il se permettait alors des plaisanteries de mauvais goût sur le mystérieux amour de Pavel et il affichait un sourire vulgaire chaque fois qu'on évoquait le génie méconnu de son père. Il avait réussi en quelques semaines à se rendre tellement antipathique que Felicia avait été bien contente le jour où Mme Anicet était venue toucher leur pension à la place de son fils, lequel ne leur avait dès lors plus rendu visite.

Felicia avait vu David à plusieurs reprises et ils étaient en passe de devenir de bons amis lorsqu'il avait été nommé en province. Mais elle avait gardé ses étroites relations avec Liza Dragu, dont elle avait fait la connaissance à l'étranger, quelques années plus tôt, à une époque où elle n'avait entendu parler ni de David Dragu ni des frères Anicet. Elles s'étaient rencontrées dans un bar, où Félicia avait eu l'impression que Liza suivait des yeux chacun de ses mouvements, fixait sur elle un regard étrange, insistant. Cette aventure entièrement nouvelle avait en même temps inquiété et amusé Felicia. Mais, dès que les deux jeunes filles avaient fait connaissance, les yeux de Liza avaient perdu cette expression charnelle, mobile, presque intoxiquée, pour retrouver leur calme et leur profondeur. Felicia avait découvert en Liza une fille intelligente, libre, créatrice. Or, elle rêvait elle-même depuis longtemps de devenir une artiste : comédienne, écrivain ou au moins peintre. C'est dire son admiration lorsque Liza lui avait montré ses dernières toiles. Après cela, elle s'était essayée aussi, en cachette, au dessin et à la peinture, mais elle avait rapidement dû y renoncer. Alors, elle s'était mise à tenir un journal, où elle reproduisait des conversations, décrivait des paysages et – en se servant d'un code – notait ses sensations les plus intimes, ses expériences secrètes. Ce seraient – se disait-elle – une sorte de documents authentiques grâce auxquels elle composerait un grand roman sur la femme moderne. Roman qu'elle ne devait jamais commencer car, tout comme son père, elle ne concevait que de vastes ouvrages, des synthèses universelles qu'elle ne pouvait évidemment pas mener toute seule à bonne fin.

L'amitié de Liza avait rapproché Felicia des milieux artistiques et intellectuels, aussi bien à Bucarest qu'à l'étranger. Car Liza avait des amis dans presque toutes les grandes capitales européennes et Felicia connaissait désormais de jeunes écrivains et artistes à Rome, à Vienne, à Zurich, à Paris. Ses soirées à Bucarest, toujours organisées vers la fin de l'automne, réunissaient surtout de jeunes inconnus, des journalistes et des écrivains débutants, des étudiantes du conservatoire. Cette compagnie enchantait Felicia. Dans les autres cercles mondains de Bucarest, on ne se privait pas pour dire qu'elle souffrait de la même manie que son père, qu'elle jouait les mécènes, qu'elle avait ramené de l'étranger son snobisme intellectuel. Ces cancans faisaient les délices de Felicia. Elle n'oubliait jamais d'inviter aussi quelques membres des clubs les plus chics, quelques demoiselles des milieux aristocratiques, pour être bien sûre que dès le lendemain les rumeurs les plus bizarres circuleraient dans le tout-Bucarest à propos de la « bohème » rassemblée rue Grigore-Alexandrescu. Liza avait également fait connaître à Felicia les Lecca, des amies et des camarades de faculté d'Adriana et d'autres groupes d'étudiants ou de jeunes intellectuels. Sans s'en rendre compte, Felicia reconstituait le milieu dans lequel avait vécu Pavel Anicet et elle y ajoutait sans cesse d'autres connaissances, d'autres camarades. Les quelques mois qu'elle passait à Bucarest, elle les consacrait presque entièrement à ce genre de rencontres, ce qui ne pouvait que réjouir son père, d'autant plus que, en même temps, elle lui proposait de l'aider dans son propre travail.

Cependant, excepté Liza, Felicia n'avait pas de proche amie en Roumanie. Elle avait cru, pendant un certain temps, pouvoir nouer une amitié véritable avec Irina Pleşa, car elle avait entendu parler de ses crises religieuses et, surtout, de son engouement pour le catholicisme, auquel l'attachait l'un des souvenirs les plus obscurs et les plus tristes de son enfance. M. Baly, descendant d'une riche famille juive, avait été converti alors qu'il était encore un enfant, puis avait grandi, presque terrorisé, dans le plus pur respect de la religion orthodoxe. Une fois à l'université, il était devenu un athée acharné et, selon la mode de l'époque, un socialiste révolutionnaire. Après avoir passé son doctorat en sciences sociales à Paris, voulant épouser la fille d'un nobliau du Midi, il s'était rappelé qu'il était chrétien. Mais voilà justement ce qui risquait de faire obstacle à son mariage avec Mlle Jeanne-Marie de Beauharnais, catholique fervente : la famille de la fiancée exigeait que le mariage fût catholique. Ce que M. Baly avait accepté de gaieté de cœur, puisqu'il professait à l'époque que « toutes les religions étaient pareilles » et que « Jésus avait été le plus grand des hommes ». Ainsi, Felicia était née et avait été baptisée en France.

Ce mariage s'était vite révélé désastreux. Lorsqu'elle était venue en Roumanie et qu'elle avait fait la connaissance de ses beaux-parents, la jeune Mme Baly avait découvert qu'ils étaient d'origine juive, des rejetons fatigués de familles de banquiers, et elle avait commencé alors à mépriser son époux. Son mépris, dû essentiellement à la confession et à l'ascendance sociale, avait également d'autres causes. M. Baly refusait de faire de la politique, il se contentait de voyager et de s'occuper de l'histoire du passé roumain, de sociologie et de philosophie, en espérant qu'on finirait par lui proposer une chaire universitaire de sociologie.

Jeanne-Marie Baly, qui avait cru devenir bientôt femme de ministre, n'avait pas tardé à exprimer son mécontentement, en prenant prétexte de la confession orthodoxe et des origines juives de son mari pour provoquer d'interminables controverses, qui tournaient mal de plus en plus souvent. Sans le vouloir, M. Baly en était devenu un défenseur sincère de l'Église orthodoxe. Il se documentait auprès de quelques prélats bucarestois ou dans des livres d'histoire ecclésiastique et s'intéressait tout particulièrement au dogme depuis que sa femme avait appelé en renfort son confesseur, un vieil abbé belge, poli et diplomate, rompu aux joutes théologiques, et dont l'argumentation dogmatique était le fort. M. Baly sortait généralement vaincu de ces discussions, ce qui n'avait pas peu contribué à aggraver la déroute du jeune couple. Le divorce avait été prononcé au printemps 1916, alors que Felicia avait neuf ans, et, un mois plus tard, son père la faisait baptiser selon le rite orthodoxe à l'église Domniţa Bàlaşa. La petite fille avait été marquée par les interminables minutes qu'elle avait dû passer toute nue, tremblant, se mordant les lèvres pour ne pas pleurer, écœurée par l'encens, épouvantée par les ombres qui tremblaient sous la flamme des cierges. Le cauchemar de cette cérémonie qu'elle n'avait jamais comprise devait la poursuivre durant plusieurs années. D'autant que, la Roumanie entrant en guerre quelques mois plus tard, l'effroi provoqué par ce baptême s'était mêlé dans l'esprit de l'enfant à celui dû aux bombardements des aéroplanes allemands et à tout ce qui avait suivi : l'exode en Moldavie, le refuge à Odessa, la peur des bolcheviks. Cependant, son père ne lui avait jamais imposé une éducation strictement religieuse. L'intérêt de M. Baly pour l'Église orthodoxe s'était mué en un plus large intérêt pour tout ce qui concernait la vie spirituelle et économique du paysan roumain de tout temps. Après la guerre, M. Baly s'était retrouvé à la tête d'une imposante fortune léguée par ses parents et ses deux oncles. Renonçant à ses ambitions universitaires en Roumanie, il se proposait d'obtenir un doctorat honorifique dans une grande université européenne en publiant en anglais une grandiose synthèse sur les anciennes institutions roumaines. Depuis, il partageait son temps entre ses voyages et ses secrétaires. Il éditait même une revue trimestrielle d'études sociologiques et philosophiques. Cela dit, le catholicisme demeurait son intime et cordial ennemi...

Curieuse, Felicia se demandait ce qui incitait Irina à se convertir au catholicisme, et elle escomptait d'intimes confessions. Mais Irina se montrait plus que réservée, froide : se figurant que Felicia voulait séduire son cher Dinu, elle évitait comme la peste ce lieu de perdition qu'était la maison de la rue Grigore-Alexandrescu. Felicia avait d'abord regretté cette froideur qu'elle ne pouvait comprendre, pour l'oublier aussitôt. Rien de ce qui concernait les jeunes gens qui l'entouraient ne pouvait vraiment la toucher : ni l'amour ni la mort de l'amour. Ses semblables ne la faisaient guère souffrir. Bien plus importants, pour elle, étaient les signes, les histoires significatives, les destins qu'elle ne pouvait pas pénétrer. Sa plus grande peur – son cauchemar d'encens et de cierges. Sa plus grande peine – son humiliation. Sa mésaventure italienne, elle l'aurait vite oubliée s'il n'y avait eu cette profonde humiliation : la maladie. Les gens vivants autour d'elle ne la faisaient souffrir que peu.

Quand Irina lui présenta son cousin, encore tout hâlé par le soleil de la mer, Felicia sursauta légèrement en serrant la main de ce grand jeune homme aux épaules larges et au regard intelligent.

– Il est rentré de l'étranger exprès pour faire son service militaire, annonça Irina. Qu'est-ce que tu en dis?

Le regard perdu, Felicia essaya de se rappeler qui lui avait déjà parlé récemment de service militaire, mais elle n'y arriva pas. « Encore un qui lui plaît, pensa Irina. Elle a oublié Dinu. Tant mieux. »

– J'espère que nous nous reverrons bientôt, dit Felicia quand ils se séparèrent.

Alexandru lui rappelait quelqu'un, mais elle ne savait pas qui. Elle s'éloigna, songeuse.

– Elle est une des meilleures amies de David, dit Irina à Alexandru.

– Alors elle doit être intelligente. J'aimerais les voir ensemble. Lui si cassant, elle si musicale.

Irina sourit tristement et murmura :

– Tu vas bientôt la trouver belle. Comme tu as vite oublié...

Ils marchèrent pendant quelque temps sans parler, puis Alexandru demanda brusquement :

– A qui faisais-tu allusion?

– A Viorica, tu le sais bien...

Habitué déjà à ces reproches, Alexandru s'en amusait. « Irina voudrait honorer éternellement la mémoire de Viorica, se dit-il. Elle est la femme qui n'oublie pas. Tout ou rien. La femme qui aime et qui meurt. D'ailleurs, tout cela la flatte... »

– Sais-tu, reprit Irina, que je t'ai admiré à Movilà? Parce que tu n'as pas eu le moindre flirt. Et j'ai l'impression que tu n'en as pas non plus depuis que nous sommes rentrés. C'est un record, n'est-ce pas?

« La voilà ironique, maintenant! La bonne femme qui a bobo et qui blague entre deux larmes... » Sans la regarder, Alexandru lui demanda :

– Tu t'es encore disputée avec Dinu? Qu'est-ce qu'il t'a encore fait, ce pauvre garçon?

« C'est quand même extraordinaire, cette solidarité des hommes! se dit Irina, cette façon de s'excuser et de se défendre les uns les autres! »

– Il ne m'a rien fait, répondit-elle. Ce qu'il veut faire, c'est un avion, comme son père. C'est tout...

« Un avion pour s'enrichir. Pour devenir millionnaire, milliardaire... Et moi, et moi? »

– Cette Felicia, ce n'est pas la fille dont Dinu était tombé amoureux? demanda Alexandru.

– Si, mais ça n'a pas d'importance, répondit très vite Irina.

Ils se turent et marchèrent ainsi côte à côte, perdus chacun dans ses pensées. Irina finit par briser le silence :

– Tu vas bientôt la tromper? Je pense à Viorica, bien sûr...

– Quelles bêtises tu peux dire, Irina, répondit Alexandru en la prenant amicalement par le bras. Qu'est-ce que ça peut faire, que je couche avec une ou avec deux ou avec cent femmes? Qu'est-ce que ça peut faire, pour ces gens qui passent en ce moment à côté de nous, pour ce soleil fatigué que l'hiver va bientôt éteindre? Tu ne penses à rien d'autre, Irina, tu ne penses à rien d'autre qu'à l'amour?

– A rien d'autre, répondit sèchement Irina, sans regarder son cousin. A rien d'autre, sache-le...

Et ils continuèrent à marcher l'un à côté de l'autre...

***

Dès qu'elle rentra chez elle, Felicia se jeta sur son lit, heureuse à l'idée que le temps menaçait enfin de se gâter. Aux premiers froids, quand tous les radiateurs brûleraient, elle pourrait se déshabiller, s'étendre sur la grande peau d'ours qui lui servait de descente de lit, y boire du thé bouillant.

C'est si bon de vivre, c'est si bon de serrer dans ses bras un garçon brun aux lèvres rouges, et encore, et encore...

Elle était heureuse et, pourtant, désespérée. Sa simple présence, qu'elle pouvait parfaitement distinguer, refléter comme celle d'un être étranger, portait en soi un désespoir sauvage, fondamental. Pouvoir trouver le repos maintenant, au milieu de la vie... Pouvoir arrêter le temps... le temps de trouver son bonheur... Pouvoir vivre et aimer à la fois, descendre dans les profondeurs, jusqu'au cœur de ce qui est vivant, jusqu'au cœur des essences... Ah! mon Dieu, mon Dieu!

II

Mme Anicet avait du mal à retenir ses larmes. C'était le neuvième anniversaire de la mort de Francisc et elle avait l'impression de revivre la même maussade journée de novembre. Elle était allée à l'église le matin, puis au cimetière. La tombe de son mari avait l'air abandonnée, sans cierge, envahie par les mauvaises herbes. Mais le chagrin qui lui serrait le cœur sur le chemin du retour venait d'être balayé par une joie inattendue et c'étaient des larmes de bonheur qu'elle essayait maintenant de retenir. Elle était déjà près de la maison lorsqu'elle entendit des pas de femme trottiner derrière elle, puis une voix plaintive qui la hélait :

– Madame Anicet!

Elle se retourna à contrecœur. Depuis qu'elle n'avait plus rien d'autre à se mettre que son vieux manteau noir élimé, elle souffrait chaque fois qu'elle rencontrait une connaissance dans la rue; en plus, elle se trouvait déjà dans l'impasse où elle habitait. Elle observa la personne qui venait de l'appeler, sans la reconnaître. C'était une jeune femme élégante, mais à la figure enlaidie par les pleurs.

– Je suis Nora, dit l'inconnue d'une voix éteinte. Je ne sais pas ce que Petru a contre moi... Je ne sais pas ce qu'il a...

Elle éclata en sanglots et essaya de prendre Mme Anicet par le bras, mais celle-ci recula avec dégoût tandis qu'une lueur méchante, sauvage, s'allumait dans ses yeux.

– Il ne veut plus me voir, continua Nora en pleurant. Et pourtant, je ne lui ai rien fait, je vous jure que je ne lui ai rien fait! Je voudrais le voir, le revoir, rien qu'une fois!

Mme Anicet sentit alors tout le fardeau des humiliations endurées pendant trois ans, elle se rappela son désespoir grandissant heure après heure lors des premières nuits d'absence de Petru.

– Qu'est-ce que tu lui veux encore? s'écria-t-elle d'une voix vulgaire. Est-ce que tu ne me l'as pas assez volé comme ça? Est-ce que tu ne nous as pas assez ridiculisés comme ça?

Nora continuait de pleurer, mais avec de moins en moins de force. Elle voulut dire quelque chose puis y renonça et leva les bras au ciel. Son visage d'ordinaire si fin était bouffi, sillonné de larmes. Elle essaya encore une fois de prendre les mains de Mme Anicet pour les baiser, mais elle n'y arriva pas. Mme Anicet ouvrit la porte et entra dans la cour; brusquement, elle laissa éclater toute sa rancune trop longtemps contenue :

– Sale putain! Si je te reprends à rôder par là, j'appelle la police!

Elle claqua la porte et se dirigea vers la maison. Elle tremblait de colère, d'émotion, de joie. Elle eût aimé en faire plus, la gifler, ameuter les voisins, mais le désarroi et l'humilité de Nora l'avaient presque désarmée. Ce qui exaspérait surtout Mme Anicet, ce qui avait provoqué soudain sa haine aveugle, c'était le visage de Nora ravagé par la douleur.

– Je vous jure que je ne lui ai rien fait, répéta, entre deux sanglots, la voix de plus en plus faible de la jeune femme.

Mme Anicet essuya ses larmes et entra dans la maison. « Quel malheur, une femme aussi vulgaire! Mon Dieu, faites que ça finisse une fois pour toutes! » Petru sortit de sa chambre.

– Tu as rencontré Nora? demanda-t-il. Je l'ai aperçue par la fenêtre.

Mme Anicet se mit à pleurer et le prit dans ses bras.

– Petru, mon petit, pense un peu à moi...

Il comprit que pleurer la soulageait.

Elle pleurait parce qu'ils étaient malheureux, parce qu'il y avait neuf ans que Francisc était mort, parce que c'était l'automne. Mais elle pleurait aussi de joie : elle retrouvait son fils, il était près d'elle; des vestiges de l'orgueil des Anicet se ranimaient.

Petru s'écarta.

– J'ai rompu, maman, dit-il. Tu n'as plus de raison de pleurer, j'ai définitivement rompu.

En effet, il n'avait plus vu Nora depuis un mois, il n'avait même pas ouvert ses lettres; un jour, elle l'avait accosté dans la rue, mais il avait brutalement refusé de lui répondre.

– Je suis devenu un garçon sage, maman, poursuivit-il, en souriant d'un air grave. Ne te fais pas de souci. Nous rachèterons Arvireşti...

Il eut envie de rire en se rappelant tous les rêves brodés autour du rachat de la vieille propriété de famille. Mme Anicet continuait de pleurer de joie et de peur. Elle sentait une agréable somnolence l'envahir; pleurer l'apaisait, cela remplaçait les mots qu'elle ne pouvait plus dire à personne, que Petru n'aurait même pas compris.

– Nous y amènerons Francisc, et Pavel...

Mme Anicet pleurait maintenant moins fort, plus sobrement. « Les enterrer à Arvireşti, pensa Petru, voilà le rêve de maman, son idéal... » Il lui caressa doucement la tête, les tempes.

– Je te jure de ne pas revoir Nora, je te le jure, dit-il simplement, sans prononcer ces paroles avec la solennité qu'espérait sa mère et qui seule pouvait la convaincre.

Petru savait pourtant bien ce qu'il disait. Il avait résolu de se séparer définitivement de Nora et rien ne pouvait l'en dissuader. Cela faisait d'ailleurs plus d'un mois que, avant de la quitter, il ne la voyait plus que de loin en loin et repoussait sèchement ses étreintes.

– C'est mon tour d'être malade, lui avait-il dit un jour en ricanant.

Après quoi il avait inventé toute une aventure avec une dame de la plus haute société qui l'avait entendu jouer du piano quelque part, était tombée amoureuse de lui et l'avait invité chez elle.

– Bien sûr, c'était pour faire l'amour, avait ajouté Petru d'un ton cynique. Ma musique, elle s'en moquait éperdument.

Très pâle, Nora écoutait sans ciller, les yeux ronds, comme si elle ne parvenait pas à comprendre.

– Je crois que c'est elle qui m'a contraint à l'ascétisme, si tu vois ce que je veux dire.

Il avait souri très poliment avant de demander :

– Au fait, comment va ton soupirant, ce M. Iorgu Zamfirescu?

Nora s'était levée lentement de sa chaise et, en regardant fixement Petru :

– Si tu m'en reparles, je prends un couteau et je te saigne! Tu peux baiser avec qui ça te chante, mais je ne te permets pas de m'insulter!

Ils s'étaient séparés sur ces mots. Nora avait d'abord cru que Petru boudait, mais, au bout de deux semaines, elle était allée l'attendre à son arrêt de tramway, la mine contrite.

– Pardonne-moi, Petru! lui avait-elle dit en lui prenant la main pour l'embrasser. Je les ai tous mis à la porte, tous...

Elle s'était forcée à rire, effrayée car Petru la dévisageait avec une froideur d'étranger.

– Il y en avait donc tant que ça? avait-il demandé, méprisant.

Nora avait frémi :

– Pourquoi me demandes-tu ça? Il n'y avait que Iorgu et le fils du percepteur, Niţà... Et maintenant je n'ai plus un sou. Je suis venue te demander vingt balles... Et puis je suis venue parce que tu me manques, avait-elle ajouté en baissant les yeux.

Elle l'avait supplié de rester encore un peu avec elle, d'entrer dans un bistrot et de bavarder en mangeant un morceau.

– Nora, je pense que nous devons nous séparer, avait répliqué Petru. Pourquoi n'épouses-tu pas Iorgu?

La jeune femme avait ouvert la bouche pour répondre, mais Petru ne lui en avait pas donné le temps :

– Ça vaudrait bien mieux. Parce que, avec moi, c'est fini. Définitivement, Nora, si tu comprends ce que ça veut dire...

Il parlait d'une voix méchante, que Nora ne lui connaissait

pas. Puis, pour donner plus de poids à ses dires, il avait ajouté « adieu » et s'était éloigné. Nora s'était mise à lui courir après, mais il s'était retourné :

– Tu veux une paire de baffes, ici, en pleine rue?

Et il était reparti à grands pas, sans un regard en arrière, sans un regret. « Par la même occasion, je venge Pavel, s'était-il dit. On devrait toujours se séparer comme ça. D'ailleurs, si elle essaie de me suivre, je vais la gifler pour de bon. »

Depuis, Petru ne lui avait plus parlé. Il n'avait pas ressenti la moindre émotion en l'apercevant, un après-midi, les joues creuses, les yeux cernés, à moitié cachée derrière une haie. « Iorgu, c'est Iorgu qui te guérira! s'était-il dit en souriant, presque de bonne humeur. Retournez tous les deux au chaos dont je vous ai tirés! »

Petru se demandait s'il aimait vraiment Annette. Il vivait auprès d'elle des joies et des inquiétudes tout autres que celles qu'il avait connues avec Nora. Mais, depuis le retour d'Adriana, ils se retrouvaient moins souvent la nuit et, du reste, chaque fois en tremblant de peur. Ils devaient presque se contenter de baisers furtifs au salon pendant les leçons ou de non moins furtives étreintes dans le parc. Annette ne sortait presque pas de la maison et, ses rares courses en ville, elle les faisait en compagnie de sa mère ou de Teddy Lupescu. En ville, d'ailleurs, où se seraient-ils retrouvés? Dès le début, Petru avait avoué à Annette qu'il était trop pauvre pour louer une chambre.

– Quand tu auras vingt et un ans, lui disait-elle, tu pourras demander ma main.

– D'ici là, répondait-il, on sera peut-être morts tous les deux. Il vaudrait mieux nous procurer de l'argent et louer en ville une chambre où personne ne pourrait nous trouver. J'y apporterais mon piano et je te ferais de la musique toute la journée.

Il reprenait le rêve de son adolescence, à cause duquel il s'était enfui chez Nora. Il imaginait avec ravissement une chambre très simple, pas grande mais assez tout de même pour y faire tenir son piano et un lit sur lequel sommeillerait

Annette pendant qu'il composerait ses *Hérétiques.* Quelques phrases le poursuivaient, un leitmotiv en si bémol, mais il n'arrivait pas à se mettre à écrire.

– Où trouver tant d'argent? finit par demander timidement Annette.

Petru réfléchit longuement, puis :

– Si on prenait quelques tableaux, tu crois que ça se remarquerait?

Mais cette proposition lui sembla aussitôt absurde et il ajouta :

– Non, on ne réussirait pas à les vendre. Ils sont trop ridicules, n'est-ce pas?

Annette avait du mal à comprendre. Pâle, elle regarda Petru dans les yeux, puis elle le prit par la main, comme si cela pouvait l'aider à réaliser ce qui se passait. Elle ne voulait pas croire que Petru lui proposait de voler.

– Non, on doit trouver autre chose à vendre, reprit-il. Peut-être des bouquins du vieux... Sauf qu'ils ne vont pas nous rapporter grand-chose non plus...

Il faisait les cent pas dans la pièce, soucieux. Il aimait Annette, oui, il devait l'aimer pour lui avoir dévoilé ses plans les plus secrets, et puis sinon il n'aurait pas éprouvé un tel désir d'habiter au plus vite seul avec elle, dans une chambre ignorée de tous.

– J'ai bien peur de t'aimer trop fort, dit-il en s'approchant d'elle, et il l'embrassa sur la bouche.

La jeune fille se serra contre lui. Elle ne pensait plus aux livres ni aux tableaux. Maintenant qu'elle entendait Petru lui parler d'amour, elle eût été heureuse de faire n'importe quoi pour lui, de voler, de se sauver de chez elle, de ne plus jamais revoir ses parents...

– Je t'aime très fort et alors je te ferai souffrir, poursuivit-il. Ce ne sera pas exprès, mais je te ferai souffrir...

Les yeux d'Annette brillèrent et sa figure fut illuminée par une rare ferveur qui en noyait les traits, les adoucissait jusqu'à leur conférer la souriante expression d'un bonheur surhumain.

– Ah! Petru, murmura-t-elle, je n'ai pas peur de souffrir! Pour toi, je suis prête à souffrir, Petru, prête à tout subir!

Ce jour-là, il était plus calme en rentrant chez lui, d'autant qu'avec Nora les choses semblaient bien finies. Il pouvait rêver tout à sa guise de la chambre qu'il louerait en ville et où il installerait son piano, où Annette et lui se retrouveraient. « Il est grand temps de commencer à créer pour de bon », se dit-il, sûr d'occuper une place d'élite dans la musique roumaine dès qu'il aurait fini *les Hérétiques* et publié des fragments des *Étoiles filantes*. Cependant, ce qui le paralysait, c'était l'idée des débuts, l'idée d'avoir à faire antichambre, à se battre patiemment, pas à pas, au jour le jour. Il eût préféré s'élever par d'autres moyens, devenir riche grâce à une femme ou à un vol et être ensuite assez puissant pour se faire entendre. Il lui était pénible de faire un compromis en tant qu'artiste; en tant qu'homme, il n'avait aucun scrupule, il ne reculait devant aucune compromission.

Il allait se mettre à écrire lorsqu'il lui sembla entendre sa mère geindre. Inquiet, il entra sur la pointe des pieds dans sa chambre. La vieille dame dormait à poings fermés et gémissait à travers son sommeil. Mais une violente odeur d'eau-de-vie stagnait dans la pièce. Petru s'arrêta, interloqué : peut-être qu'elle est enrhumée et qu'elle s'est fait une friction... Pourtant, ces gémissements, cette espèce de râle n'étaient pas un sommeil de malade. Il se retira sur la pointe des pieds, comme il était venu. Il se sentait tout à coup épuisé, désespéré. Il se frotta furieusement les tempes, comme s'il cherchait à arrêter ainsi le bourdon qui résonnait sous son crâne. Il se rappela alors avoir remarqué récemment au garde-manger une bouteille de prune pas entamée. Cela l'avait surpris car sa mère et lui ne buvaient jamais, même pas de vin à table, mais il n'y avait pas prêté attention. Cependant, quelques jours plus tard, Mme Anicet lui avait dit qu'elle n'avait plus d'argent pour faire les commissions. Or, Petru, qui lui avait donné quelques jours auparavant les cinq cents lei qu'il avait, ne comprenait pas comment elle avait pu les dépenser aussi vite.

– J'avais une ardoise chez l'épicier, avait-elle expliqué.

Alors, il était allé demander cent lei à Nora. Ils en avaient vécu pendant trois jours, de soupe de haricots et de lait, avant de réussir à obtenir une avance sur ses leçons de piano.

Il se rappelait à présent d'autres détails, qu'il n'avait jamais compris : pourquoi sa mère dormait si profondément, d'habitude enfermée à clé, pourquoi elle refusait d'ouvrir quand il avait besoin de quelque chose, pourquoi il l'entendait parfois parler toute seule... « Je dois la sauver, je dois la sauver! Si je pouvais trouver rapidement de l'argent et lui rendre sa vie de jadis! » Petru ne doutait pas qu'elle s'était mise à boire pour oublier la misère et la tristesse de ce fond de banlieue... « Elle n'aurait pas pu tenir le coup autrement, j'aurais dû m'y attendre. Mais je la croyais aussi forte que moi. Seulement, elle n'a plus personne, c'est à peine si l'on peut dire qu'elle m'a encore. Je dois faire quelque chose, gagner de l'argent, la sauver... » Il alla inspecter le garde-manger – pas de bouteille d'eau-de-vie cette fois-ci. Il entendait geindre sa mère de temps en temps et ce signal de souffrance et de misère, en l'humiliant, l'exaspérait. Il se sentait seul, malheureux; il eut soudain la nostalgie de son père, de Pavel, de l'insouciance de son enfance. Mais cette bouffée d'attendrissement ne dura qu'un instant. Il redevint aussitôt résolu, froid, brutal et se remit à fouiller systématiquement dans tous les coins. Il retourna dans la chambre de sa mère et l'écouta gémir pendant quelques secondes avant de se mettre à chercher. Si elle se réveillait, il dirait qu'il était entré pour prendre les ciseaux. Mais il se rendit compte bien vite qu'elle ne risquait pas d'entendre quoi que ce soit. Il se pencha, regarda sous le lit et y découvrit la même bouteille que celle qu'il avait vue il y avait quelque temps au garde-manger, une bouteille pansue, jaunâtre, encore à moitié pleine. Il la ramassa, la fourra sous sa veste et sortit sur la pointe des pieds. Il hésita pendant quelques instants sans savoir quoi en faire. Enfin, il alla aux cabinets, la vida jusqu'à la dernière goutte, puis sortit et la jeta dehors.

Petru ne réussit pas à travailler ce jour-là. Il marcha

longtemps de long en large dans sa chambre, il ouvrait et refermait le piano, incapable de travailler. Il écrivit dans son journal :

Maman boit, elle boit de l'eau-de-vie. Et pourtant je l'aime, je la respecte, je la vénère. Elle est ma mère. Elle est, surtout, une femme humiliée. Un jour, je la vengerai de tout cela.

Lorsqu'il vit Alexandru, il lui emprunta de l'argent, en précisant :

– Ce n'est pas pour moi, c'est pour maman.

Depuis, chaque fois qu'il entrait dans la chambre de sa mère, Petru ne pouvait s'empêcher de renifler. Quant à Mme Anicet, lorsqu'elle constata l'absence de sa bouteille et devina ce qu'il en était advenu, elle pleura en cachette et fut longtemps avant d'oser regarder son fils en face. A leur premier repas ensemble, elle rougit et ne leva pas les yeux de son assiette. Petru se montra plus gentil que jamais et lui parla tout le temps en français...

– Assez pleuré, maman, tu vas avoir mal à la tête...

Mme Anicet se leva de table. Elle ne se rappelait pas pourquoi elle avait pleuré. Elle savait qu'il y avait longtemps, par une autre journée d'automne, Francisc était mort. Elle savait aussi qu'elle avait enterré Pavel... Puis il lui sembla réentendre la voix rauque de Nora qui criait : « Madame Anicet! »

– Ne lui fais pas de mal, mon petit Petru, murmura-t-elle. Dieu la punira!

Elle alla dans sa chambre et se déshabilla. Elle entendit bientôt un air plein d'anxiété, un air étrange et fascinant que Petru ne cessait d'interrompre et de reprendre pour le concentrer davantage, pour y adjoindre un son sinistre. C'était un si bémol qui revenait comme une présence étrangère dans cette mélodie si limpide et majeure. Mme Anicet ne put résister à la tentation de s'approcher de la porte pour mieux écouter. « C'est sur ce morceau que mon Petru travaille en ce moment », pensa-t-elle, fière de son fils. Elle s'assit sur une chaise et laissa errer ses pensées. Elle était si lasse, si triste, si seule – et cependant, tant de bonheur l'attendait... « Mon Petru est libre, à présent. Il va bientôt se trouver une riche épouse. Un Anicet, c'est coté cher, pour son nom, pour sa position sociale. Ensuite, il donnera deux concerts, un à Bucarest et l'autre à Paris. On collera des affiches dans les rues : *Le grand compositeur roumain Petru Anicet.* On en parlera dans les journaux, à la radio... » Pourtant, malgré tout ce superbe échafaudage, elle n'arrivait pas à chasser la tristesse qui lui poignait le cœur. « Pourvu qu'il n'aille pas revoir cette traînée... » Elle appuya doucement la tête sur son bras posé sur le dossier de la chaise et elle s'assoupit. Un brillant escalier d'argent menant au ciel, comme dans le finale de *Faust.*

Petru ouvrit brusquement la porte. Il avait senti une présence qui l'empêchait de travailler.

– Maman...

Mais il vit qu'elle dormait d'un sommeil lourd et il referma la porte le plus doucement qu'il put.

III

– Franchement, je ne vous comprends pas, dit Eleazar. Ça fait une demi-heure que j'écoute votre bavardage, vos palabres sur le destin, le sens de la vie, la morale et d'autres billevesées spirituelles, et vous me faites pitié! Je n'y comprends rien!

La discussion battait déjà son plein lorsqu'il était arrivé au café. Il avait été surpris d'y trouver David Dragu, qu'il croyait toujours en province. Il ne l'avait pas revu depuis quelque deux ans. Il avait envie de le questionner sur sa vie, sur ses projets, mais David lui parut plus renfermé encore qu'auparavant et, comme toujours, peu soucieux de parler de soi en public – il préférait pérorer sur n'importe quel sujet d'ordre général plutôt que d'aborder ses ennuis ou ses plans. Eleazar l'avait écouté pendant un bon moment avant d'éclater de sa voix de mêlé-cass qui rappelait parfois celle d'une vieille femme enrouée. Un jeune homme blond, qui suçotait sa cigarette plus qu'il ne la fumait, lui répliqua :

– Nous ne comprenons rien, tous autant que nous sommes. Nous ne comprenons ni la mort ni la vie, ajouta-t-il d'un air las. C'est presque une loi universelle. Alors, à quoi bon s'en étonner?

Eleazar lui lança un regard surpris et dégoûté, comme s'il souffrait en l'écoutant.

– Tu dis n'importe quoi, grogna-t-il en baissant un peu la voix pour la rendre plus méprisante, tu dis n'importe quoi. Qu'est-ce que ça signifie, « nous ne comprenons rien »? Il y a des tas de choses que je comprends très bien. Je comprends une fleur, je comprends la fille que j'aime, je comprends le soleil qui brille...

Le jeune homme blond rougit et posa sa cigarette sur le rebord du cendrier déjà plein.

– Il n'y a pas que ça, répondit-il. Par exemple les idées, les rêves, les prémonitions, tous ces détails de l'âme que personne ne comprend...

David sourit : des « détails de l'âme »! Une vision de garçonnière moderne, une mise en valeur intimiste et décorative de la conscience – l'âme à l'heure du thé!

– Au contraire, protesta vivement Eleazar, je comprends très bien les idées des autres quand elles sont claires, quand elles sont des idées. Et je comprends mes rêves, et les symboles que je rencontre. Je comprends aussi ce qui est fantastique et même ce qui est abscons. Il n'y a que fort peu de chose que nous ne puissions pas pénétrer, pas pénétrer du tout...

David avait envie d'ajouter : jusqu'à la mort, seulement jusque-là. Comme elles deviendront claires, après cela, toutes les choses aujourd'hui impénétrables, toutes les énigmes, toutes nos peurs et nos incertitudes! Il avait envie de dire tout cela bien qu'il l'eût probablement déjà répété pas mal de fois. Mais il était gêné par l'assurance brutale d'Eleazar, par la tiède médiocrité des autres. Parler de la mort en tant que justification des actes humains et se faire interrompre par Eleazar, qui est un mystique et un politicien à la fois... Il s'était donc contenté d'un geste vague, interrogatif, hésitant, qui contrastait d'une façon flagrante avec ses gestes habituels, résolus et convaincants. Il enleva ses lunettes et se mit à les essuyer avec son mouchoir. C'était un moyen de défense, une manière de signifier qu'il se retirait du jeu, que cette discussion ne l'intéressait plus.

– Mais il ne s'agit pas de ça, poursuivit Eleazar, il ne s'agit pas de malentendus pour des raisons philosophiques, si je puis m'exprimer ainsi...

« Eleazar croit plaisanter », pensa David, qui faisait semblant d'être absorbé par le nettoyage de ses lunettes. Ces retrouvailles au café avec tant d'anciens amis le rendaient triste. Il avait l'impression de ne pas avoir été absent de Bucarest, de reprendre une conversation interrompue la veille. Il retrouvait les mêmes préjugés, centrés sur d'autres leitmotive, et, à plusieurs reprises, il s'était senti un étranger parmi eux. Reprendre la même histoire, se battre contre les mêmes confusions, contre les mêmes bêtises qu'il y a deux ans, qu'il y a vingt ou deux cents ans...

Il réussit pourtant à chasser cette vague de tristesse et de fatigue en se disant que le sens de la vie résidait peut-être justement dans une lutte incessante contre la bêtise, les truismes, l'obscurité. Chaque fois qu'il se sentait abattu à force de se heurter aux mêmes répliques médiocres, à la même ignorance épaisse, il se donnait du courage en se persuadant que les combattre contribuait à la continuité de l'intelligence, à une noble solidarité humaine... Mais, à présent, la lassitude commençait à prendre le dessus. L'apparition rhétorique d'Eleazar avait troublé les eaux trop profondément. David se demanda un instant pourquoi Alexandru n'intervenait pas, pourquoi il se contentait d'écouter en fixant sur chacun à tour de rôle un regard calme et très discrètement méprisant. Puis d'autres soucis lui revinrent à l'esprit. Il pensa à ses nouveaux élèves du lycée *Ferdinand-I*[er]*,* à l'automne qui s'achevait brusquement, à ses problèmes financiers; et, surtout, à sa sœur Getta, qui venait de rompre ses fiançailles pour la deuxième fois...

– Vous parlez et vous écrivez pour vous seulement, entre vous seulement, continuait Eleazar, sur un ton plus vif. Vos conversations de café du commerce, c'est aussi ce que vous écrivez dans vos bouquins et vos journaux : le destin de l'homme, sa morale intérieure, sa spiritualité et je ne sais quelles autres hérésies ridicules. Vous ne voyez donc pas que vous ne parlez et que vous n'écrivez que pour un millier de bonshommes aussi tordus que vous, et que toute la culture roumaine tourne entre le *Corso,* l'Athénée, la Fondation Carol et Calea Victoriei, c'est-à-dire un tout petit périmètre au centre de Bucarest? Qu'est-ce que peuvent comprendre les millions de Roumains qui ne vous connaissent pas personnellement et qui n'achètent pas vos livres, qu'est-ce qu'ils peuvent comprendre à tout votre verbiage spirituel? Il existe une seule spiritualité : le christianisme des paysans, le christianisme des masses. Entendons-nous, il ne s'agit pas là d'expériences, de dogmes, de doctrines et d'hérésies philosophiques d'origine ou de structure chrétienne. Il s'agit du christianisme que le paysan pratique depuis près de deux mille ans et qu'il n'interprète pas plus qu'il ne le juge. Tandis que vous, même quand vous vous posez en chrétiens, vous vous ramenez avec toutes sortes de balivernes intellectuelles et vous perdez votre temps, vous trahissez votre mission. Qui donc vous connaît, qui connaît vos pensées ou vos créations? La vie passe à côté de vous, la vie de millions de gens qui croupissent dans la misère et l'abrutissement pendant que vous parlez ou que vous écrivez pour vous faire écouter ou lire par une dizaine ou une centaine de vos pareils...

Eleazar parlait sur un ton violent et menaçant, comme toujours. Son speech, qu'on écoutait aussi à quelques tables voisines, en impressionnait plus d'un. Il était connu comme le loup blanc et, depuis qu'il avait adhéré à un parti politique d'action, il était craint. Il menaçait à droite et à gauche de bannissement, de prison à perpétuité, de pendaison. Il était pris quelquefois, au beau milieu d'un discours véhément, d'une véritable euphorie du pouvoir. Il se sentait jeune, puissant, dominateur. Il croyait au gouvernement sanglant de la justice – de la lumière, disait-il.

– Vos drames et vos tourments, qui donc les connaît? demanda-t-il, triomphal. Vos créations, qui les connaît? Une dizaine de personnes, une centaine ou un millier?

Le propos d'Eleazar finissait par amuser David, car il l'avait déjà souvent lu ou entendu, en partie ou en totalité, chez toutes sortes de gens. Il regarda Alexandru, surpris de constater qu'il n'intervenait toujours pas. Les autres avaient tous écouté d'un air embarrassé, comme s'ils s'avouaient coupables. David décida de répliquer.

– Il y a aujourd'hui, dit-il calmement, beaucoup moins de gens qui connaissent Goethe que Ramon Novarro; infiniment moins qui connaissent Eddington ou Bergson que Carnera. Ce que tu dis est complètement absurde. Il est normal que tes millions de Roumains ou d'Anglais ou de Russes ne comprennent pas ce que nous disons ou ce que nous écrivons. Ce n'est pas un critère de jugement de nos actes ou de nos pensées. Peu importe qu'on soit compris par seulement mille ou cent personnes au lieu d'un million. *Qui sont ces personnes,* voilà la seule chose qui compte, le seul critère de jugement...

Eleazar l'interrompit brutalement :

– Tant pis pour vous, les intellectuels! Moi, ce n'est pas la centaine ou le millier qui m'intéresse, mais les millions.

– Si l'humanité avait adopté ce critère depuis le début de son histoire, il n'y aurait pas eu d'histoire, rétorqua David. On n'aurait rien découvert, rien créé. La primauté du collectif pur sur toute élite signifie le retour au zoologique, les mêmes lois d'économie biologique conduisant un troupeau de vaches et une société humaine. Tout ce que vous me dites de la collectivité, tes amis et toi, je l'ai appris il y a longtemps, dans les livres de zoologie. Supprime ces mille personnes qui préfèrent Eddington à Greta Garbo et tu obtiendras une humanité dirigée par ses seuls instincts, par le ventre et le bas-ventre! Tes appels, je ne les comprends que trop : ce sont des appels... à l'animalité. Puisqu'ils te tentent tellement, réponds-y. Mais pour ton propre compte seulement...

– Autrement dit, tu méprises quiconque est resté proche de la terre, demanda Eleazar, quiconque n'est pas capable de comprendre Eddington ou de goûter Picasso?

– Pas du tout! protesta David, d'une voix plus forte. Il y a belle lurette que je la connais, cette arme que vous aimez utiliser : considérer l'intelligence, la culture, le génie comme des moyens subversifs pour mépriser et opprimer les autres. Mais c'est une arme ridicule. Ne pas trahir sa mission, sa mission de connaissance et de création, ne signifie pas mépriser autrui, ceux qui sont restés proches de la terre, comme tu dis. Aucun homme intelligent qui ressent directement le drame de l'existence ne méprise les bienheureux qui ne le ressentent pas. Au contraire, il peut quelquefois les envier. Nous autres, intellectuels – puisque tu aimes cette classification –, c'est aussi notre destin qui nous isole. Qui ne peut supporter la solitude n'a qu'à rejoindre les sections d'assaut...

Les amis de David le retrouvaient tel qu'il était deux ans plus tôt : loquace, véhément, infatigable. Alexandru, lui, se taisait toujours. C'était d'ailleurs son silence qui avait poussé David à parler, à élever la voix. Il savait qu'Alexandru partageait certaines des opinions d'Eleazar.

– Voilà justement ce que je constatais, répondit ce dernier, votre peur de la lutte, de la responsabilité directe, de l'action. Naturellement, c'est bien confortable de se tenir à son bureau sans être dérangé par personne, de bouquiner, d'écrire et de se dire : « Sans moi, l'histoire foutrait le camp et on retomberait dans l'animalité! » C'est très facile et très lucratif en même temps, mon vieux David. On ne risque rien, on ne fâche personne. On tient compagnie à Goethe et à Eddington et pendant ce temps-là des millions de gens peuvent crever dans la misère. Si au moins vous étiez cyniques au lieu de cacher votre lâcheté! Si au moins vous avouiez : « Peu m'importe le reste de l'humanité, moi, j'ai mes affaires et mes amours intellectuelles! » Dans ce cas-là, j'admirerais votre sincérité. Je me dirais : voilà de sympathiques salauds; et je vous admirerais. Mais vous, vous inventez trente-six mille excuses pour justifier votre peur du combat...

David pâlit. Sa lèvre inférieure tremblait, il serrait les poings. Brusquement, il n'arriva plus à se contrôler et il éclata :

– De quel combat parles-tu? As-tu jamais vu un combat dans un parti ou une formation politique? Parler à une tribune ou sur la place publique au lieu de parler dans un café ou un amphithéâtre, tu appelles ça combattre? Marcher en groupe au lieu de marcher tout seul, avoir faim à cinquante au lieu d'avoir faim tout seul dans une mansarde, tu appelles ça agir? Où est-elle, votre action? Tout ce qui se passe dans la vie d'un être humain est action! Chacun de ses gestes, de ses pensées, de ses amours, tout est action, tout est acte. L'action politique n'a de différent que son caractère collectif. Mais elle n'est pas moins héroïque, la souffrance d'un homme seul dans sa chambre pendant ses nuits d'étude, elle n'est pas moins héroïque que celle d'un homme passé à tabac pour sa foi politique. Le combat d'un homme contre son destin, contre la mort, est bien plus grandiose que tous les combats politiques de la terre...

– C'est un combat égoïste, dit Eleazar. La lutte d'un homme contre son destin ne m'intéresse pas. Ce qui m'intéresse, c'est la lutte d'un homme contre le destin de sa collectivité.

Alexandru sourit. Il lui semblait entendre ses propres paroles, comme si quelqu'un lisait dans ses pensées.

– Ce que tu dis est complètement absurde! s'écria David en tapant du poing sur la table. Tellement absurde que j'ai l'impression de me trouver dans une tribu de sauvages, au fin fond de la jungle, sans pouvoir me faire comprendre! Qu'est-ce que ça veut dire, le destin de la collectivité? La faim, la misère, l'ignorance et tout le reste? Mais, pour l'amour de Dieu, ce n'est pas *le destin,* cela, c'est *la condition sociale!* Le destin, ça signifie que l'homme est mortel, que la souffrance est éternelle, qu'une âme ne peut jamais communiquer parfaitement avec une autre. Voilà ce qu'est le destin humain et voilà l'expérience dramatique de la vie que ne font, dans toute sa plénitude, que quelques milliers de personnes. Le reste, les millions, ils se résignent, si tant est qu'ils s'interrogent jamais là-dessus. Ce qui les occupe, c'est leur condition sociale, économique, sanitaire. Je ne les méprise nullement, mais quand tu me dis que la lutte contre la solitude et la mort est égoïste et que la lutte politique est altruiste, je sens que ma tête va éclater!

Il tapa encore une fois du poing sur la table, puis il se leva. Il était animé d'une colère noire, pas à l'encontre d'Eleazar, mais de la muraille d'incompréhension et de confusion qu'il voyait s'élever tout autour de lui. Cette colère décuplait ses forces, balayait la fatigue qu'il avait ressentie au début de la soirée. Mais il étouffait dans cette salle de café. Il décida de sortir, malgré le crachin qui tombait dehors, et il se dirigea vers la porte après un vague au revoir général. Alexandru le suivit aussitôt.

– Tu as bien parlé, mais tu n'avais pas raison, dit-il dès qu'ils furent dans la rue.

David se retourna. De petites gouttes de pluie étaient tombées sur ses lunettes. Il était un peu ridicule, dans la lumière du réverbère, engoncé dans son vieil imperméable, les verres de ses lunettes tachetés de larmes extérieures. Alexandru soutint son regard en souriant.

– Eleazar défendait le point de vue des *hooligans,* continua-t-il, un point de vue plein de nostalgie pour toi.

– Alors, je crains que tu n'aies pas compris ce que veut dire *hooligan,* répondit David.

Il parlait d'une voix morose qui tremblait légèrement, comme au sortir d'une forte émotion.

– Ces gens-là sont stimulés du dehors, par des ordres, par des chefs et des slogans, expliqua-t-il. Ce n'est pas une révolte de la jeunesse biologique. C'est une barbarie organisée, donc tout autre chose que le « hooliganisme »...

Il hésita pendant quelques secondes, regardant le bitume humide, sur lequel les lampadaires jetaient des reflets argentés.

– Et puis, ce que je t'ai dit ce soir-là, au bord de la mer, était plus une mélancolie provisoire qu'une opinion. J'étais parti de constatations différentes. Tandis que le cas d'Eleazar représente autre chose...

Alexandru ouvrit la bouche pour demander ce que signifiait cette autre chose, mais David l'en empêcha d'un geste.

– D'ailleurs, pas seulement Eleazar, mais toi aussi et peut-être même ce brave Petru Anicet. Vous parlez du manque de responsabilité de vos contemporains, vous parlez de courage, vous parlez de sortir de l'individualisme – mais jusqu'ici je n'ai pas vu un seul fait concret, je ne t'ai pas vu, toi-même, illustrer par des faits cette nouvelle dignité humaine. Au contraire, ce que j'ai entendu dire cet été à propos d'une certaine Viorica Panaitescu ne justifie nullement ta doctrine héroïque.

Alexandru n'en revenait pas. Cette ridicule sortie de David provoquait en lui un mélange de chagrin, de nausée et de colère.

– Et tu as pu ajouter foi à ces ragots? s'exclama-t-il. Eh bien, sache...

– Inutile de monter sur tes grands chevaux, coupa David, cassant. Je n'ai ajouté foi à rien du tout. Il n'en est pas moins vrai que tu n'as pas eu le courage de l'acte, que tu n'as fait preuve ni d'héroïsme ni de responsabilité. J'imagine toutes les pensées qui ont pu te passer par la tête à ce moment-là, celles d'ailleurs qu'aurait eues n'importe lequel d'entre nous. Tu t'es dit, sans doute, que tu étais trop au-dessus d'une pauvre fille amoureuse, que tu étais au-dessus des lois, au-dessus de la morale. C'est ce que nous nous disons tous quand nous sommes dans l'embarras, quand nous devons nous décider, devenir responsables. Tu t'es dit, peut-être, que tu deviendrais un raté à cause de cette pathétique Viorica Panaitescu – c'est la rengaine de tous les jeunes gens qui manquent de vigueur. Certains sont des ratés à cause de la province – rappelle-toi les jérémiades de Dumitraşcu –, comme d'autres le sont à cause d'une passion ou d'une maladie ou de leur mariage. Autant de prétextes pour camoufler notre insuffisance vitale, notre lâcheté. Car c'est ça, la véritable lâcheté, et non pas ce que vous croyez, Eleazar et toi. Vous redoutez les conséquences de vos actes et alors vous inventez une morale ou une philosophie qui puisse vous en absoudre. Mais, moi, je ne respecte et je n'admire que les hommes qui acceptent toutes les conséquences de leurs actes, quels qu'en soient la gravité et le danger. C'est du reste le seul moyen de vérifier la consistance d'un homme. J'en ai assez de ceux qui vivent chichement et prudemment de peur de louper leur mission, d'écorner leur génie ou leur talent...

Alexandru le saisit brutalement par le bras, en serrant très fort. David se tut, mais ne montra pas que son ami lui faisait mal; il le regarda, un sourire moqueur aux lèvres.

– Tu crois donc qu'il y ait quelque chose au monde qui puisse me faire peur? demanda Alexandru.

Il martelait les mots, menaçant. Dans ses yeux dansait une lueur trouble, de virilité offensée.

– Tu crois que je ne serais pas capable de faire n'importe quoi, *n'importe quoi,* tout en restant moi-même, aussi libre et maître de moi que je le suis en ce moment?

– Je ne sais pas, répondit David. Je ne sais pas si tu resterais le même qu'aujourd'hui au cas où tu deviendrais pauvre tout à coup, par exemple, ou bien au cas où tu te marierais. Par contre, je suis sûr que tu as eu peur de la passion de cette fille, tu as eu peur de te faire coincer. Tu n'ignores pas ce que je pense des gens qui craignent les circonstances et le milieu, qui croient qu'ils peuvent devenir des ratés à cause d'une ville de province, d'un mariage ou d'une maladie. Je pense que ce sont des faibles et des lâches, voilà ce que j'en pense. Un homme fort, un homme accompli n'a rien à craindre, absolument rien. Qu'il soit infirme, aveugle, qu'il ait une ribambelle de gosses à nourrir, qu'il habite le bled le plus déprimant, peu importe : il demeure vivant, il continue à *être* et à créer, envers et contre tout.

– Tu me l'as déjà dit, lança Alexandru, impatient de parler aussi.

– Oui, et je te le répète exprès. Parce que je pense que tu as eu peur des conséquences, voilà tout. Chacun veut être libre dans la vie, mais tous fuient les conséquences de leur liberté. Alors, je ne comprends plus de quelle sorte de liberté il s'agit. S'il est vrai qu'on est libre de faire l'amour à tout venant, alors on doit se sentir tout aussi libre quand apparaissent les conséquences de cet amour. Tandis que toi, tu as eu peur que la passion de cette fille annule ta liberté. Tu as surtout eu peur d'être obligé de l'épouser! Surtout ça!

Il serra les poings et se mit à rire sous la pluie, la tête haute. Alexandru lui saisit de nouveau le bras :

– Est-ce que tu te rends compte de la gravité de ton insulte? Tu viens de me traiter de lâche!

– Nous sommes tous des lâches, dit David. Tous, certains davantage, d'autres moins. Mais, comme nous en étions venus à parler d'action, de hauts faits, de responsabilité, j'ai tenu à te rappeler que ces choses étaient extrêmement rares dans notre monde et que, quant à toi, tu étais loin de les avoir réalisées...

– Tu penses donc que c'est le mariage qui m'a fait peur? demanda Alexandru sur un ton qui se voulait dur et solennel mais qui ne parut que sibyllin. Qu'est-ce que tu dirais si je me mariais demain?

– Ça dépendrait des circonstances, répondit David. On ne fait pas forcément ses preuves en se mariant. Si par exemple tu épouses une belle jeune fille riche dont tu pourras divorcer du jour au lendemain sans souffrir ni la faire souffrir, ça ne voudra rien dire. Ce qu'il faudrait, ce serait que tu épouses une jeune fille pauvre et malade et, si possible, catholique. Ainsi, le divorce serait impossible. Tu te saurais lié à vie, tu saurais que, quoi que tu fasses, quoi qu'il arrive, tu ne redeviendras pas libre. C'est seulement dans de pareilles conditions que le mariage peut prouver quelque chose, peut se transformer en « connaissance », en « initiation ».

– Où veux-tu que je déniche une jeune catholique tuberculeuse pour te démontrer que je ne redoute pas le mariage?

– Je ne te demande pas de démonstration pareille. Je trouverais pénible que tu fasses une telle expérience par dépit enfantin. J'ai appris qu'une jeune fille s'était suicidée pour toi et ça me suffit. Tiendrais-tu à faire maintenant le malheur d'une autre? Le simple fait que tu te sois tellement offusqué quand je t'ai traité de lâche montre que tu n'es pas un homme fort. Un homme réellement fort ne se met pas à parier avec le premier venu pour vérifier ou justifier sa force. Tu veux me prouver que *tu peux* te marier quelles que soient les circonstances. J'ai compris quelle sorte d'homme tu es...

Alexandru l'attrapa encore une fois par le bras et le tira vers lui. Il était plus fort, et plus en colère.

– Maintenant, tu ne peux plus reculer! cria-t-il. Je te respecte et je t'aime trop pour te permettre d'avoir une aussi mauvaise opinion de moi. Si un autre m'avait traité de lâche, d'irresponsable et de bavard, je ne lui aurais même pas répondu. Tout au plus lui aurais-je cassé la figure. Mais toi, tu es *quelqu'un* pour moi. Voilà pourquoi je me suis tellement offusqué, comme tu dis, quand je t'ai entendu m'insulter.

– Je ne t'ai pas insulté, je te le répète : nous sommes tous des lâches. Les gens sont tous pareils. En parlant de toi et d'Eleazar, je parlais en même temps de moi, de Petru, de n'importe qui. Moi aussi, je crois que ma famille me pèse, que les fiançailles de ma sœur sont une affaire décisive, qu'un poste à Bucarest est un don du ciel... Je ne suis pas moins lâche que toi.

– Voilà justement ce que je juge faux! Moi, je ne suis ni lâche ni irresponsable. Je suis un homme libre, c'est tout. Et, pour te prouver que je n'ai pas peur de perdre ma liberté, je demanderai la main de la première jeune fille que je rencontrerai à la soirée de Felicia Baly, la première qui ne soit ni fiancée ni millionnaire. Je te prie donc d'y venir aussi.

– J'y serais allé de toute façon. Mais j'espère que d'ici là tu auras renoncé à un pari aussi ridicule...

– David, si je me suis attaché à toi, c'est parce que j'ai eu l'impression que les questions morales avaient la même réalité pour toi que pour moi. Je ne me paie pas de mots et je ne fais pas de paris... Il va de soi que cette conversation doit rester entre nous, mais cela n'empêche que je me fiancerai à la soirée de Felicia Baly. Tu verras alors si je suis ou non un *hooligan,* dans le mauvais sens du terme.

David s'aperçut à ce moment-là qu'à force de marcher à grands pas tout en discutant, ils n'étaient pas loin de Cotroceni. Chez lui, on l'attendait pour dîner. Sa discussion avec Alexandru lui paraissait maintenant ridicule et, surtout, dépourvue de sens. Sortir d'un café un peu énervé avec un ami et reprendre la discussion pour aboutir à des conclusions aussi stupides... Tout cela pourquoi, mon Dieu, pourquoi?

– Je compte sur ton bon sens, finit-il par dire.

Il commençait à avoir froid. Son vieil imperméable élimé laissait passer la pluie. Une sorte de fièvre humide le pénétrait et tout lui semblait plus froid et plus triste. Alexandru ne répondit pas. Les mains dans les poches de son pardessus, il marchait sans savoir où ils se trouvaient ni où ils allaient. Son expression était résolue. Ses joues avaient un brillant mat qui paraissait refléter une riche passion intériorisée, concentrée. David le regarda du coin de l'œil et ne put s'empêcher de l'admirer. Il le trouvait encore plus beau, le front à moitié couvert par son feutre, les lèvres serrées au-dessus de son menton volontaire, ce qui lui donnait un air de noblesse sauvage, un air dur et tendre à la fois. « Un bel imbécile qui s'invente des problèmes de conscience », pensa haineusement David. La sensation mêlée de froid, d'humidité, de solitude lui devenait insupportable.

– Je me demande ce que nous venons faire du côté de Cotroceni! s'exclama-t-il en s'arrêtant brusquement.

Alexandru s'arrêta aussi. On eût dit que la voix de David le tirait d'un songe.

– En tout cas, nous sommes bien d'accord, dit-il sur un ton plus amical que précédemment. Dans la nuit du 15 au 16 novembre, chez Felicia Baly, je me fiance à la première jeune fille pauvre que je rencontre... J'espère qu'elle ne doit pas être forcément laide, ajouta-t-il en riant. N'oublie pas que je passerai toute ma vie avec elle.

« Il se moque de moi ou il est fou à lier? » se demanda David.

– Tu sais, j'ai l'impression de vivre une légende, poursuivit Alexandru, rêveur. Comme si j'étais l'un des compagnons maçons de maître Manole, en train d'attendre pour voir si c'est mon épouse qui viendra la première et qu'il faudra emmurer pour réussir à bâtir le monastère... Ou, plutôt, en train de prier pour que ma future soit belle et qu'elle ait du cœur à l'ouvrage...

– Tu mélanges les légendes, grommela David.

– C'est vraiment bizarre, reprit Alexandru comme s'il n'avait pas entendu. Dès demain, je vais devoir chercher un appartement, commander des meubles, etc. Tu passeras Noël avec nous, puisque nous nous marierons d'ici là. Ce que j'aimerais, tout de même, c'est qu'elle ait un beau nom. Celui qui me plaît le plus, c'est Iulia. Iulia ou Maria, des noms simples. Ce sont aussi des noms de servantes...

Il secoua la tête. Trempé, son chapeau était lourd. Depuis quelques minutes, il pleuvait plus fort.

– On ne va pas rester là à philosopher, dit-il *ex abrupto.* Si on trouve un taxi, je te dépose dans le centre...

Puis, après une courte pause :

– Ça ne t'énerve pas, toi, la pluie?

– Quand je suis chez moi, ça me plaît, répondit David. Je me demande d'ailleurs ce qui a bien pu me faire sortir par un temps pareil. Si j'étais resté à la maison, je n'aurais pas écouté le manifeste d'Eleazar et je ne t'aurais pas non plus ouvert le goût des légendes...

Alexandru éclata de rire et le prit par le bras. Il venait d'apercevoir un taxi et il lui fit signe d'arrêter.

– La discussion est close, dit-il en s'installant confortablement. Tout cela reste donc entre nous. Et si tu arrives chez les Baly une demi-heure après moi, je te présenterai la future Mme Pleşa. Je suis sûr qu'elle te plaira.

Ils n'échangèrent plus que quelques banalités jusqu'au boulevard Academiei, où David descendit.

IV

Miticà Gheorghiu entra dans le magasin parce qu'il avait eu l'impression d'y apercevoir Marcella. Cela faisait quelques mois qu'il ne l'avait pas revue et il ne la désirait plus aussi violemment. Pas mal de choses s'étaient passées pendant l'été et, en premier lieu, ses fiançailles avec Veronica Barbu, fiançailles arrangées par les deux familles lors d'un week-end dans les Carpates, à Sinaia. Ce matin-là, vêtue de blanc, Veronica tenait une brassée de fleurs des champs sur la poitrine.

– Vous ressemblez à quelqu'un, lui avait dit Miticà en jetant sa cigarette. Vous ressemblez à quelqu'un, mais je n'arrive pas à me rappeler à qui. En tout cas, le blanc vous va très bien.

Le dimanche suivant, leurs fiançailles avaient été célébrées dans l'intimité. Miticà avait demandé du champagne, mais il avait bu avec mesure. D'ailleurs, avertis par certains de ses amis, ses parents l'avaient surveillé tout le temps.

– Qu'est-ce que vous aimez plus que tout au monde? avait-il demandé à sa fiancée.

Ils se connaissaient fort peu et, timides tous les deux, ils osaient à peine s'appeler par leur prénom et ne se tutoyaient pas encore.

– Voyager, avait répondu Veronica.

– Moi, ce que j'aime plus que tout, c'est l'amour. Quand je vous aimerai aussi, vous comprendrez ce que ça signifie.

– Est-ce que vous en aimeriez une autre? minauda Veronica.

– En effet, j'aime une certaine Marcella, mais nous avons rompu, avait répondu Miticà d'un ton solennel, discrètement peiné, comme s'il racontait un tragique souvenir d'enfance.

Figurez-vous que je l'aimais déjà quand j'étais encore au lycée; elle, elle faisait « Notre-Dame », la pauvre...

Veronica avait rougi, se demandant si elle devait rire ou se fâcher. Du reste, Miticà ne lui plaisait pas du tout. Elle acceptait de l'épouser parce qu'il était jeune et riche et qu'il fallait bien finir par choisir un parti. Pendant la première semaine, elle avait essayé de se sentir émue, mais elle n'y était pas arrivée et elle s'était résignée. « Je vais faire un mariage de raison », se disait-elle. Selon sa mère, c'était ce que faisait tout le monde. Peu de temps auparavant, Veronica avait demandé à une amie mariée par amour, depuis quelques années, avec un médecin, si elle était heureuse. Son amie lui avait répondu qu'elle posait des questions idiotes. Cependant, Miticà continuait de pérorer et la jeune fille se demandait toujours s'il s'agissait d'une plaisanterie de mauvais goût ou d'un affront.

– J'ai décidé de tenter ma chance avec vous aussi, expliquait Miticà, de tenter ma chance d'être heureux. C'est pourquoi je vous disais que j'aimais l'amour plus que tout...

Ces fiançailles avaient été vite rompues.

– Je n'ai plus envie de me marier, alléguait Miticà, je me suis remis au tennis...

De fait, il allait jouer très régulièrement au club et son entraîneur espérait pouvoir le présenter aux prochains championnats. Il ne pensait plus que rarement à Marcella et, quand il lui arrivait de se souvenir de ses frasques, il en souriait. Pourtant, lorsqu'il avait l'impression de l'apercevoir dans la rue, il sentait un creux brûlant dans la poitrine. Et même rencontrer Irina Pleşa le mettait mal à l'aise.

Puis, un beau jour, il s'était surpris en train de se dire que tout cela criait vengeance. Il avait d'abord pensé provoquer en duel Jean Ciutariu, mais c'eût été trop compliqué. Alors, il l'avait guetté à la sortie d'un café, le *Corso,* et, dès qu'il l'avait vu, il lui avait flanqué une magistrale paire de claques. Les passants s'étaient arrêtés pour profiter du spectacle, prêts à intervenir toutefois si le scandale prenait trop mauvaise tournure.

– Tu sais pourquoi! avait crié Miticà.

Il s'était théâtralement essuyé les mains l'une sur l'autre avant de s'en aller, très content de lui et non moins fier d'avoir été contemplé par tant d'yeux. Ciutariu avait eu besoin de quelques secondes pour reprendre contenance. Enfin, il avait crié à son tour, bien fort, pour être sûr d'être entendu par tous les badauds :

– Je vous enverrai mes témoins, monsieur!

Après quoi il était parti dans la direction opposée, à grands pas, comme s'il allait trouver ses témoins séance tenante. Mais il n'avait pas provoqué Miticà en duel.

– Laisse tomber, c'est un fou, lui conseillaient ses amis.

De son côté, Miticà, bien qu'il n'eût fait que très peu d'escrime et pas du tout de pistolet, attendait de pied ferme les témoins de Ciutariu, car il n'était pas lâche. Et, quand il avait compris qu'ils ne viendraient jamais, il avait été pris d'une colère aveugle contre son ancien ami. Il voulait le gifler de nouveau et il ne pouvait pas entrer dans un café ou un restaurant sans le chercher des yeux. A plusieurs reprises, en apercevant des groupes où Ciutariu pouvait se trouver, il s'était brusquement levé de table.

– Excusez-moi, disait-il aux personnes qu'il accompagnait, j'en ai pour quelques secondes, une affaire à régler...

Il revenait morose : il avait fait chou blanc.

– Il m'a encore échappé!

Jean Ciutariu n'avait pas parlé à Marcella de l'incident survenu devant le *Corso.* Mais elle l'avait appris assez vite et avait été tentée pendant quelque temps de lui demander des détails. Néanmoins, elle avait fini par se taire, de peur de le blesser. En échange, elle se proposait de discuter sérieusement avec Miticà à la première occasion. Car le souvenir qu'elle en gardait était celui de son adorateur timide et silencieux du printemps dernier. Elle eût aimé le rencontrer à présent, parce qu'elle attendait une bourse d'études d'un an à Paris et se sentait de ce fait plus forte, plus sûre d'elle. Elle promettait de faire une belle carrière. Si sa liaison avec Jean l'avait déçue à certains égards, elle l'avait en revanche bien lancée dans le monde du théâtre. Leur grande passion avait duré trois mois environ, jusqu'au début de l'automne, lorsque Marcella avait commencé à comprendre que Jean était trop artiste et encore trop jeune pour se dédier à un seul et unique amour. Elle avait compris d'autres choses également – par exemple que John était parfois superficiel, parfois même vulgaire, qu'il ne savait pas se conduire avec une femme après l'avoir eue –, mais elle oubliait tout cela quand elle entrait dans sa garçonnière. Cependant, elle était extrêmement lucide dès qu'il s'agissait de sa carrière. Surtout que, depuis l'esclandre de Miticà à Bârlad, elle avait à cœur de prouver à ses parents qu'ils ne s'étaient pas trompés en ne contrariant pas sa passion du théâtre. Il n'était donc pas question de laisser tomber quelqu'un d'aussi influent que Jean Ciutariu en la matière. Lorsqu'ils parlaient tous deux de l'avenir, ce qui leur arrivait souvent, ils ne s'imaginaient jamais ensemble. Jean trouvait que cela faisait très fin, très anglo-saxon.

– Quoi qu'il arrive, nous resterons toujours de bons amis, se promettaient-ils.

Ou encore :

– Nous avons vécu un bel amour, ne le gâchons pas.

Miticà fit semblant d'examiner une paire de gants. Il s'était trompé : ce n'était pas Marcella. Elle n'avait d'ailleurs aucune raison de se trouver là, dans un magasin d'articles pour hommes. « Ou peut-être pour l'autre », pensa Miticà et il se sentit rougir. Gêné par les regards des vendeurs, il demanda des chaussettes et une demi-douzaine de mouchoirs dont il n'avait nul besoin. Il paya et sortit, furieux contre Marcella, furieux contre lui-même de s'être laissé influencer par quelques regards. Il avait des visites à faire, mais, du coup, il rentra chez lui.

Ce fut ce jour-là qu'il apprit la nouvelle du prochain départ de Marcella pour Paris. Il avait acheté *Rampa,* la gazette du théâtre, et ses yeux tombèrent sur la liste des boursiers de l'année. Il se dit alors en riant qu'il pourrait bien l'accompagner.

– De toute façon, ça fait longtemps que je ne suis pas allé à Paris...

Il s'allongea sur son canapé, alluma une cigarette et se

mit à rêver. Il se figurait avec Marcella dans un musée (en fait, les musées l'ennuyaient) ou dans une chambre d'hôtel, mais ces images-là, dont il se délectait jadis, ne lui disaient plus grand-chose aujourd'hui; il ne visionnait plus son film mental dans un total oubli du présent. Il prenait bien plus de plaisir à s'imaginer en train de brutaliser Marcella, par exemple de la gifler, ou de l'humilier (il passerait devant elle en faisant semblant de ne pas la reconnaître, ou bien il dînerait à une table voisine de la sienne avec une femme extraordinairement riche et belle, si possible une jeune Américaine ou une fille de lord). Oui, à Paris il pourrait l'aimer et la tourmenter en même temps...

Il passa ainsi un long moment à rêvasser, à tirer des plans sur la comète. Puis il décida d'essayer d'obtenir confirmation de ce voyage et, si possible, d'apprendre la date du départ. Mais à qui s'adresser? D'abord à la Direction des théâtres. Il n'y connaissait personne, mais il avait des amis qui pourraient lui rendre ce service. Aussitôt, tout lui parut arrangé. Il se voyait déjà dans le train avec Marcella, prenant ensemble leurs repas au wagon-restaurant, dormant dans le même compartiment. Il devait encore demander un petit congé à la banque – deux semaines suffiraient. Mais quand allait-elle partir, cette putain? « Cette putain! » répéta-t-il à voix haute. Et si c'était un piège dressé contre lui? Elle n'allait peut-être pas partir ou, pire, elle partirait avec Ciutariu! Non, lui, il avait son travail, qu'il ne pouvait tout de même pas abandonner en pleine saison théâtrale.

La nuit le confirma dans sa décision d'aller à Paris en même temps que Marcella. Il attendait impatiemment le matin pour faire les démarches nécessaires – retirer son passeport, demander des devises. Il y avait urgence car, si Marcella était déjà prête, il risquait de ne pas pouvoir partir avec elle. Cette crainte l'obsédait à tel point qu'il ne dormit presque pas de la nuit.

Le matin, à la banque, il alla trouver son directeur à la première heure et obtint ses deux semaines de congé.

– Je partirai le 10 novembre, prétendit-il, j'accompagne une cousine qui va étudier le chant à Paris.

Il fut pendant plusieurs jours accaparé par ses démarches. Il avait partout des relations, dont il faisait le siège :

– C'est une affaire de vie ou de mort : j'ai un ulcère à l'estomac que je dois faire opérer de toute urgence!

Le 7 novembre, il était prêt. Il emprunta les valises de cuir jaune de ses parents et se mit à les remplir aussitôt, en grande hâte, presque pris de panique, un œil sur sa montre, alors qu'il savait pertinemment qu'il ne partait pas le lendemain.

A la Direction des théâtres, on ne pouvait rien obtenir de précis. Miticà en vint à supposer que Ciutariu, ayant eu vent de ses projets, avait donné des consignes de silence. Alors, il passa par un moment de désespoir et commença à prévenir amis et collègues qu'il remettait son voyage à Noël. Et puis, brusquement, il apprit que Marcella venait de retirer son visa français. Il abandonna alors toute prudence et téléphona à sa pension de famille où, sans se donner la peine de contrefaire sa voix, il se fit passer pour un camarade de conservatoire. On lui répondit que le jour du départ n'était pas encore définitivement fixé, mais que ce serait vraisemblablement le 10 ou le 11. Miticà courut à l'agence de la Compagnie des wagons-lits, mais tout était déjà réservé... « Décidément, la malchance me poursuit, se dit-il avec rage. On ne pourra pas dormir ensemble! » Car l'idée d'un refus de Marcella, l'idée qu'elle pourrait lui tourner le dos ou crier s'il essayait de la retenir de force, cette idée n'effleurait même pas Miticà. Il croyait qu'elle se soumettrait dès qu'elle le verrait. « Et si elle pleure, tant pis pour elle! »

Il faisait téléphoner plusieurs fois par jour à la pension de famille, où l'on n'était pas avare de renseignements, sur les instructions de Marcella, certaine qu'il s'agissait d'obscurs admirateurs. Le 10 novembre dans la matinée, après avoir pris congé de ses parents, Miticà appela lui-même. On lui répondit que le départ était remis au 12 : Marcella n'avait pas encore ses francs français. Cette nouvelle le rendit malade – il se disait que le sort s'acharnait sur lui – et il finit par décider qu'elle était fausse. Aussi se rendit-il à la gare, une heure avant le départ du train, muni toutefois d'une seule valise; si Marcella venait, il télégraphierait pour se faire envoyer le reste de ses bagages par le prochain train. Il s'assit d'abord au restaurant puis, craignant de ne pas la voir passer, il se leva et alla se poster derrière un poteau au bout du quai. Marcella ne vint pas. Il rentra chez lui, abattu, se sentant faible et ridicule. Il était aussi mal en point qu'aux pires moments de sa passion, au cours de l'été. Il ne trouvait pas le sommeil, buvait comme un trou, fumait cigarette sur cigarette, ne réussissait même pas à lire des romans policiers pour tuer le temps. Le 12 novembre, il sortit de chez lui à l'aube. Une demi-heure plus tard, il sonnait à la pension de famille et demandait au concierge si Mlle Streinu partait bien ce jour-là.

– Je n'en sais rien, mais je ne crois pas. Madame m'aurait prévenu...

Miticà rentra à la maison en ricanant : « Elle veut donc filer à l'anglaise! Je ne me fais pas avoir comme ça, moi... » Il envoya la femme de ménage lui chercher un taxi et il arriva à la gare bien avant l'heure du départ. Cette fois-ci, il avait pu réserver un compartiment de wagon-lit. Il y fit installer ses bagages et se mit à faire les cent pas sur le quai, sa casquette de voyage bien enfoncée sur la tête, le col de son imperméable relevé, le menton dissimulé par une écharpe et les yeux par des lunettes noires. Une pipe et une badine de cuir complétaient ce qu'il croyait être la parfaite panoplie du reporter étranger. À plusieurs reprises, il jeta un coup d'œil à l'intérieur du restaurant de la gare. Plus l'heure du départ approchait, plus il devenait impatient, nerveux, irascible. Trois minutes avant, il redescendit ses bagages en prenant un air préoccupé, inquiet, comme s'il venait d'apprendre une nouvelle importante qui l'obligeait à rester à Bucarest. Il se mit à souligner un article au hasard dans son journal et à faire semblant de griffonner en marge, agacé par les regards étonnés et curieux des autres voyageurs. Au moment où le train s'ébranla, il appela un porteur et se dirigea vers la sortie d'un pas sautillant qu'il pensait propre aux grands reporters.

Rentrer chez lui était au-dessus de ses forces. Il prit une

chambre dans un hôtel à côté de la gare et se jeta tout habillé sur le lit. Il resta longtemps ainsi, la tête vide. Quand il reprit ses esprits, il se rendit compte qu'il était déguisé et il se déshabilla avec dégoût. Il regarda par la fenêtre. Il pleuvotait, le vent soufflait en rafales. Dans la rue, les passants couraient presque. Miticà se demanda ce qu'il allait faire jusqu'au lendemain. Le temps passait avec de plus en plus de lenteur. Il sortit et vit deux films, dans deux salles de cinéma voisines, après quoi il fit un dîner bien arrosé : il savait que, s'il ne buvait pas, il ne pourrait pas s'endormir – la journée avait été trop mauvaise.

Le lendemain matin, il était de nouveau à la gare, le seul endroit où il parvenait à prendre son mal en patience. Il entra au restaurant, demanda un café bien fort, les journaux et du papier à écrire. Là, il recommençait à se mettre dans la peau d'un reporter. Il alluma sa pipe d'un geste qui ne lui appartenait pas et fit semblant de se plonger dans la lecture des journaux en prenant des notes, « attitude type des reporters », se disait-il. Il écrivit plusieurs fois de suite : *« Veuillez avoir l'obligeance de nous faire savoir »*, et *« Veuillez agréer, Monsieur le Directeur, l'expression de notre considération distinguée. »* Il but un deuxième café, retourna à l'hôtel, paya sa chambre et fit apporter ses valises à la gare. Il jugeait désormais inutile de téléphoner à Marcella, estimant qu'il occupait de toute façon un poste d'observation idéal... Quand le rapide de Paris fut amené en gare, il fut le premier à y monter. Il avait acheté un bloc-notes qu'il tenait bien en vue, ainsi que son stylo, à côté d'une pile de journaux.

– Il se pourrait que je ne parte pas aujourd'hui, dit-il au conducteur. J'attends un coup de fil au restaurant...

Il sauta du wagon. Il venait de décider qu'un grand reporter se devait d'être pressé, nerveux, inattentif à ce qui l'entourait, et c'est au pas de gymnastique qu'il se rendit au restaurant. Il se mettait à croire qu'il y attendait effectivement un coup de téléphone dont dépendait son départ et il s'assit à une table d'où il pouvait surveiller à la fois la cabine téléphonique et tous les gens qui se dirigeaient vers le train de Paris. Au moindre doute, il relevait son col, enfonçait sa casquette sur son front et sortait pour aller vérifier de près.

Il retourna dans son compartiment, ouvrit son agenda et feignit de le compulser d'un air soucieux. « Mais nous sommes le 13, aujourd'hui! constata-t-il. Personne n'aurait l'idée saugrenue de partir en voyage le 13! » Cette découverte le rendait guilleret. Il siffla un porteur et lui fit emmener ses bagages au même hôtel. Néanmoins, toujours prudent, il resta sur le quai jusqu'au départ du rapide, après quoi il courut à l'hôtel. Il pleuvait, il faisait froid et Miticà pensait avec plaisir à la chambre bien chaude et sèche qui l'attendait.

V

La bonne commença à débarrasser.

– Je pense que nous pouvons être prêts à sept heures, dit Mme Lecca. Quel dommage que tu ne viennes pas avec nous, Teddy.

Teddy Lupescu éteignit sa cigarette. Elle s'était tue pendant tout le repas. Tout le monde voyait bien qu'elle faisait la tête.

– Je ne peux pas sentir Felicia, dit-elle. Elle se croit trop intelligente... Je tiendrai compagnie à Annette.

Elle la chercha du regard, mais la jeune fille s'était éclipsée.

– Pourquoi ne l'emmenez-vous pas? reprit-elle. Elle n'est plus une enfant.

– C'est elle qui ne veut pas, répondit Mme Lecca. Le bruit, la foule, et surtout les garçons, ça la fatigue.

– C'est grave, ça, dit Teddy. Elle est trop farouche. Elle vit enfermée ici comme dans un château enchanté...

Mme Lecca sourit :

– Elle se promène toute seule sous la pluie, nu-tête, elle se cache derrière les arbres comme si elle jouait avec quelqu'un. Depuis quelque temps, plus personne ne la comprend...

Annette avait en effet beaucoup changé cet été-là. Distraite et taciturne, elle jetait pourtant sur toutes choses un regard caressant et passionné à la fois. Son visage aussi avait changé, il s'était affiné, ses joues étaient plus pâles. Elle vivait surtout avec les plantes, passant le plus clair de ses journées parmi les arbres et les herbes folles. Les rosiers sauvages qui poussaient au fond du parc avaient fleuri tard cette année-là et elle allait les admirer tous les matins, pieds nus et en chemise.

– Très tôt le matin, il n'y a pas encore d'abeilles, avait-elle expliqué à Adriana. Tu aimes les fleurs pleines d'abeilles, toi?

Elle se dirigeait ensuite vers le tertre du milieu du parc, couvert de buissons et d'arbrisseaux. Elle avançait doucement, prudemment, car elle avait peur des épines et, surtout, des plantes humides et inconnues sur lesquelles elle marchait, du tapis sombre et vivant qui palpitait sous ses pieds. Mais cette peur était presque une volupté. Elle sursautait, elle se laissait caresser par de longues branches molles, elle effleurait des troncs. Elle parlait toute seule, en chantonnant :

– C'est si bon de sentir les fleurs, c'est si bon de boire l'eau du ciel!

Les autres années, elle avait l'habitude de remplir sa chambre de fleurs cueillies dans le parc. Elle en ramenait de pleines brassées, parfois des fleurs sans couleur, des fleurs de mauvaises herbes. Mais à présent elle n'aimait plus que les plantes bien vivantes, qui plongeaient leurs racines dans la terre.

– Maman, pourquoi tu ne me laisses pas vivre dehors? avait-elle demandé un jour, vers la fin du mois d'août.

Depuis qu'avaient commencé les pluies d'automne, Annette était encore plus perdue. Elle passait tous ses loisirs sous les arbres, vêtue de la cape d'Adriana, dont le capuchon lui protégeait bien la tête. Elle courait d'un arbre à l'autre en sifflotant et ne rentrait qu'au crépuscule, car elle avait peur du noir. La nuit, de sa fenêtre, le parc était méconnaissable – un ennemi prêt à s'emparer d'elle, à la broyer entre ses troncs, à l'enterrer sous les lichens; elle le regardait alors avec effroi, chagrinée de le voir se transformer ainsi sous l'effet de quelque sorcellerie impitoyable...

– J'enverrai chercher un taxi à sept heures, dit Mme Lecca en se levant de table. J'espère que vous serez prêt, mon ami...

M. Lecca bondit de sa chaise. Toujours extrêmement poli, il ne pouvait se pardonner sa distraction : ces dames s'étaient levées avant lui et il était resté assis tandis que sa femme lui parlait.

– Je serai ponctuel, ma bonne amie, répondit-il d'une voix posée et mélodieuse.

Teddy s'approcha d'Adriana et lui demanda :

– Liza vient te chercher ou bien vous vous retrouvez là-bas?

Adriana la regarda avec dégoût, impuissante – elle savait qu'elle ne pouvait rien contre Teddy, même pas se permettre de l'insulter. Elle sortit de la pièce sans répondre.

– Qu'est-ce qu'elle a, cette petite? demanda M. Lecca, inquiet.

– Elle est nerveuse, elle a loupé son examen de latin.

C'était le premier mensonge qui était passé par la tête de Mme Lecca. Son mari se mit à rire en se frottant les mains.

– Père indigne! s'exclama-t-il. Père indigne qui accepte de se rendre à la fête de ce soir justement pour discuter avec M. Baly d'un détail de latin juridique!

Il se tourna vers Teddy Lupescu et ajouta, soudain très gai :

– Vous savez, cette vieille dispute concernant les pièces du procès...

Il parlait du procès des Templiers, mais ne se sentait plus obligé, après quinze années d'études, de le rappeler.

– Mon ami Alexandru Baly pourrait, bien qu'il ne soit pas linguiste, je le précise, bien qu'il ne soit pas linguiste, pourrait m'être utile. C'est justement là (il se mit à rire), justement *là* (il se frottait les mains, surpris par la bizarrerie de cette coïncidence) où il s'y connaît moins que moi...

Il s'aperçut que les deux dames ne l'écoutaient pas et il

s'interrompit. Il redressa le buste, tira sur les pans de sa redingote et avança d'un pas.

– Mes bonnes amies, je ne vais pas vous importuner davantage. Et je n'oublierai pas de me trouver au salon à sept heures précises, prêt à partir... D'ici là, j'ai encore du travail.

Il s'en alla à petits pas rapides qui trahissaient la minceur de bois sec de ses jambes. Il se dirigea vers son bureau, où il voulait en effet travailler encore un peu. Il sortait rarement, de sorte que chacune de ses visites se transformait en événement. Il allait trois fois l'an à l'église, pour Noël, Pâques et la Saint-Constantin-et-Hélène, les patrons de sa famille. Il rendait visite deux fois par an à M. Baly, chez qui il rencontrait des érudits et consultait des livres : une fois à la soirée de Felicia (ces messieurs en profitaient pour discuter doctement à la bibliothèque) et l'autre à la Saint-Alexandre. A part cela, quelques autres sorties seulement, dont l'ouverture de la session de l'Académie roumaine et les jours où il allait toucher sa rente à la banque. Il ne quittait jamais Bucarest pendant l'été. Lorsque Adriana et Annette étaient encore petites, il les envoyait aux bains avec leur mère, en Roumanie ou à l'étranger, seules ou en compagnie d'un sien cousin, un colonel à la retraite, mort entre-temps. Depuis quelques années, elles n'étaient plus parties pour les vacances, mais M. Lecca ne se demandait pas pourquoi. Il pensait qu'elles ne pouvaient que se sentir heureuses dans sa maison, vaste, riche, tranquille. Il avait eu dans le département du Dolj des terres (dot de son épouse) dont il ne s'était jamais occupé et qu'il avait affermées jusqu'au jour où il en avait confié l'administration à son cousin le colonel. En cinq ans, celui-ci les avait si bien hypothéquées que M. Lecca avait dû les vendre, ce qu'il avait fait sans protester. Depuis, toute la famille vivait de l'or qu'il avait enterré dans la cave lors de l'occupation de Bucarest par les Allemands en décembre 1916, de ses rentes, du loyer d'un immeuble et de l'héritage d'un parent de Moldavie. M. Lecca se rappelait parfois qu'il faudrait bientôt marier Adriana et alors il sentait tout devenir trouble, tout s'ébranler autour de lui. Mais il se disait bien vite que sa femme s'en occuperait et il retrouvait aussitôt sa sérénité. « Nous donnerons la villa comme dot à Adriana et nous garderons le reste pour Annette... » Il avait une idée très imprécise de ce qui subsistait de sa fortune. Il se croyait extrêmement riche, comme avant la guerre, se figurant que la cassette pleine d'or était toujours intacte à la cave.

Il s'assit à son bureau et se mit à compulser ses fiches. Il savait qu'il pourrait régler de nombreux détails chez M. Baly, dont la bibliothèque était appréciée par tous les érudits bucarestois. C'est pourquoi il rassemblait dans une chemise spéciale toutes les questions qu'il avait l'intention d'y éclaircir lors de ses deux visites annuelles. Sur des feuilles et des feuilles, soigneusement datées, il notait les renseignements – chronologiques, bibliographiques et autres – qui lui faisaient défaut. Par exemple : *Le 15 août. Bibl. Baly. A consulter Anitchkoff, polémique Lot-Borodine. Vague impression d'une erreur fondamentale dans la conception liturgique.* Une telle fiche lui rappelait un nombre impressionnant de textes qui attendaient d'être revus, ainsi que l'interminable controverse qu'il avait eue, deux ans plus tôt chez Baly, avec un universitaire spécialiste du folklore et des littératures slaves. Il la recopia et passa à une autre note : *Le 21 août. En épigraphie* natio *signifie* la petite patrie *. *Cf. textes chevaliers teutoniques.* Il se souvint des raisons pour lesquelles il avait pris cette note, sourit et la recopia aussi.

Dans sa chambre, Annette décida de se déshabiller. Il pleuvait si fort qu'on ne distinguait presque rien derrière la fenêtre; le parc disparaissait dans une sorte de brume. Quelques minutes plus tôt, la bonne avait apporté du bois et avait rempli le poêle jusqu'à la gueule. Il n'était pas encore quatre heures de l'après-midi et pourtant il faisait déjà sombre dans la chambre. « Je ne verrai pas Petru aujourd'hui, se dit Annette en se déshabillant » – croyant qu'elle irait aussi chez Felicia, sa mère avait décommandé la leçon de piano. « De toute façon, il n'aurait pas pu venir sous une pluie pareille », pensa la jeune fille en se glissant frileusement sous l'édredon. Elle se sentait bien ainsi, pelotonnée dans son lit, seule avec ses rêves. D'ailleurs, elle trouvait que la musique l'éloignait de Petru. Elle avait cru à une certaine époque que, lorsqu'il deviendrait son amant, ils communiqueraient par la musique, se parleraient en lieder et en sonates. Or, depuis un certain temps, elle supportait de moins en moins la musique. Le piano lui paraissait être une muraille dressée entre leurs corps. Un jour, après l'avoir embrassée distraitement, Petru lui avait dit :

– Je sens un monde au-dessus de moi, Annette. Je voudrais être un jour assez dur et inhumain pour parvenir à le saisir tout entier, tel qu'il est, éternel et magnifique.

Il la regardait presque sans la voir. Il n'était jamais allé aussi loin. Il ne s'était encore jamais permis d'être aussi sincère et totalement *lui-même* en présence d'autrui. Mais Annette n'avait pas compris qu'il pouvait l'être, qu'il pouvait se livrer sans crainte justement parce qu'il l'aimait, parce qu'ils étaient si proches l'un de l'autre.

– Tu ne pourras donc jamais m'aimer? avait-elle demandé tristement, en avançant la main vers lui. (Elle éprouvait une sensation pénible : il lui semblait que Petru ne se trouvait pas à côté d'elle, qu'elle ne pouvait pas le toucher.) Pourquoi te sauves-tu si vite loin de moi?

Il lui avait fait un clin d'œil et l'avait embrassée sur les joues, mais Annette savait déjà que les baisers ne prouvent pas grand-chose.

Elle remonta l'édredon jusqu'au menton. Elle n'avait pas froid, mais ainsi elle s'isolait mieux pour faire le point. Elle eût aimé voir Petru penser un peu moins aux *Hérétiques,* oublier au plus vite son monde invisible et froid, étranger aux passions. Elle se sentait mieux aimée quand il lui parlait de l'argent dont il manquait, de la chambre où ils pourraient vivre ensemble si elle trouvait quelque chose à vendre. Au début, elle avait eu peur en l'écoutant, mais, ensuite, elle avait reconnu dans ses paroles et dans sa voix un brûlant amour. Quand il lui parlait d'argent, d'objets de valeur, de vol, c'étaient des mots d'amour, des déclarations passionnées qu'elle entendait. A ces moments-là, elle pénétrait dans le cœur, dans le cerveau, dans la chair de Petru. A ces moments-là, elle triomphait des *Hérétiques* et chassait la dureté qui brillait parfois dans ses yeux.

On frappa à sa porte; sans attendre unc réponse, Teddy entra.

– Tu dors, Annette?

– Non, je pensais...

Teddy s'approcha et l'embrassa.

– A quoi pensais-tu, ma puce? A tes plantes?

Et elle éclata de rire. Elle alluma une cigarette et chercha des yeux un cendrier. N'en voyant pas, elle alla ouvrir la porte du poêle et y jeta son allumette.

– Tu aimes regarder le feu, Annette? Nous allons passer la soirée ensemble, toutes les deux, à veiller à la lumière du feu. Pendant ce temps-là, les autres iront s'amuser chez les Baly!

Nouvel éclat de rire, faux et monocorde. Annette frissonna, comme s'il faisait soudain très froid.

– Tu dors chez nous cette nuit, Teddy?

– Oui. Pourquoi pas?

Les plans échafaudés par Annette pour la nuit s'effondraient. Elle n'avait pas envisagé un seul instant que Teddy pourrait dormir chez eux, et pourtant cela arrivait assez fréquemment lorsque revenait le mauvais temps.

– Toi non plus tu ne m'aimes pas, ma puce? demanda Teddy en lui caressant le front.

Annette se crispa sous l'édredon. Elle grimaça un sourire mais, dans la pénombre, Teddy vit seulement briller ses yeux.

– Ça ne fait rien, reprit-elle, je te tiendrai compagnie et toi, tu me joueras du piano...

– Je ne joue pas du piano la nuit, coupa Annette, boudeuse.

Teddy retourna devant le poêle, un grand poêle de faïence. Annette regarda son ombre s'allonger et danser sur les murs.

– Qu'est-ce que tu fais au lit à cette heure-ci?

– Je pense mieux comme ça.

Teddy réfléchit un instant puis demanda, d'une voix plus basse :

– Adriana est à côté, dans sa chambre?

– Je ne sais pas, je crois que oui...

Annette articulait à peine, pour bien marquer sa contrariété. Depuis quelques minutes, elle détestait cordialement Teddy. « Elle reste là rien que pour m'embêter, se disait-elle. Elle a tout deviné et c'est pour ça qu'elle est entrée dans ma chambre... »

– Je voudrais te dire quelque chose à propos d'Adriana, murmura Teddy. Maintenant tu es assez grande pour que je puisse te parler comme à une amie...

Elle s'assit sur le bord du lit et Annette sentit de nouveau un frisson nerveux la parcourir.

– Je voudrais te confier un secret que je n'ai jamais dit à personne, que ta mère et moi sommes seules à connaître, poursuivit Teddy d'un ton solennel, mystérieux. C'est surtout pour ça que je suis restée ce soir, pour que nous soyons seules toutes les deux. J'ai confiance en toi et...

Elle posa la main sur l'épaule d'Annette et s'aperçut qu'elle tremblait violemment.

– Qu'est-ce que tu as? Tu te sens mal?

– Non, Teddy, mais j'ai tellement sommeil...

Annette se retourna brusquement et enfouit sa figure dans l'oreiller. Ainsi elle pouvait cacher ses larmes, cacher l'émotion qui l'étreignait. Elle savait ce que Teddy voulait lui dire : Adriana et elle n'avaient pas le même père; le père d'Adriana était ce peintre mort à la guerre, le professeur de dessin de leur mère, qu'Adriana appelait « oncle Fred ». C'était cela, le secret que Teddy voulait lui dévoiler, mais qu'elle connaissait déjà. Il y avait bien longtemps, elle avait surpris sa mère en train de regarder une petite photo cachée dans le creux de sa main, en train de la regarder et de pleurer. Elle n'avait rien compris ce jour-là, elle n'avait rien compris non plus par la suite, même lorsqu'elle avait trouvé – dans un roman de D'Annunzio traduit en français – une lettre dans laquelle « oncle Fred » demandait des nouvelles de « l'enfant » et « l'embrassait ». Elle avait dû aimer Petru pour pouvoir comprendre qu'Adriana était cet enfant. Et alors elle avait eu une peur bizarre de ce secret maternel, l'impression de violer un territoire étranger, un royaume soumis à un triste envoûtement. Pendant plusieurs jours, des images oubliées depuis longtemps l'avaient obsédée : sa mère en train de sangloter, de caresser la tête d'Adriana, de l'embrasser en lui répétant qu'oncle Fred était mort.

Annette se rappelait confusément de vieux récits de sa sœur : oncle Fred en pantalon blanc, coiffé d'un canotier, apportait à Adriana des balles de tennis, il la prenait dans ses bras, il la cajolait. A présent, ces simples détails éclairaient d'un jour trouble les plus lointains souvenirs qu'elle gardait de sa mère encore jeune, en train de mettre ou de retirer son corset, de se parfumer dans son boudoir, d'ouvrir ses coffrets de laque. Annette sentait son cœur se serrer, comme si elle regardait un rituel interdit ou assistait par mégarde à un sacrilège.

Et Teddy qui voulait lui raconter cela! C'eût été horrible, insupportable... Elle écrasait sa figure dans l'oreiller, elle y étouffait ses pleurs. Ce soir! Ce soir justement, alors qu'elle s'était enfin décidée, alors qu'elle attendait impatiemment d'être seule pour exécuter le plan mis au point depuis une semaine...

***

M. Lecca fut le premier au salon. Il portait une redingote plus serrée que celles qu'il mettait à la maison et était chaussé d'escarpins vernis. Il posa sur une chaise son pardessus à col de fourrure, son chapeau noir qui évoquait un haut-de-forme et sa canne à pommeau d'argent. Il tâta ses poches pour s'assurer qu'elles étaient vides. Il y trouva un ruban vert que Mme Lecca lui avait donné l'hiver dernier quand ils rentraient de l'église et dont elle avait ensuite oublié l'existence. M. Lecca sourit, le posa sur une table et le lissa du dos de la main. Il sortit sa montre de son gousset : sept heures moins cinq. Puis il plaça la chemise contenant ses notes sous sa canne, afin d'être bien sûr de ne pas l'oublier. Après quoi il se mit à attendre calmement, le regard dans le vide mais en clignant fréquemment des yeux, les mains sagement croisées sur son petit ventre rond.

A sept heures et quart, une domestique traversa le salon.

– Vous ne savez pas si Madame et Mademoiselle sont prêtes? lui demanda doucement M. Lecca, presque à voix basse.

Il attendit ainsi jusqu'à huit heures moins cinq, lorsque son épouse daigna faire son apparition.

– Vous êtes bien impatient, mon ami, dit-elle en riant. Nous ne sommes pourtant pas invités à dîner!

VI

Demetru Pleşa apparut sur le palier. Il trouva sa fille sur le canapé, la tête enfouie dans ses mains. Elle portait une robe de soie grise, des souliers aux reflets argentés, un collier de perles qui mettait en valeur son cou long et fin.

– Qu'est-ce qui t'arrive, Irina?

Elle tressaillit et s'essuya furtivement les yeux, dont le rimmel commençait à couler.

– Rien, papa. J'attends Alexandru.

– Mais il est en haut, dans sa chambre, et il dit qu'il t'attend, lui aussi...

Irina rougit, se leva et fit mine de traverser le hall. Son père l'arrêta :

– Qu'est-ce qui se passe? Qu'est-ce que vous attendez? Il est dix heures et demie...

– Nous avons le temps, papa... Nous attendons Dinu. Il a téléphoné qu'il passerait nous prendre.

Elle tourna la tête vers la fenêtre.

– Et cette pluie qui n'en finit pas... Ça me donne envie de pleurer.

Elle recommença en effet de pleurer, la tête dans son bras nu... « Je sais bien pourquoi il ne vient pas, pourquoi il ne viendra pas. Il a peur de Felicia, de son premier amour. Il a promis juste comme ça, pour se débarrasser de moi, j'en suis sûre. Ah! ce que je peux la détester, cette créature! »

– Qu'est-ce que ça peut te faire, la pluie, puisque vous y allez en voiture? demanda M. Pleşa, feignant de la prendre au mot.

Il lui caressa les cheveux en souriant et reprit :

– Vous l'avez assez attendu. Il a dû avoir un contretemps et il ira directement chez les Baly.

Mme Pleşa descendit à son tour, Alexandru sur ses pas. Irina s'essuya de nouveau les yeux, mais il était trop tard : tout son maquillage était parti et elle avait les paupières gonflées.

– Qu'est-ce qui s'est passé? demanda sa mère, d'une voix inquiète à l'idée que sa fille pourrait renoncer à sortir, à entamer l'hiver par cette soirée dont tout le monde parlerait dès le lendemain.

– Qu'est-ce que tu as, Irina? s'enquit à son tour Alexandru.

Vêtu de noir, il faisait plus grand et en même temps moins jeune, plus sérieux.

– C'est la pluie qui la déprime, dit M. Pleşa en adressant un signe de connivence à sa femme et à son neveu.

Ils s'assirent tous trois tandis qu'Irina montait dans sa chambre pour se refaire une beauté. Dès qu'il l'entendit fermer la porte, M. Pleşa expliqua :

– C'est à cause de ce lascar de Dinu. Il a promis de venir à neuf heures et il n'est toujours pas là.

Alexandru écoutait distraitement, tout en regardant par la fenêtre. Une lumière étrange venait de dehors et enduisait les vitres, une lumière humide, pareille à une liqueur phosphorescente. « Je commence mal mon expérience, se dit le jeune homme, je commence mal avec ce déluge... » Tant que dura l'absence de sa cousine, il ne desserra pas les lèvres. Lorsqu'il l'entendit descendre, il se leva et alla l'attendre au pied de l'escalier. Un jeune domestique se trouvait déjà devant la porte avec un parapluie pour les abriter jusqu'à la voiture.

Assis tous deux sur la banquette arrière, ils regardaient en silence les lumières jaune sale qui trouaient à intervalles réguliers le rideau dense de la pluie. Exaspérée, au bord des larmes, Irina avait envie d'accuser à nouveau le mauvais temps, mais elle était trop exténuée et trop triste pour parler. Ce fut Alexandru qui rompit le silence.

– Tu sais que je vais me marier? annonça-t-il à brûle-pourpoint.

Irina le regarda et vit qu'il ne plaisantait pas.

– Quand? demanda-t-elle.

– Ce soir, c'est les fiançailles.

– Avec qui?

Il était sur le point de répondre sincèrement qu'il ne le savait pas encore, mais il se ravisa et dit d'un ton mystérieux :

– Tu la verras. Tu vas la voir tout à l'heure, chez Felicia.

Irina sursauta. Un flot d'images la submergeait soudain. Elle voyait Alexandru se fiancer avec Felicia, Dinu libéré à jamais de cette obsession. Et pourtant, sa joie était entachée de dépit. Alexandru n'avait vu Felicia qu'une fois : elle fascinait donc les hommes à ce point-là!

– Avec Felicia? demanda-t-elle timidement.

– Grand Dieu, non! Avec une jeune fille pauvre, Irina, pauvre et travailleuse. Elle s'appelle Maria.

Il sourit. Cela pourrait arriver, elle pourrait s'appeler Maria. Et être grande et blonde, avoir le regard franc, sentir bon la propreté, le corps qui sort du bain, comme Gladys Smith.

– Ce que je suis malheureuse! s'écria Irina et elle se remit à pleurer.

Alexandru lui prit doucement le bras. « Qu'est-ce que je pourrais bien faire, qu'est-ce que je pourrais lui dire? Elle est tellement ridicule avec sa jalousie, avec l'image qu'elle se fait de Viorica, à laquelle elle veut rester fidèle, elle au moins, jusqu'à la fin de sa vie. Et pourtant, je suis sûr que ce n'est pas à Viorica qu'elle pense en ce moment, que ce n'est pas à cause d'elle qu'elle pleure... »

***

Nora tendit son verre vide sans lever la tête. Son bras restait collé à la table, blanc, palpitant d'une vie et d'une souffrance qui lui étaient propres. Sa mère remplit le verre à ras bord, d'un vin rouge sombre qui sentait le basilic et la cendre.

– Il va encore pleuvoir longtemps? demanda Iorgu Zamfirescu pour briser le silence.

Il était mal à l'aise. Nora n'avait pas dit un mot depuis le début de la soirée. Il l'avait encore trouvée pâle, les yeux cernés, les lèvres gonflées. « Elle ne peut pas oublier son petit paumé de musico... »

– Ben, c'est un temps de saison, dit la vieille femme.

– Ah! maman, maman! s'écria Nora et elle éclata en sanglots.

Iorgu serra les mâchoires. Savoir qu'elle sortait avec Petru, qu'elle lui donnait de l'argent, qu'elle couchait avec lui ne l'avait guère gêné. Mais il bouillait de la voir dépérir d'amour depuis que le jeune homme l'avait quittée. Il avait envie de se lever et de la gifler à toute volée. Il serra les poings et baissa les yeux... Ils continuèrent à boire à petites gorgées, la mère de Nora et lui, en faisant semblant de ne pas entendre la jeune femme, comme si la pluie qui tapait sur les carreaux avait couvert ses sanglots.

– Qu'est-ce qu'ils ont, nom de Dieu, à être en retard comme ça?

Iorgu pestait contre ses camarades de jeu. Le paquet de cartes les attendait depuis un bon moment déjà, sur la toile cirée bien propre qui couvrait la table, exactement sous le globe de la lampe. C'était jour de jeu. Iorgu avait acheté tout seul la dinde rôtie, le fromage, les trois kilos de pommes et la bonbonne de vin. Maintenant chacun devait payer son écot, après quoi ils pourraient commencer à jouer.

– Il n'est que dix heures et demie, dit la vieille femme

en consultant l'horloge. On a largement le temps. Et puis Surdu était de service aujourd'hui.

Nora arrêta de pleurer. Cela lui arrivait tous les jours depuis quelques semaines : elle sanglotait ainsi jusqu'à en tomber d'épuisement et alors elle poussait un profond soupir et restait prostrée, le regard trouble; les dernières larmes séchaient difficilement, mais elles finissaient par sécher. A ces moments-là, les yeux de Nora s'assombrissaient, ils paraissaient plus près de la mort, et Iorgu n'osait même plus la regarder. Il baissait la tête au-dessus de la table, les mains nouées comme un nid autour de son verre, sans bouger.

– Non merci, je n'ai pas faim, dit-il à la mère de Nora, qui lui proposait de la dinde.

– Si ce n'est pas dommage, grommela la vieille femme.

Elle resta quelque temps immobile à observer sa fille, puis elle tressaillit et sa figure s'éclaira : elle venait d'entendre des voix dans la cour. Elle se leva alertement et alla ouvrir.

***

Felicia avait été heureuse quarante-huit heures durant, sans une seule minute d'ombre. Le rideau ininterrompu de la pluie, les radiateurs qui chauffaient sans répit, le bal qui approchait, l'image trouble d'Alexandru – autant de sources de joie sereine, de calme volupté. Cette année, elle espérait que sa fête lui apporterait plus que des rencontres originales, variées en intelligence et en talent, plus que les curiosités de la bohème et les caprices artistiques. Elle en attendait la satisfaction de son désir d'un amour miraculeux qui effacerait définitivement le souvenir de l'humiliation subie en Italie. Et elle pensait à Alexandru d'une façon bizarre, non possessive, non féminine. Elle le considérait plutôt comme un destin qu'il lui fallait rencontrer, que pendant un moment elle avait cru rencontrer en Pavel Anicet, un destin qui pouvait peut-être lui apporter l'amour, qui devait en tout cas lui apporter un nouvel et parfait accomplissement.

Elle avait mis une robe verte comme du lierre lavé par la pluie. Ses cheveux cuivrés, mi-longs, étaient ramenés derrière ses oreilles. On eût dit un page travesti. « J'ai vingt-sept ans. Il serait même plus exact de dire que j'en ai presque vingt-huit. Dans un ou deux ans, je serai une vieille fille et il ne me restera plus qu'à trouver des amants. Mes hanches s'élargiront, mes seins s'alourdiront, ma peau sentira l'été, les épis de blé, la maternité... »

Elle se caressa le cou devant le miroir et ses mains descendirent doucement jusqu'à la naissance des seins. « Le vert me va encore très bien. Pourquoi personne ne pense-t-il que je suis une hamadryade, une plante vivant d'amour? »

Elle se dépêcha de descendre au salon. Les premiers invités arrivaient.

***

Miticà avait employé des ruses de Sioux pour voir Marcella sans en être vu. Ils avaient des places dans le même wagon de seconde. « Elle n'a peut-être pas assez d'argent pour le wagon-lit », ricana-t-il.

Jean Ciutariu et quelques autres amis, que Miticà ne connaissait pas, accompagnaient la jeune femme. Jean l'embrassa sur la bouche quand la sonnerie du départ retentit, puis il agita longuement son mouchoir. « Elle doit en faire autant en ce moment en chialant à la fenêtre de son compartiment... » Miticà ressentait une joie trouble : tout se passait selon ses vœux. Marcella se trouvait dans le même wagon, elle n'avait pas de couchette, elle passerait la nuit non loin de lui, peut-être même à côté de lui.

En gare de Ploieşti, il ne descendit pas car il ne voulait pas se découvrir trop tôt. Il préférait attendre la nuit, quand ils seraient loin de Bucarest. Il partageait son compartiment avec trois commerçants et une institutrice; les premiers descendraient dès Braşov et l'institutrice avant la frontière, à Arad. Pendant une heure ou deux, il continua de se prendre pour un reporter. Il gardait sa pipe éteinte à la bouche, feuilletait des journaux anglais (auxquels il ne comprenait rien) et faisait mine d'écrire dans un calepin. A proximité de Sinaia, il eut soif et alla au wagon-restaurant, non sans s'être discrètement assuré au préalable que Marcella n'avait pas quitté sa place, dans un compartiment qu'occupaient également deux dames et un officier. Pour le moment, Miticà estimait prudent de conserver son déguisement : lunettes noires à grosses montures, écharpe et casquette à carreaux, pipe d'écume. Il dut cependant retirer sa casquette et son pardessus en entrant au wagon-restaurant et, comme il redoutait d'être surpris par Marcella (devant tant de monde, en plein jour – adieu, la foudroyante domination du mâle!), il alla tout au fond, au bar. Il s'assit et demanda un cognac. Il avait retrouvé tout son calme. Il resta longtemps immobile, sans toucher à son verre, le regard perdu. Les vitres commençaient à s'embuer; plus le train s'enfonçait dans les Carpates, plus la pluie devenait dense.

– Ah! quelle pluie, quelle pluie, s'exclama une jeune femme blonde en se faisant débarrasser de sa cape. Dieu merci, nous voilà chez vous, ajouta-t-elle en prenant le bras de Felicia. Je croyais ne jamais arriver...

Felicia interrompit son jacassement :

– Vous connaissez tout le monde?

– Oh! non, oh! non, caqueta la créature blonde.

David Dragu, qui entrait sur ces entrefaites en compagnie de sa sœur, Liza, se réjouit de ne pas être accueilli par la maîtresse de maison. Il préférait se fondre dans la masse des invités en évitant les présentations. En outre, la lumière trop crue du salon l'aveuglait. Il se réfugia aussitôt dans une pièce latérale, où l'éclairage était moins violent. Là, il y avait également moins de monde. Quelques couples de danseurs y entraient par moments, tournoyaient sur le parquet glissant, autour de la grande table parsemée de fleurs, et ressortaient par la porte opposée. « Le jazz-band doit se trouver au fond, à côté du bar, supposa David. L'année dernière, il était ici. C'est mieux comme ça, il y a un coin où on peut être à peu près tranquille. »

– Tu es là depuis longtemps, David? demanda Alexandru d'une voix où se mêlaient curieusement une certaine nervosité et une mâle assurance. Je t'attendais impatiemment. Jusqu'ici, je n'ai dansé qu'avec des dames très légitimement mariées ou des demoiselles multimillionnaires. Ma fiancée n'est pas encore arrivée.

David se rappela brusquement le pari. Il en fut tellement embarrassé que, pris de court, il ne sut que dire. Il fit un geste qui trahissait son étonnement et son agacement. Enfin, il grommela :

– Je l'avais complètement oublié, ce pari.

– Pas moi. Je t'ai d'ailleurs attendu avant de faire mon choix, pour que tu puisses t'assurer que je respectais scrupuleusement nos conditions. C'est pourquoi, comme je te le disais, j'ai dansé uniquement avec des femmes mariées ou des filles de millionnaires.

David éclata de rire. Puis, lui donnant une tape amicale sur l'épaule :

– Eh bien, bonne chance, mon vieux, et à la grâce de Dieu!

Alexandru avait l'air nerveux. « Peut-être à cause du bruit, de la musique, de toutes ces présences féminines autour de lui », se dit David.

– Le bon Dieu, s'exclama Alexandru, prie-le surtout de ne pas m'envoyer un laideron! De toute façon, je voudrais qu'on se décide vite parce que tout à l'heure il y aura tellement de monde que le choix deviendra de plus en plus difficile.

Liza et Felicia survinrent à ce moment-là, toutes deux très gaies, se tenant par la taille.

– C'est donc là que vous vous cachiez, constata Felicia.

– Vous avez un secret? demanda Liza.

– En effet, répondit David en riant, nous avons un secret, un grand secret... Mais nous pouvons le leur confier, à elles, continua-t-il en se tournant vers Alexandru. Nous avons besoin de témoins et puis, de toute façon, ça ne peut être ni l'une ni l'autre. Liza parce qu'elle est ma sœur et que j'ai un droit de veto pour tout ce qui concerne ma famille, et Felicia parce qu'elle est trop riche.

Les deux jeunes filles n'y comprenaient rien, ce qui les rendait encore plus gaies. « Qu'est-ce que Felicia est belle ce soir », pensait Liza. « Qu'est-ce qu'Alexandru est proche de moi, comme dans mes rêves », pensait Felicia.

– Vous êtes très belle dans cette invraisemblable robe verte, dit Alexandru. Vous ressemblez à une tige de lierre.

– Je suis heureuse que ce soit justement vous qui me le disiez, murmura Felicia, radieuse. Depuis le début de la soirée, j'attendais que quelqu'un voie en moi une tige de lierre.

Liza eut un léger tressaillement, que David fit semblant de ne pas remarquer.

– Finalement, vous ne nous avez pas confié votre secret, dit Liza pour couper court aux compliments échangés par Felicia et Alexandru.

– C'est un secret qui a quelque chose d'un peu tragique, expliqua David. Figurez-vous qu'Alexandru se fiance ce soir, sous ce toit... Tu as sans doute apporté les alliances, affirma-t-il sans y croire.

– En effet, répondit Alexandru, elles sont là, dans ma poche. Évidemment, rien n'est gravé sur l'une des deux. Mais j'ai un petit poinçon d'orfèvre que m'a prêté le bijoutier et, dès que je connaîtrai le prénom de ma fiancée, j'essaierai de graver moi-même son initiale...

Il avait parlé d'une voix ferme, monocorde, sans la moindre hésitation. Felicia ne put réprimer un geste de dépit. Liza jugea nécessaire d'intervenir.

– Qu'est-ce que c'est que ces sornettes? Il se fiance avec qui, Alexandru? demanda-t-elle à David, qu'elle jugeait plus responsable.

– Je l'ignore, répondit celui-ci, et il n'en sait pas plus que moi. Il doit se fiancer avec la première jeune fille qu'il rencontrera ici, à l'exception des riches. Mais il m'a attendu pour affiner notre critère de choix. Ce sera peut-être la première jeune fille du salon d'en bas ou de celui d'en haut ou bien... Je ne sais pas encore. Nous devons y réfléchir.

Les deux jeunes filles échangèrent des regards perplexes.

– C'est une plaisanterie de mauvais goût, décida Felicia.

– Je vous jure que non! se récria David. Demandez à Alexandru. C'est une façon de laisser s'accomplir le destin...

Il s'interrompit un instant, puis il ajouta, en s'adressant à Alexandru :

– Mais comment vas-tu faire pour distinguer les riches des pauvres? Ici, elles se ressemblent toutes... Il n'y en a pas une qui porte une robe de moins de trois mille lei, pas vrai, Felicia? demanda-t-il d'un ton badin mais exempt de son habituel mépris misogyne.

Il avait d'ailleurs ce soir l'air plus doux que de coutume; jusqu'aux traits de son visage qui paraissaient moins austères. Contrairement à ce qui se passait en général quand il allait dans le monde, les gens qui entraient dans la pièce ne le regardaient pas avec curiosité comme une apparition solitaire et ascétique aux allures de révolté.

Alexandru réfléchit puis répondit :

– Je crois que je devinerai aussitôt si elle est pauvre ou pas.

– Vous êtes aussi ridicules l'un que l'autre! s'exclama Felicia. Vous, Alexandru, dont j'ai entendu dire que vous étiez un des rares jeunes gens qui sachent apprécier les femmes à leur juste valeur, c'est-à-dire ne pas les apprécier du tout...

Elle s'interrompit et, en guise de conclusion, leva le bras en l'air en un geste ironique. On eût dit que le lierre s'élevait, plus aérien, dans la lumière pâle de la pièce.

– Au début, exliqua David, j'ai cru qu'on en resterait à une simple discussion. Ensuite, je me suis aperçu que sa décision était bien arrêtée. Et s'il ne se ravise pas entre-temps...

– Écoute, mon vieux, dit Alexandru, tu ne vas pas mettre ma parole en doute encore une fois! Nous perdons notre temps... Dépêchons-nous, nous n'avons toujours pas fixé notre critère de choix. Et je suis impatient de connaître ma fiancée! précisa-t-il sans sourire.

Puis, se tournant vers les deux jeunes filles :

– Vous pourriez peut-être nous aider, mesdemoiselles?

Felicia, très pâle, le regarda dans les yeux et répondit en souriant :

– Moi, je vous prierai de m'excuser. Je suis en train de négliger mes autres invités...

Sans cesser de sourire, elle tourna les talons et s'éloigna, calme et triste. Elle sentait que quelque chose de décisif allait se produire, qu'une joie possible l'abandonnait, qu'un destin l'avait effleurée pour s'enfuir aussitôt, la laissant seule et prisonnière de son sortilège.

***

Annette gardait les yeux grands ouverts dans le noir. Elle ignorait depuis combien de temps elle se tenait ainsi, regardant sans voir, sans savoir si elle fixait le plafond ou le mur opposé de sa chambre. Elle ignorait même si elle avait dormi et s'était réveillée.

On n'entendait que la pluie. Les domestiques dormaient probablement depuis longtemps. Annette écoutait, tendue, le tic-tac de l'horloge dans l'entrée. Elle l'entendit sonner un coup, mais elle ne savait pas si elle marquait une heure ou la demie d'une heure. Elle décida néanmoins de se lever. S'il était plus tard qu'elle ne le supposait, ses parents et Adriana risquaient de rentrer bientôt. De toute façon, elle voulait se lever pour voir l'heure. Si jamais Teddy se réveillait...

Annette marchait tout doucement, sur la pointe des pieds. Elle savait ce qu'elle répondrait si Teddy la surprenait. Elle savait ce qu'elle répondrait à chaque étape de l'épreuve de cette nuit, si on la surprenait. Elle dirait d'abord qu'elle s'était levée parce qu'elle avait soif. Ensuite... ensuite viendraient les autres raisons : « J'ai eu peur; j'ai cru que maman était rentrée; j'ai entendu du bruit »; etc. Elle avait réfléchi à chaque éventualité pendant que Teddy lui parlait, dans sa chambre.

– Tu sais, Annette, toi tu devrais te marier très jeune, lui disait Teddy.

Mais Annette ne l'écoutait pas. Elle s'imaginait cette brave fofolle la surprenant en pleine nuit dans la chambre de sa mère. Aussi marchait-elle maintenant très prudemment, la main sur son cœur pour essayer d'en réprimer les battements, mais sans hésiter. Elle était très émue, mais elle n'avait pas peur. Elle pensait à Petru, elle puisait du courage dans son visage, dans ses yeux, dans le bonheur qu'ils partageraient bientôt, la liberté de cette chambre en ville où Petru serait à elle, heureux d'être avec elle. Elle arriva rapidement dans l'entrée. Elle gratta une allumette et regarda l'heure à l'horloge : une heure moins vingt-cinq. « Il est peut-être trop tôt, se dit-elle, peut-être que Teddy ne s'est pas encore couchée ou qu'elle ne s'est pas encore bien endormie. » Elle eut quelques secondes d'hésitation. « Si Teddy me surprend maintenant, il faudra que j'attende au moins deux heures qu'elle se rendorme. Mieux vaut attendre un petit peu tout de suite, attendre que l'horloge sonne une heure... » Elle s'assit sur une chaise et se mit à écouter la pluie. Elle avait froid. Elle chercha à tâtons autour d'elle quelque chose pour se couvrir les épaules. Elle n'osait pas retourner dans sa chambre car le risque était trop grand avec ce parquet grinçant. « Depuis le temps que maman parle de le faire réparer... »

Elle trouva un dessus de table posé sur le dossier d'une chaise. Elle se le mit sur le dos, doucement, comme si elle craignait qu'on pût entendre le bruissement de l'étoffe. Mais elle avait toujours aussi froid.

***

Petru entendit une goutte d'eau, une seule goutte, tomber sur le plancher. Il leva les yeux de sa partition et inspecta le plafond. Dans un coin, une tache d'humidité, difforme, jaune sombre, semblait ricaner dans la lumière vacillante. Il souleva la lampe à pétrole pour mieux voir. Une deuxième goutte tomba à côté de la première avec le même bruit d'insecte écrasé. Dans la lumière à présent plus proche de la lampe, la tache paraissait plus pâle, moins hideuse.

La lampe à la main, il alla frapper à la porte de sa mère. Elle ne dormait pas non plus à cette heure-ci.

– Il commence à pleuvoir dans ma chambre, annonça-t-il.

Mme Anicet sauta du lit et suivit Petru dans sa chambre. Ils contemplèrent ensemble la forme étrange qui s'était dessinée au plafond.

– Il faut mettre un récipient en dessous, mon petit.

Petru sortit et revint aussitôt avec une assiette. Sa mère, inquiète, examinait toujours le plafond.

– Qu'est-ce qu'on va faire s'il continue à pleuvoir comme ça? marmonna-t-elle en grelottant.

– Tu as froid, maman, dit Petru. Retourne vite au lit.

– Il faudrait faire venir un couvreur dès demain.

Parcourue d'un long frisson, elle s'interrompit.

– Mais comment fais-tu pour travailler dans ce froid? demanda-t-elle.

Il hésita, puis répondit doucement :

– C'est tout juste si nous avons encore assez de bois pour faire la cuisine...

Ils évitèrent de se regarder. « Demain, il faudra absolument que je demande de l'argent à quelqu'un, à Alexandru ou à Annette, peu importe à qui... »

– Fais-toi au moins du thé, dit Mme Anicet, ça te réchauffera.

Au moment de sortir de la chambre, elle s'arrêta sur le seuil et se retourna :

– Ce n'est pas aujourd'hui, la soirée de Felicia?

– Si.

– Pourquoi n'y es-tu pas allé?

– Ça m'embêtait.

« Ce qui serait amusant, se dit Petru, ce serait de savoir ce que maman pense que j'aurais pu me mettre sur le dos pour y aller. » Il retourna à sa table, régla la mèche de la lampe et se remit au travail. « Pourvu que les grands froids n'arrivent pas trop tôt cette année... »

***

– Quand je fais la vie, je ne me rends pas compte de la vanité de la vie...

Lazarovici tourna la tête pour dissimuler une grimace de dégoût. Il ne manque pas de culot, ce gandin! Car Balaban, beau garçon grand et brun, toujours bien mis, une bague florentine au doigt, les cheveux gominés, le regard gai et cynique, passait pour collectionner les succès.

– Quand je fais la vie, je prends tout à la légère. Mais quand j'écris, je ne peux plus renoncer à ma lucidité. Je vois les choses telles qu'elles sont. Je vois la ridicule et tragique solitude de l'homme...

Décidément, il n'avait pas une tête à faire de pareilles affirmations. Il sentit lui-même que personne ne le croyait et il sourit. Inutile donc de prolonger cette confession...

– Je pense que le professeur Nae Ionescu a raison, dit-il en guise de conclusion. L'homme est le seul animal qui puisse rater sa vie. Un canard restera un canard quoi qu'il fasse, tandis qu'un homme peut devenir un non-homme, il peut perdre son humanité.

Il invita à danser une petite demoiselle brune un peu trop fardée qui s'était approchée depuis un moment et l'avait écouté discourir en souriant. « Ils sont plutôt bizarres, les écrivains, se disait-elle. Bien habillés, courtois, ils fument tout le temps en plissant les yeux et ils parlent à n'importe qui, pourvu qu'ils parlent de leur œuvre. »

– Vous êtes écrivain? demanda-t-elle.

– Et un grand! répondit-il.

Tout à l'heure, il n'avait pas su s'expliquer. Comment dire cette tristesse qui suit les heures de travail, cette solitude diffuse et accablante, ce trouble sentiment de ratage, l'impression d'avoir loupé quelque chose qui était à portée de la main et qu'on regrettera toute la vie? De toute façon, personne ne l'aurait cru. Ses livres étaient fondamentalement tristes, d'un désespoir inhumain. Mais nulle angoisse tragique ne transparaissait dans sa voix, sur son visage, dans son existence quotidienne. Et tout le monde croyait que ces après-midi où il noircissait rageusement feuille sur feuille, obsédé par l'idée de son ratage, que ces après-midi où il fermait sa porte à qui que ce soit, il les passait à faire l'amour!

– Moi je m'appelle Puia Colonaş et je suis peintre, dit la jeune femme. Je signe de mon nom... Et vous, vous vous appelez comment?

– Balaban, et je suis une espèce de romancier.

Ils dansaient et se trouvaient bien ensemble. « Il eût été ridicule de leur en avouer davantage, se dit Balaban. Parfaitement ridicule. Les gens sont tous venus pour s'amuser, et ils sont tous jeunes... » Il observa les couples autour de lui. En effet, personne de vieux...

– Je peux me joindre à votre groupe? demanda Puia Colonaş quand la danse s'acheva.

– Tout le plaisir sera pour moi, répondit Balaban en lui donnant le bras. Et peut-être lirez-vous mes livres un jour...

– Vous écrivez quand, la nuit?

– L'été, l'été quand j'étouffe de chaleur.

Ils rejoignirent le coin des écrivains, où il y avait de plus en plus de monde. Balaban chercha des yeux Eleazar et Dragu, mais ni l'un ni l'autre n'étaient là.

– Je n'écris jamais sans m'être d'abord documenté, disait Lazarovici.

Il parlait à contrecœur. Il n'aimait pas ce groupe d'écrivains qu'il ne connaissait pour la plupart que vaguement et, surtout, il n'aimait pas parler de son travail à une heure aussi avancée, où le champagne poussait plutôt à faire de l'esprit.

– Me documenter, ça veut dire passer deux semaines au moins dans une usine...

Lazarovici s'était converti au roman prolétarien après avoir publié *Dacia felix*. Il avait débuté, avec un vif succès, dans le reportage social. Son troisième roman, *Cheminots,* d'abord interdit par la censure, avait fini par paraître avec une couverture rouge sang qui avait fait scandale. Pourtant, Lazarovici ne croyait pas à l'action et il ne militait pas. « Il est urgent d'attendre, disait-il, le temps de l'action est encore loin. »

– La pauvreté n'a rien d'intéressant, dit sèchement Balaban. Il n'y a pas de psychologie dans la pauvreté. C'est un état larvaire. Les entomologistes eux-mêmes n'étudient pas les larves, ils étudient les adultes...

Balaban s'interrompit : une frêle jeune fille, belle comme une icône mais rouge de colère, le fixait d'un œil outragé. « Elle n'a pourtant rien de révolutionnaire, se dit-il, rien de prolétarien. Et pas l'air spécialement pauvre non plus. » Il soutint son regard et se mit à la détailler insolemment, un sourire ironique aux lèvres. La jeune fille baissa les yeux. Intimidée, elle ne pouvait plus se défendre. Elle n'avait rien à dire.

– C'est assez vrai, lança un architecte. Vous, les mauvais romanciers, vous avez besoin de psychologie. Or, la misère ne crée pas de psychologie. Elle crée de la tragédie. Ce qui est tout autre chose : une révolution ou un chef-d'œuvre. Mais ni l'une ni l'autre ne vous intéressent...

– Je ne comprends pas bien, bredouilla Balaban en rougissant.

Et il improvisa tant bien que mal une phrase quelconque. Il était mal à l'aise. La jeune fille au visage d'icône lui jeta un dernier regard et s'éloigna. Il la suivit des yeux et, quand elle disparut dans la foule, il reprit sa discussion avec Lazarovici et l'architecte.

Sur le seuil, la jeune fille s'arrêta. Elle hésitait à traverser toute seule la salle de bal. Le jazz et le parfum des fleurs l'enivraient plus que le champagne; elle ne reconnaissait personne. Elle entendait cent voix, voix de femmes et voix d'hommes mais toutes semblables, toutes parfaites, jeunes, sensuelles. A peine avait-elle avancé dans la salle qu'un couple la heurta et alors elle fit demi-tour et, de l'air de chercher quelqu'un, s'engagea dans l'escalier qui menait au buffet du premier étage. Elle montait vite, préoccupée, se demandant où pouvaient bien se trouver Felicia, Liza et ses autres amies. Elle vit en haut de l'escalier deux jeunes gens qui attendaient en donnant des signes d'impatience. « Le champagne commence à faire son effet », pensa-t-elle en passant devant eux sans les regarder.

– Mademoiselle!

Elle sursauta, mais se retourna en souriant – ils étaient invités sous le même toit qu'elle.

– Permettez-moi de me présenter, dit le jeune homme, d'une voix émue mais ferme. Je m'appelle Alexandru Pleşa, et voici mon ami, David Dragu, professeur et écrivain.

– Et moi, je m'appelle Valentina Puşcariu.

– Mademoiselle Puşcariu, demanda Alexandru, voulez-vous devenir ma femme?

Il ne lui laissa même pas le temps de s'étonner. Un extra passant à côté d'eux avec un plateau de coupes de champagne, il en prit deux et en offrit une à la jeune fille.

– Maintenant je peux vous appelez par votre prénom, Valentina, continua-t-il. Et cette coupe marque le début de nos fiançailles. Il va falloir que vous me laissiez vous embrasser.

Il parlait d'une voix chaude, envoûtante, et chacun de ses gestes semblait empreint d'une sorte de magie. Valentina ne put que se laisser embrasser sur les deux joues. Et les baisers furent si aériens, si purs – rituels –, qu'elle comprit que les deux jeunes gens n'avaient pas trop bu.

– Mes félicitations, Alexandru, dit David en donnant l'accolade à son ami. Et mes meilleurs vœux!

Il vida sa coupe et se tourna vers Valentina.

– Il faut que je vous embrasse aussi, Valentina Puşcariu, dit-il avec tendresse. D'après votre nom, vous êtes transylvaine, n'est-ce pas?

La jeune fille acquiesça d'un battement de paupières. Elle faisait d'un seul coup confiance à David, à son regard franc, à ses traits taillés à la serpe. « Lui, il ne peut pas se moquer de moi... » Mais elle ne pouvait pas encore lui répondre, comme envoûtée par Alexandru.

– Permettez-moi donc de vous embrasser, reprit David,

qui passa aussitôt de la parole aux actes. Mes meilleurs vœux!

– Mais, écoutez..., commença Valentina.

Elle n'eut pas le temps de continuer. Alexandru sortit les alliances de sa poche et lui en passa une au doigt.

– Mets-moi l'autre, dit-il en la tutoyant soudain.

Mais Valentina marqua son refus en cachant ses mains derrière son dos.

– Valentina, ne te réveille pas si vite! s'écria Alexandru d'une voix suppliante. Laisse les choses s'accomplir, jusqu'au bout!

– Oui, écoutez-le, dit David.

Il se frotta le front comme s'il voulait effacer des rides imaginaires, puis il ajouta :

– Le mystère de maître Manole et du monastère d'Argeş...

– Mets-moi l'alliance, répéta Alexandru sur un ton où se mêlaient la prière et l'ordre.

Alors, toute tremblante, Valentina lui passa la bague au doigt puis voulut se sauver, effrayée et honteuse. Mais Alexandru la prit par la taille et l'embrassa sur la bouche.

– Il faut vous marier au plus vite, dit David. Moi, maintenant, je vous laisse.

VII

Annette sursauta en entendant sonner l'horloge. Elle avait revécu tellement de choses pendant la demi-heure qui venait de passer qu'elle avait l'impression de sortir d'un long cauchemar. Elle constata avec étonnement qu'elle tenait toujours la boîte d'allumettes dans sa main gauche; elle en aurait encore besoin. Comme elle grelottait, elle se frotta un peu le torse afin de se réchauffer. Puis elle se leva et avança prudemment, les bras tendus devant elle pour ne rien cogner. Devant la porte de la chambre à coucher de sa mère, elle chercha à tâtons la poignée, qu'elle abaissa tout doucement, presque sans aucun bruit. Elle ouvrit la porte, entra et la repoussa sans la refermer complètement.

Elle savait parfaitement où se trouvait la commode, depuis des années au même endroit dans la chambre. Si elle s'était arrangée pour venir la revoir plusieurs fois dans la journée, c'était seulement pour conforter sa résolution. La clé en était cachée dans une petite bourse en cuir que Mme Lecca rangeait généralement dans le tiroir de sa table de chevet ou, parfois, derrière sa lampe. Annette trouva rapidement la bourse, en sortit plusieurs clés et commença à les essayer. Son cœur se mit brusquement à battre très fort. Elle croyait entendre de toutes parts des pas et des bruits suspects. « C'est peut-être la pluie », se dit-elle pour se redonner du courage. De toute façon, il ne pouvait plus être question de renoncer et elle ne s'arrêta qu'un instant, l'oreille aux aguets, pour s'assurer qu'il n'y avait personne dans l'entrée, après quoi elle continua à essayer les clés jusqu'à ce qu'elle eût trouvé la bonne. La porte de la commode s'ouvrit lentement en grinçant. A la flamme d'une allumette, Annette chercha le gros coffret dans lequel sa mère gardait de vieux bijoux qu'elle ne portait plus jamais; elle ne l'avait certainement pas ouvert avant de partir chez les Baly et elle n'y toucherait sans doute pas de longtemps. L'allumette tremblait entre les doigts d'Annette. Elle la laissa se consumer presque entièrement, jusqu'au moment où la flamme commença à la brûler, avant de jeter ce qui en restait sous la commode, geste de prudence qu'elle fit machinalement, sans en avoir conscience. Elle trouva le coffret (un coffret en bois odoriférant incrusté de nacre) à la lumière d'une deuxième allumette, l'ouvrit et se mit à faire son choix. Il y avait des colliers démodés, des pendentifs grotesques, de lourdes boucles d'oreilles en or, quelques vieilles bagues dont les chatons avaient perdu leurs pierres, ainsi que six napoléons. « Dans la cassette de papa, il doit y en avoir encore pas mal », se dit Annette en les ramassant. Elle prit également une paire de boucles d'oreilles serties de rubis, deux bagues – l'une sans pierre et l'autre ornée d'un gros saphir – et une énorme médaille en or qu'elle s'étonna de trouver là. Elle fourra le tout dans son mouchoir, qu'elle glissa dans son sein. Elle remit le coffret à sa place, referma doucement la commode, rangea les clés dans leur bourse et la bourse dans son tiroir et sortit de la chambre sur la pointe des pieds.

Une dernière émotion : lorsqu'il lui fallut fermer la porte. Elle avait l'impression d'entendre partout des bruits sourds, indéfinissables. Elle écouta pendant quelques minutes en tremblant avant de se convaincre que personne ne l'épiait, ni dans l'entrée ni ailleurs. Elle osa alors appuyer sur la poignée et repousser le battant. Dès qu'elle fut de retour dans sa chambre, elle se mit au lit et, là, une grosse envie de pleurer lui noua la gorge. « Ah! Petru, Petru... » Elle ne pensait plus à rien, elle ne se sentait même pas triste.

– Il y a un problème des jeunes générations, dit M. Baly, qui aimait à s'entendre parler. Pour ma part, j'ai toujours soutenu la jeunesse. Mais quelque chose d'autre est intervenu aujourd'hui et, ce quelque chose...

Il fut interrompu par Mme Lecca, qui fit irruption dans la bibliothèque en criant :

– Mon mari, où est mon mari?

Il était assis à un bureau, plongé dans un gros livre luxueusement relié. En entendant sa femme l'appeler, il se leva prestement mais dignement et sortit sa montre.

– Non, nous avons encore le temps, lui dit-elle. Je suis venue te raconter quelque chose d'extraordinaire. Figure-toi qu'en bas deux jeunes gens se sont fiancés sans se connaître! Ils se sont rencontrés, ils se sont présentés, ils se sont fiancés!

Elle gesticulait, s'agitait, réellement troublée par cette nouvelle, que lui avait apprise une très vieille dame, l'une des rares tantes que Felicia tolérait à ses soirées. A ce moment-là, Mme Lecca avait crié, très fort, à Adriana :

– Tu vois, si c'était toi qui étais montée, tu serais fiancée maintenant!

M. Lecca fit semblant d'être impressionné par la nouvelle, mais en fait il fut bien content en entendant M. Baly la commenter, car il n'aurait su que dire. Par ailleurs, les invités réunis à la bibliothèque ne lui plaisaient pas. Cela manquait de vieux érudits et, par voie de conséquence, de controverses historiques et linguistiques. M. Baly discutait économie politique et sociologie avec quelques inconnus. Après avoir patiemment écouté pendant une heure, M. Lecca avait demandé la permission de se retirer au fond de la bibliothèque. Là au moins, il pouvait tranquillement consulter quelques livres. Quelques-uns seulement, car des chaises avaient été disposées le long des rayons et il n'osait pas déranger des inconnus pour accéder aux titres convoités.

– Il est un phénomène face auquel tout le monde est impuissant – pontifiait M. Baly –, le phénomène du désordre nécessaire. Me suis-je bien fait comprendre? Il s'agit d'une chose apparemment fort simple : pour les jeunes d'aujourd'hui, l'ordre ne représente plus une force. Aucun ordre au monde ne peut plus se maintenir de nos jours. Être du côté de l'ordre ne signifie plus comme naguère accroître ses forces, être protégé et exalté par une énergie considérable. Les grandes énergies se trouvent aujourd'hui hors de l'ordre. Les jeunes, que l'euphorie de l'âge pousse avant toute chose à se sentir forts, se précipitent là où se trouve la force. Quiconque veut avoir un contact – de quelque nature qu'il soit – avec la force, avec l'énergie, avec le pouvoir, doit s'opposer à l'ordre. C'est ce phénomène social contemporain que je nomme phénomène du désordre nécessaire. J'ai d'ailleurs l'intention d'en traiter par écrit afin de conseiller à nos hommes politiques de ne plus faire appel au sentiment de l'ordre. L'ordre actuel ne satisfait plus personne et, aussi longtemps qu'un ordre nouveau n'aura pas été établi, nous devrons nous résigner à supporter un long et triste désordre nécessaire.

M. Baly avait parlé avec enthousiasme, vivement impressionné par sa propre verve, par sa générosité et la hauteur de ses idées. « Qu'un homme tel que moi – savant, riche, dans la force de l'âge – prenne avec tant de passion la défense des jeunes générations incomprises et découragées par les politiciens, cela témoigne d'une extraordinaire fraîcheur, d'une remarquable capacité de renouvellement... » Il était très fier de suivre son temps, de comprendre les jeunes dans tous leurs mouvements et toutes leurs révoltes; ainsi le geste provocateur du jeune Pleşa, qu'il ne connaissait d'ailleurs pas. M. Baly sourit, content de lui.

– Et la vérité, s'écria un professeur, et la vérité? Est-ce qu'aujourd'hui plus personne n'en tient compte? Pourrait-il y avoir des hommes pour oublier que seule importe la vérité, que tout le reste n'est que sentimentalisme ou barbarie, que toute la noblesse de l'homme réside dans la quête de la Vérité?

Il souligna soigneusement la majuscule. Il parlait sur un ton irrité, en gesticulant et en quémandant des regards approbateurs.

– Où peuvent nous conduire votre force et votre désordre? poursuivit-il. En tout cas pas à la vérité, qui est une, immuable, universelle, éternelle!

M. Baly toussota pour s'éclaircir la voix et répliqua :

– Certes, la vérité, si l'on...

Mais il s'interrompit. Sur le pas de la porte, un domestique en livrée le fixait avec insistance.

– Qu'est-ce qu'il y a?

– Mademoiselle demande à Monsieur si l'on peut servir le champagne ici aussi. En bas, c'est fait depuis longtemps.

– Bien, allez-y, mais je ne veux pas entendre un seul bouchon!

M. Baly se tourna vers ses invités et expliqua en souriant :

– J'ai horreur du bruit, voyez-vous... Mais revenons à ce que nous disait M. Teohari. Nous vivons aujourd'hui un triste crépuscule des lois, de l'universel, bref de la vérité...

Il parlait d'une voix maintenant plus grave, en homme conscient de toute sa responsabilité et, surtout, fort content de lui-même mais en essayant de n'en rien laisser paraître.

***

Miticà la vit passer dans le couloir en direction des toilettes et il sortit de son compartiment. Le wagon était à présent presque vide et il n'y avait personne d'autre dans le couloir. « Pour une fois, j'ai de la veine », se dit-il en allumant une cigarette. Au bout du wagon, il ouvrit la portière et la coinça avec son pied. Il pleuvait toujours, mais moins fort. Miticà haletait légèrement. Sa jambe tremblait à cause du poids de la portière, qui avait tendance à se refermer. Il finit sa cigarette, jeta le mégot dehors et continua d'attendre. Plus Marcella tardait, plus il était ravi. Lorsqu'il entendit le loquet des cabinets bouger, il se retourna pour ne pas être identifié aussitôt. Marcella sortit, elle frissonna au contact de l'air humide et froid et referma la porte des toilettes, quelque peu gênée par la présence d'un homme à cet endroit-là justement. Quand elle passa à sa hauteur, il l'attrapa par le bras, sans relâcher la portière.

– Hé! toi...

Le cri qu'elle allait pousser lui resta dans la gorge lorsqu'elle reconnut Miticà. Tremblante et sans force, elle le fixait bouche bée comme si elle se trouvait face à un spectre.

– Si tu cries ou si tu essaies de te sauver, je te flanque sur la voie!

Miticà ricanait avec une satisfaction évidente, tandis que la jeune femme, en entendant cette voix éraillée, en voyant ces yeux hagards, se demandait s'il s'agissait bien de lui. Il lui serrait le bras de toutes ses forces et, impuissante, elle avait l'impression qu'il lui écrasait les chairs jusqu'à l'os.

– Tu sais que je suis dingue, grogna-t-il. Je te balancerai dehors et je me balancerai après! En plus, j'ai bu un coup...

Il la tira brutalement contre lui et la serra dans ses bras. Elle tenta en vain de se débattre, il lui renversa la tête en lui tirant les cheveux et elle sentit sur ses lèvres une bouche brûlante, amère, au goût d'alcool. Elle n'essaya plus de résister. Tout s'écroulait autour d'elle. Elle vivait un cauchemar. La nuit même de son départ, ici, devant les toilettes, dans les bras d'un monstre...

– Tu ne veux pas m'embrasser, constata calmement Miticà. Ou peut-être que tu ne sais pas. Ciutariu ne t'a pas bien appris. Ne t'en fais pas, je vais m'en charger. A Paris, tu habiteras avec moi...

– Au...!

Marcella n'eut pas le temps d'achever son cri : Miticà lui ferma la bouche d'une main tandis que de l'autre il continuait à la serrer contre lui.

– Attention, poupée! dit-il entre ses dents. Je ne blague pas : je te balance sur la voie, moi!

Elle sentit ses dernières forces l'abandonner, elle se sentit irrémédiablement perdue, profondément et irrémédiablement blessée. Miticà l'écrasait contre lui, l'embrassait à perdre haleine, lui pétrissait la chair. Ils étaient si près de la portière qu'elle avait l'impression qu'ils risquaient de tomber à la première secousse un peu plus forte. A un moment donné, croyant qu'il se penchait vraiment au dehors, elle ne put réprimer un cri d'effroi et eut un brusque mouvement de recul.

– Mais c'est qu'elle tient à la vie, cette petite! Tu as la frousse, espèce de garce? Ne t'en fais pas, je ne vais pas te tuer tout de suite... Je ne te tuerai pas tant que tu seras bien sage... Tu sais ce que c'est, être sage? Comme au théâtre, si tu vois ce que je veux dire...

Miticà riait, mais il ne relâchait pas son étreinte. Malgré l'euphorie qui s'était emparée de lui, il était conscient du danger qu'il courait : à tout instant, pouvait survenir un autre voyageur ou le conducteur. Il devait pousser son avantage au plus vite et s'affirmer définitivement le maître. Déjà, la chair de Marcella lui pénétrait dans les narines, lui brûlait les mains. Il ne se refusait rien : il lui caressait les seins et les hanches, lui écartait les cuisses en enfonçant son genou sans vergogne. Il y avait longtemps que Marcella n'était plus pour lui cette jeune fille qu'il aimait et qui le dominait. Elle était une femme comme n'importe quelle autre, une femme avec laquelle il savait depuis longtemps comment il devait se conduire; surtout quand, la haïssant, il éprouvait tant de volupté à l'humilier.

– Comme au théâtre, petite garce! Tu vas me montrer ce que tu sais faire... Épate-moi aussi, puisqu'il paraît que tu en as épaté toute une galerie!

Il lui mordit les lèvres et elle se mit à pleurer, de douleur et de dégoût, d'humiliation et de faiblesse. Elle n'aurait jamais cru qu'une femme pouvait être ainsi réduite à rien, dans l'incapacité même de crier pour défendre son honneur. Elle avait de plus en plus peur, car toutes les paroles de Miticà semblaient venir confirmer qu'il était effectivement fou ou saoul ou les deux à la fois. Elle n'arrivait pas à protéger son corps contre ses grosses mains, contre ses brutales audaces. « Il me traite pire qu'une prostituée, pensa-t-elle. » Elle n'osait même plus espérer du secours : « S'il voit arriver quelqu'un – se disait-elle –, il risque de me jeter sur la voie. »

Miticà continuait à jouer des mains et à l'abreuver d'insultes. Il était lui-même surpris de prendre autant de plaisir à l'humilier, la bafouer, l'écraser. Il ne savait quoi lui faire encore, quels autres mots odieux lui dire. Il entreprit alors de déchirer la soie là où se trouvait sa main, de déchirer voluptueusement, presque passionnément. Il la voulait blessée à tout prix, blessée et loqueteuse. Il avait le sentiment de posséder un pouvoir illimité, au-dessus des lois. « Je peux tout, je peux tout faire! »

Il ouvrit d'une main la porte des cabinets et de l'autre poussa Marcella à l'intérieur. Il ne parlait plus. Il la jeta dans un coin et ferma tranquillement le verrou. Il entendit le bruit sourd d'une secousse : la portière du wagon, libérée, avait glissé lentement et s'était refermée toute seule en faisant trembler la vitre...

– J'ai l'une des plus belles discothèques de Bucarest, murmura Jean Ciutariu; ça vous plairait de venir écouter de la bonne musique?

Irina promit. Elle était prête à tout promettre, à n'importe qui, même à ce grand imbécile qui lui faisait une cour assidue. « Ce qu'il peut être bête! avait-elle pensé en entendant ses premiers compliments de don Juan. Heureusement qu'il est beau garçon... » Elle ne pensait pas à mal. Une heure plus tôt, elle croyait ferme que Dinu allait venir. A présent elle en doutait (il avait sans doute peur de rencontrer Felicia...) mais, au fond de son cœur, elle espérait encore le voir arriver, essoufflé et trempé par la pluie.

Cependant, plus le temps passait, plus ce dernier espoir s'amenuisait. Et elle avait répondu méchamment, en femme jalouse, à Felicia qui lui demandait ce qui arrivait à Alexandru. Felicia avait fait semblant de ne pas s'en apercevoir ou ne s'en était réellement pas aperçue, trop troublée par ces fiançailles impromptues. Ciutariu, qui avait assisté à la scène, était depuis aux petits soins pour Irina. Il lui offrait du champagne, lui parlait de musique, de ses crises de mysticisme. « Il est dégoûtant », se répétait Irina. Et pourtant, elle éprouvait une singulière attirance envers lui, par besoin de se venger de Dinu, par besoin de se salir, de s'humilier. Elle sentait remonter en elle un vieux désir de débauche et, une demi-heure plus tard, elle se laissait déjà embrasser par Ciutariu, elle l'encourageait même, elle le provoquait.

« Mon Dieu, ce qu'il peut être bête! » se disait-elle, furieuse contre lui parce qu'il ne sortait pas des clichés et du sentimentalisme bon marché, furieuse contre elle-même parce qu'elle restait trop lucide. Elle ne cessait de redemander à boire. Des milliers de démons se bousculaient soudain, échappés de quelque oubliette de son âme. Depuis cette fameuse nuit d'orgie qu'elle avait achevée nue sur une plage, des verres sur le ventre, elle n'avait plus ressenti une aussi vive envie de se rouler dans la fange. Et comme Alexandru n'avait d'yeux que pour sa fiancée, Irina pouvait s'en donner à cœur joie. Elle entra dans une pièce voisine du buffet, monta sur une table et se mit à y danser, encouragée aussitôt par un groupe de jeunes journalistes qui se trouvaient là depuis un moment, engagés dans un concours de consommation d'alcool.

– Bravo, Irina! cria l'un d'entre eux.

– Tu la connais? lui demanda un autre.

– Non, je sais seulement qu'elle s'appelle Irina, Irina Pleşa...

Jean finit par la retrouver, il la prit dans ses bras et la fit descendre de la table en l'embrassant. A partir de ce moment-là, il ne la laissa plus seule. Elle lui plaisait de plus en plus, il la trouvait très fine. Il était d'ailleurs d'excellente humeur ce soir-là. Marcella venait de partir pour un an à Paris, ce qui simplifiait beaucoup de choses, et l'on s'amusait merveilleusement bien chez Felicia.

– Une soirée formidable! lui répétait-il chaque fois qu'il passait à côté d'elle. Haute en couleur et forte en alcool...

Il dansa beaucoup avec Irina. « L'affaire est dans le sac », se disait-il. Mais il ne se pressait pas. Il voulait d'abord gagner sa confiance. Il continuait à lui parler de musique :

– J'aime Debussy lorsque la lumière du crépuscule est trop limpide, trop crue. Tandis qu'aux heures de fièvre comme celles-ci, je préfère écouter le *Boléro,* que je tiens pour le plus étrange signal du sang...

Nora se leva de table en chancelant. Surdu la prit par le bras.

– Lâchez-la, la pauvrette, dit sa mère tout en donnant les cartes.

L'homme obtempéra. Nora alla se poster derrière la fenêtre et son regard se perdit dans le vide de la nuit.

– Trente et un! annonça Iorgu Zamfirescu et il montra son jeu.

Nora fit un large signe de croix et s'approcha des icônes. Elle poussa un cri perçant qui fit violemment sursauter les joueurs.

– Que la terre l'avale et que les vers la rongent! Que le bon Dieu ne la laisse pas vivre jusqu'à Pâques!

Elle pleurait, mais elle proférait ses malédictions d'une

voix sèche et stridente. En même temps, elle n'arrêtait pas de se signer, à grands gestes qui allaient du front jusqu'à la taille.

– Que le bon Dieu et la Sainte Vierge fassent qu'elle ne vive pas jusqu'à Pâques!

Ils la fixaient tous, immobiles. Iorgu Zamfirescu serrait les mâchoires.

– Qu'elle ne vive pas jusqu'à Pâques, répéta-t-elle une dernière fois, et elle se cacha la figure dans ses mains.

Sa mère se pencha à l'oreille de Surdu :

– Ne vous frappez pas, elle en a après une espèce de folle...

***

Paşalega père continuait à raconter :

– Alors, je suis allé trouver le colonel et je lui ai dit : « Mon colonel, donnez-moi deux semaines et je vous ferai un appareil que personne ne pourra abattre. Je l'ai là, je l'ai là depuis six ans... »

Et, du bout de l'index, il se tapota la tempe. « Il doit l'imaginer prêt à sortir tout armé de son crâne », pensa Dinu.

– Et alors le colonel m'a dit : « Paşalega, si la Roumanie avait dix ingénieurs comme vous, on serait sûrs de gagner la guerre! » Parce que c'était avant la bataille de Màràşeşti... Et puis il m'a dit : « Mais je ne peux même pas vous donner trois jours. Ce sont les ordres! » Et il ne me les a pas donnés. Et nous avons perdu la guerre, car on peut dire que nous l'avons perdue puisque nous avons dû conclure une paix séparée... Qui sait, si mon avion avait été prêt à ce moment-là, les choses auraient peut-être pris une autre tournure, ajouta-t-il, songeur.

En réalité, il ne doutait pas un instant que son avion aurait permis d'abréger la guerre d'un an. Dinu connaissait depuis longtemps ces vieilles nostalgies et ces vastes ambitions. Son père les lui répétait cette nuit parce qu'il pleuvait sans discontinuer depuis vingt heures et qu'il faisait froid dans la pièce où il se sentait tout à coup poursuivi par le mauvais sort. Steriu n'arrêtait pas de faire du café; Steriu, l'unique confident des insomnies de Paşalega père.

– L'avoir eu à Alba Iulia, continua ce dernier, les yeux mi-clos, avoir eu des centaines d'avions *Ingénieur Paşalega...*

Dinu regardait son père sans vraiment l'écouter. Ces rêveries, il les avait déjà entendues, avec tous leurs détails, une bonne dizaine de fois. « Il doit être encore surmené pour parler comme ça d'un aéroplane portant son nom. D'habitude, quand il n'est ni trop fatigué ni trop découragé, il affirme que son avion s'appellera *Tudor Vladimirescu.* Malheureusement, depuis quelque temps, il est presque toujours fatigué. En plus, comme il manque d'argent, il ne peut plus faire d'expériences importantes, rien de décisif. Seulement des plans, des roues et ce squelette d'appareil dans la remise. »

– Tu ne vas pas à la fête? demanda soudain son père en faisant un effort pour le regarder dans les yeux.

– Il est trop tard maintenant, presque deux heures et demie du matin, répondit Dinu.

Il avait le sentiment, irritant et humiliant, d'avoir été pris au piège, retenu jusqu'aussi tard par son père pour l'empêcher de rencontrer Irina. Une lueur de malice passa dans les yeux du vieil homme quand il entendit la réponse de Dinu. Celui-ci n'avait d'ailleurs pas essayé de s'en aller plus tôt. Il était arrivé vers sept heures et demie et avait déclaré :

– Je ne vais pas beaucoup manger, je dois passer chez Irina à neuf heures pour l'emmener à une fête.

Son père n'avait pas levé le nez de sa planche à dessin. Steriu rêvassait en fumant, étendu sur le divan. Du reste, quand il ne le trouvait pas en train de faire du café, Dinu le trouvait allongé sur le divan. Il était le plus fidèle ami de son père, le seul à lui tenir compagnie pendant ses insomnies, à l'écouter raconter ses souvenirs ou expliquer les plans de son appareil.

– Aujourd'hui aussi je me sens mal, avait dit Paşalega père pendant le repas. Je vais encore passer une mauvaise nuit...

Il avait poussé un long soupir avant de reprendre d'un ton sévère :

– Mais qu'est-ce que ça peut vous faire, à vous, les jeunes d'aujourd'hui? Vous ne pensez qu'à faire la fête et encore la fête!

Quand il voulait réprimander son fils, il parlait toujours des « jeunes d'aujourd'hui ». Il croyait être ainsi plus objectif, plus impersonnel.

– Dans ce cas-là, il ne s'agit pas de moi, avait répondu Dinu.

Mais il répugnait à engager une discussion, car son père le dominait toujours – par les serments et les rêves qu'il avait su lui imposer, par la force de ses tourments.

– Toi, tu ne vaux pas mieux que les autres, tu rêves déjà de couche molle. N'importe quelle petite femme vous tourne la tête!

Dinu s'était bien gardé de répondre cette fois-ci. Un quart d'heure après le dîner, son père avait eu un malaise. La tête entre les mains, il se serrait les tempes en gémissant.

– Je sens tout tourner! Steriu, refais-moi du café!

Il avait vidé sa tasse rapidement, en se brûlant les lèvres. Puis il avait porté la main à son cœur. On eût dit qu'il en comptait les battements, mais il se contentait de les écouter. Dinu se taisait. Il avait retiré sa veste et il examinait les plans en cours sur la planche à dessin. Sa crise une fois passée, son père était venu à côté de lui.

– Je crois qu'il y a une erreur là, avait dit Dinu. En tout cas, ça ne peut pas être ça... Tu as vérifié tes calculs?

La vérification avait duré deux heures. Steriu s'endormait, se réveillait, refaisait du café.

– Vois-tu, si je n'avais pas eu ça, je serais déjà mort, avait murmuré Paşalega père à un moment donné.

Il était minuit passé et il parlait désormais avec douceur; il ne craignait plus de voir son fils partir pour aller perdre la nuit dans les bras d'une femme. Il le savait sien à présent, prisonnier de ses chiffres, de ses plans, de ses rêves. Vers une heure du matin, il s'était affalé sur le divan, fatigué et pourtant excité, et s'était mis à raconter une fois de plus les épisodes les plus glorieux de sa carrière d'inventeur et de patriote. Il y avait un bon moment déjà que Dinu avait fait son deuil de la soirée chez Felicia. Il expliquerait le lendemain à Irina que son père avait eu un grave malaise, une attaque qui avait failli l'emporter. En fait, il avait parfaitement compris que la maladie de son père se nommait jalousie, mais il s'était soumis une fois encore à son impérieuse volonté. Car même à l'heure où il aurait encore pu se rendre chez Felicia, il savait déjà que sa nuit était ratée de toute façon. Il était donc resté là, à écouter sagement son père, qui lui transmettait peu à peu son insomnie en même temps que ses rêves de grandeur.

– Les livres sont du temps concentré, dit Balaban d'un ton blasé. Chaque livre – comme d'ailleurs chaque monument artistique, un tableau ou un temple – représente un large écoulement de temps auquel l'auteur a réussi à s'arracher. Il a renoncé à vivre pour écrire ou peindre ou sculpter. Aucun autre travail humain ne rend mieux ce sentiment démoniaque de révolte contre la vie, contre le temps qui passe. C'est peut-être pourquoi je suis ému devant l'œuvre si vaste de quelques écrivains. Je pense alors aux milliers d'heures qu'ils n'ont pas réellement vécues, aux matinées et aux nuits dont ils n'ont pas connu les beautés, aux femmes qu'ils ont refusées. Tant de vie retranchée simplement par l'acte de création! Pensez à tous ceux qui ont profité de la vie tandis qu'un créateur travaillait. Où sont-ils aujourd'hui? Où est leur temps, qu'en ont-ils fait?

Il hésita un instant, puis ajouta en souriant :

– Je ne sais plus ce que je voulais dire. Je voulais préciser une idée, mais je l'ai perdue en cours de route...

Il est vrai qu'il avait bu beaucoup de champagne, et beaucoup dansé. Il regagnait tous les quarts d'heure le coin des écrivains pour entendre un bon mot, donner une réplique. Plus le matin approchait et plus la chaleur animale devenait épaisse, les invités se sentaient plus proches les uns des autres, plus familiers, plus libres. « Le champagne, pensa Balaban, ou le jazz, ou les deux... » Vers trois heures, il trouva David Dragu réfugié dans un coin sombre, devant une fenêtre entrouverte.

– J'ai mal aux yeux avec toute cette lumière et cette fumée, expliqua David.

Il n'avait pas l'air de s'amuser. Des amis écrivains ou artistes l'avaient invité à plusieurs reprises à se joindre à eux, mais il avait refusé. Il ne cessait de penser à Alexandru et de se reprocher sa part de responsabilité dans ses brusques fiançailles, auxquelles on avait d'ailleurs fait une bruyante publicité qu'il trouvait de fort mauvais goût. Quelqu'un était monté sur une table et avait crié :

– La marche nuptiale! Qu'on joue la marche nuptiale!

L'orchestre l'avait attaquée et les fiancés étaient entrés dans la grande salle en se tenant par la taille, aussitôt entourés, pressés, félicités, chacun voulant trinquer avec eux. Felicia riait nerveusement, trop bruyamment. Elle avait d'ailleurs beaucoup bu. Dans les sept pièces pleines d'invités, l'exaltation atteignait son comble.

– A moi la première danse avec le fiancé! avait crié Felicia en prenant Alexandru par le bras.

Valentina, à moitié écrasée dans le cercle des curieux, accablée de questions, souriait d'un air absent. Alexandru s'était éloigné d'un pas hésitant, comme quelqu'un qui ne distinguerait plus les frontières, qui ne serait plus sûr des formes.

– Valentina vous plaît? avait-il demandé à sa cavalière.

– C'est vous qui me plaisez, avait répondu Felicia sans réfléchir.

Elle n'arrivait plus à se contrôler et, du reste, elle se souciait soudain comme d'une guigne de tout ce qui était tenue ou retenue. Si elle avait pu, elle se serait retirée dans sa chambre dès qu'elle avait vu Alexandru descendre l'escalier au bras d'une inconnue qu'il avait présentée comme « la plus radieuse » ou « la plus heureuse fiancée du monde », Felicia ne parvenait pas à s'en souvenir précisément. Certaines minutes – quelques-unes interminables, d'autres très courtes – n'avaient laissé qu'une empreinte trouble dans sa mémoire. « Curieusement, se disait-elle, ce sont justement les choses les plus importantes, les choses décisives... »

– C'est vous qui me plaisez, et vous me plaisez beaucoup, avait-elle répété en insistant, prête à tout affronter, à risquer le tout pour le tout.

– Je sais, mais je n'y peux rien, avait dit Alexandru avec un sourire contraint. Aujourd'hui, j'interroge mon destin. J'épouserai Valentina dans un mois, le 15 décembre...

Felicia ne l'écoutait plus. Elle ne ressentait plus la trouble chaleur, le bonheur vaste et timide qu'elle éprouvait jusque-là en s'approchant d'Alexandru. Elle ne sentait plus qu'un tournoiement d'alcool et de fatigue. Quand ils avaient fini de danser, Liza lui avait dit :

– Tu devrais te reposer un peu, on dirait que tu ne tiens plus debout...

Felicia n'avait pas eu l'air de l'entendre et, sans répondre, elle avait couru dans une pièce voisine, d'où venaient de grands éclats de rire.

Liza, un vague sourire aux lèvres, déambulait maintenant sans hâte entre les couples, hautaine et solitaire, nullement exaltée ni troublée par le bruit, par l'alcool ou par les parfums capiteux dont l'atmosphère était chargée. Elle aperçut Adriana blottie dans un coin, toute tremblante et jetant autour d'elle des regards farouches de gibier traqué. Liza lui caressa la joue, puis elle la prit par le bras.

– Viens, Adriana, je vais te présenter mon frère, David.

Elles le trouvèrent au même endroit, dans son embrasure de fenêtre.

– Je me demande si on ne vient pas de commettre quelque chose de grave, une espèce de sacrilège, dit David. Alexandru est un exalté capable du meilleur comme du pire.

– Ne te mets pas dans des états pareils, lui répondit Liza. Laisse-les se frotter tout seuls aux obstacles, ça vaudra bien mieux.

Tenant toujours Adriana par le bras, elle enchaîna en riant :

– Tu vois, David, c'est une petite sauvage qui a passé toute la nuit tapie parmi les vieillards. Elle vient tout juste de sortir de sa tanière et elle est tout effarouchée!

Adriana essaya de se dégager, mais Liza la tenait ferme.

– Monsieur Dragu, demanda Adriana pour dire quelque chose, est-il vrai que vous êtes ours? Vous devez être bien malheureux...

Ce n'était pas sa voix habituelle. Elle parlait maintenant plus bas, plus timidement. Ses gestes aussi étaient différents – hésitants, comme si elle était mal réveillée. David interrogea sa sœur :

– Qu'est-ce qu'elle veut dire?

– N'importe quoi, comme tout le monde.

Adriana rougit. Elle chercha encore une fois à dégager son bras. Elle se mordillait les lèvres, le souffle court.

– C'est vous qui êtes comme tout le monde, orgueilleux et malades, siffla-t-elle. Je voudrais...

Balaban s'approcha d'eux, la démarche chancelante, la langue pâteuse :

– Je me rends compte que je suis appelé par quelque chose, mais je ne sais pas par quoi. Et pourtant je me sens attiré, privé de ma liberté, conduit vers un endroit où je ne veux pas aller. *Je ne veux pas,* vous saisissez?

Il cligna des yeux, s'inclina gauchement devant les jeunes filles et repartit.

– C'est Balaban, le romancier, expliqua Liza. Il écrit des bouquins sur la mort et le tragique.

– Il me plaît, fit Adriana en le suivant des yeux. Il ressemble à ce qu'il écrit.

– Si je pouvais être sûr de ce que va faire ce cinglé d'Alexandru, grommela nerveusement David.

Il souhaitait se heurter à une résistance, n'importe laquelle, pour la vaincre. Il regrettait tellement ce qui venait de se passer, le regard clair de la Transylvaine, les baisers sur ses joues... Plusieurs couples bruyants passèrent non loin d'eux. Parmi eux, Irina et Jean, tendrement enlacés. Cette image le dégoûta et il se rendit compte alors qu'il n'avait pas vu Dinu de la soirée. Il se rappela du même coup ce qu'il avait entendu dire aussi bien à propos d'Irina Pleşa que de Jean Ciutariu. Son sang ne fit qu'un tour. En quelques pas, il fut devant eux.

– Qu'est-ce qui te prend, le musicien? lança-t-il à Ciutariu.

Irina blêmit. Son cœur battait à tout rompre, elle avait l'impression qu'il allait éclater.

– Où est Dinu? lui demanda sévèrement David.

– Il n'est pas venu! s'écria Irina. Il est amoureux de Felicia et c'est pour ça qu'il n'est pas venu!

« Tiens, elle peut encore parler, se dit David, et même parler clairement et passionnément à la fois... »

– Et toi, Jean, qu'est-ce que tu as à lui tourner autour? reprit David.

Irina éclata de rire :

– Lui, il est mon amoureux à moi!

David les fixa tous deux avec hargne. Il serrait les poings, pris d'une forte envie de cogner.

– Tu as intérêt à te calmer, et vite! cria-t-il à Irina. Quant à toi, tiens-toi tranquille sinon ça va mal tourner, poursuivit-il à l'adresse de Ciutariu. Elle est fiancée, cette petite, tu comprends? Elle joue les dévergondées juste pour se rendre intéressante.

– Mais, écoutez..., bredouilla Irina.

– Tu as intérêt à te calmer, répéta David, ou bien je t'attrape par les oreilles et je te fourre sous une douche froide!

Il y avait un tel mépris dans la voix de David qu'Irina fondit en larmes. Des couples s'arrêtaient pour les regarder et Ciutariu ne savait quelle contenance prendre. Quant à Irina, elle sanglotait, bien incapable de reprendre ses esprits.

– Si tu lui tournes encore autour, je te fiche à la porte par la peau du cou! cria David à Ciutariu.

Des invités de plus en plus nombreux s'agglutinaient autour d'eux, certains espérant secrètement assister à une bagarre. Une scène de jalousie, supposait-on. Voilà Dragu amoureux... Cependant, Ciutariu était bien embarrassé. S'il ne voulait pas se disputer pour une broutille avec un aussi bon ami que David, il lui était par ailleurs pénible d'essuyer silencieusement ses menaces en public. Il choisit néanmoins cette dernière solution. David prit Irina par le bras et s'en alla avec elle à la recherche d'Alexandru. La jeune fille, brusquement épuisée, ne pouvait que se soumettre. Tout à l'heure, Ciutariu l'avait aisément conquise. Elle savait qu'il était mal de partir avec lui en cachette, elle savait ce qu'il voulait d'elle, mais cela lui était égal – elle ne souhaitait qu'une chose : se venger de Dinu, que, depuis quelques heures, elle haïssait. Voilà pourquoi, lorsque Ciutariu lui avait proposé de quitter la fête pour aller chez lui, elle avait accepté immédiatement, agacée pourtant par l'hypocrisie du jeune homme, qui continuait à lui parler de mimosas et de la musique qu'ils écouteraient dans sa garçonnière. « Il pourrait quand même arrêter de me raconter des histoires, je sais bien pourquoi j'y vais et j'en prends mon parti... »

Ils finirent par trouver les fiancés. Valentina regarda Irina d'un air stupéfait. Elle avait du mal à reconnaître dans cette apparition la personne qu'on lui avait présentée quelques heures plus tôt. David s'adressa à Alexandru d'un ton sévère.

– Surveille ta cousine. Elle a failli filer avec ce coureur de Ciutariu!

– Je fais ce que je veux! glapit Irina.

Mais il n'y avait plus dans sa voix ni conviction ni méchanceté. Elle se sentait faible et ensommeillée. David repartit aussitôt. La présence de Valentina, la souplesse et la fraîcheur de son corps, sa joie non dissimulée lui étaient cruelles. Il se fraya un chemin parmi les couples. Plus une jeune fille, plus un jeune homme n'étaient seuls dans toute la maison. Si les lumières s'éteignaient en ce moment... Et pourtant, derrière l'excitation provoquée par le jazz et l'alcool, on distinguait une lassitude cachée, un secret mécontentement. David cherchait des figures de connaissance. Le groupe des écrivains s'était dispersé. Lazarovici, une expression de triomphe et de mépris sur le visage, errait de pièce en pièce. Il avait l'impression d'assister à l'effondrement d'un monde moribond.

– Tu es ridicule, lui dit Balaban. Les hommes ont toujours

été comme ça quand ils ont bu en compagnie de jolies femmes. Et ils ne risquent pas de changer un jour...

Il aperçut David et se dirigea vers lui.

– J'espère que ça ne te révolte pas, ce que tu vois autour de nous? lui demanda-t-il sur un ton soudain très familier.

– Non, pas du tout. Je me dis seulement que nous manquons vraiment d'imagination; encore et toujours la même chose, depuis tant d'années : des filles, de la musique, du champagne... Ils n'ont pas envie de changer?

– Ils pourraient inventer autre chose, bien sûr, répondit Balaban. Malheureusement, la voie de l'invention n'est libre qu'à la descente, vers l'orgie. A la montée, c'est vite l'impasse. Tu es allé en haut, dans la bibliothèque? C'est extraordinaire de voir les vieux s'amuser...

Il tourna les talons sans attendre la réponse de David. Il aimait déambuler ainsi, d'une connaissance à une autre, d'un couple ou d'un groupe à un autre, un verre plein à la main, et de parler une minute à chacun. Ces lambeaux de conversation ne l'obligeaient pas à se contrôler et lui permettaient de rester brillant et infatigable tout en affirmant à l'un le contraire de ce qu'il venait de déclarer à l'autre. Car telle était la vanité de Balaban : paraître toujours spirituel, frais et dispos, en particulier vers la fin d'une fête, lorsque les conversations commencent à languir et la gaieté à retomber. Cependant, personne ne semblait encore réellement fatigué pour le moment.

M. Baly, qui sortait de temps à autre de la bibliothèque, et, du haut de l'escalier, contemplait les invités de sa fille en admirant leur bonne humeur, fut abordé par Lazarovici :

– Veuillez m'excuser, monsieur Baly, il s'agit juste d'une curiosité d'artiste : je voudrais savoir combien on a bu de bouteilles de champagne cette nuit... pour mieux m'expliquer l'enthousiasme général.

Cette question ne parut nullement surprendre M. Baly.

– Je l'ignore moi-même, répondit-il. Je peux seulement vous préciser que Felicia disposait de cent bouteilles...

Il souriait, flatté par avance. Il croyait que Lazarovici allait ajouter : cent bouteilles du meilleur champagne.

– Cent bouteilles, ça représente environ vingt-cinq mille lei! s'exclama Lazarovici en essayant de donner à ses paroles un ton grave et ironique à la fois. Combien de familles...

– Détrompez-vous, jeune homme, coupa M. Baly. Je suis moi-même versé en sociologie et en économie politique et j'ai même lu les auteurs marxistes. Je me permettrai donc de vous faire remarquer...

S'il était quelque peu choqué par l'audace de Lazarovici, il n'en était pas moins content de trouver quelqu'un à qui il allait pouvoir exposer un problème qui lui tenait à cœur. Il s'éclaircit la voix et se lança dans son speech. Des couples qui montaient ou descendaient l'escalier les frôlaient en passant.

– C'est le vieux de Felicia qui est encore en train de radoter, chuchota un jeune homme.

Pas assez bas pourtant, puisqu'ils l'entendirent tous deux. M. Baly sourit discrètement et continua son exposé comme si de rien n'était. Il n'avait aucune envie de retourner à la bibliothèque : on s'était mis à y jouer au poker et les quelques vieux érudits qui étaient venus ce soir-là étaient déjà repartis. « Les traditions se perdent », pensa tristement M. Baly. Restait toute cette jeunesse grouillante qu'il eût tant aimé conquérir, par sa verve, par son intelligence ou sa puissance, par son argent au moins.

Au petit matin, lorsque les derniers groupes s'apprêtaient à partir, Felicia courut se réfugier dans sa chambre. Elle claqua la porte et se jeta sur son lit, la tête dans l'oreiller. Elle croyait qu'elle éclaterait en sanglots dès qu'elle se retrouverait seule, dès qu'elle pourrait pleurer. Et pourtant, pas un soupir, pas une larme. Elle restait étendue à plat ventre, inerte, avec une impression de chute dans un monde étranger, dans un monde froid et sombre. Elle sentait qu'elle avait encore la force de hurler, de briser quelque chose afin de conjurer son malheur – elle en avait encore la force, mais elle n'en avait plus l'envie. Elle entendait en bas des bruits sourds, des cris étouffés, des rires lointains. Elle s'aperçut qu'il ne pleuvait plus. Elle commençait à avoir froid et elle se demandait si quelqu'un allait enfin penser à elle et venir prendre de ses nouvelles.

Liza fut ce quelqu'un. Elle vint tard, après le départ des derniers invités. Lorsqu'elle avait vu Felicia courir en direction de sa chambre, elle s'était occupée de tout, expliquant que la maîtresse de maison, exténuée, avait dû se retirer.

– Qu'est-ce que tu as? demanda-t-elle en mettant la main sur le front de Felicia.

Celle-ci ne répondit pas. Elle venait d'avoir une idée ridicule, une idée de vaniteuse : ç'avait été la plus désastreuse de ses soirées, la seule où elle s'était sentie malheureuse, où elle n'avait pas pu dominer comme une reine la foule de ses invités.

– Qu'est-ce que tu avais, aujourd'hui? redemanda Liza, comme si elle lisait dans ses pensées.

Cette question acheva d'humilier Felicia. Elle se dressa d'un bond et s'écria :

– J'en ai marre, tu comprends? J'en ai marre de tomber amoureuse des hommes la veille de leur suicide ou de leurs fiançailles!

Elle ne s'attendait pas à se laisser aller à de pareils aveux, que normalement elle osait à peine se faire à elle-même. Elle parlait avec une colère morbide, vulgaire. Le sentiment de sa bassesse la poussait à s'exprimer si crûment que Liza – qui évitait en général les conversations sur les hommes et l'amour – n'en revenait pas.

– Oh! Liza, Liza! s'exclama finalement Felicia. Pour une fois que je tombais amoureuse!

Et elle fondit en larmes.

Alexandru s'assit entre les deux jeunes filles.

– Tu as bien dit boulevard Pake? demanda-t-il à Valentina. Nous allons te déposer d'abord.

Il donna l'adresse au chauffeur, puis il enlaça sa fiancée et se pencha à son oreille pour l'embrasser.

– Alexandru, ne fais pas de cochonneries dans la voiture ou je dirai tout, grogna Irina.

Valentina frissonna : la voix d'Irina lui semblait hideuse, une grosse voix d'homme. « Elle a sans doute trop bu », se dit-elle. Elle ferma les yeux. Elle était un peu fatiguée; un doux engourdissement l'incitait à laisser reposer sa tête sur l'épaule de son fiancé et à s'assoupir. Qu'allait-elle dire à la maison? La croirait-on seulement? Elle-même avait eu du mal à y croire. Elle tâta son alliance. Elle était bien à sa place, une alliance en or au nom d'Alexandru. Et il est si jeune, si riche et si beau. Cette voiture lui appartient. Il a les épaules larges et droites. Il l'a regardée dans les yeux, l'a embrassée sur la bouche, l'a tenue serrée, collée contre lui durant toute la nuit. Pendant qu'ils dansaient, elle se demandait si elle était bien éveillée, si elle ne rêvait pas. Elle a lu jadis, dans un livre de contes, une histoire semblable, avec une valse. Si elle pouvait se rappeler dans quel livre. Si elle pouvait se rappeler au moins le titre de l'histoire... Une autre histoire de bal. Tout s'est passé si vite, indépendamment de sa volonté, avant qu'elle n'ait le temps de tomber amoureuse. Pourtant, elle est si bien, si heureuse auprès d'Alexandru...

– Tu rêveras de moi, cette nuit?

– Ce n'est plus la nuit, ma chérie, regarde...

C'était la première fois qu'il l'appelait « ma chérie » et elle en fut si profondément émue qu'elle sentit qu'elle commençait à vraiment l'aimer.

– Je viendrai demain, je veux dire cet après-midi, pour que tu me présentes à tes parents, reprit Alexandru.

Valentina lui serra le bras de toutes ses forces. Elle eût aimé le couvrir de baisers pour exprimer son bonheur, qui la rendait soudain différente, une inconnue pour elle-même. Au début, elle avait pris cette aventure à la légère, avec humour, ne voulant pas se couvrir de ridicule s'il s'agissait d'un canular. Mais Alexandru s'était montré un fiancé sincère et empressé, qui lui parlait avec délicatesse et ardeur de son amour, de leur vie ensemble, des voyages qu'ils feraient, de la maison qu'ils habiteraient avec leurs nombreux enfants.

– Vous, les amoureux, vous avez bien de la chance, dit Irina d'une voix rauque.

Elle éclata en sanglots, la tête dans ses mains. Alexandru et Valentina essayèrent immédiatement de la consoler. Ils avaient l'air d'un vieux couple heureux et uni en train d'aider une adolescente à surmonter son premier chagrin d'amour. Ils réagissaient déjà à l'unisson, se complétant mutuellement.

– Tu verras, ce n'est rien...

– Il aura eu un empêchement...

Ils étaient si sûrs d'eux et de leur amour, ils donnaient une telle image de bonheur solide qu'Irina n'en fut que plus malheureuse. Cela ne lui arriverait jamais; Dinu et elle ne formeraient jamais un couple durable; elle ne connaîtrait jamais les joies simples et naturelles de la vie conjugale. Elle se mit alors à pleurer encore plus fort. Alexandru la prit dans ses bras, tandis que Valentina lui caressait les cheveux.

– Ne pleure pas, Irina, ne pleure pas, lui dit-elle.

Puis elle tourna vers Alexandru un regard où se mêlaient la crainte et l'espoir. « Nous ne souffrirons jamais comme ça, nous. Nous ne connaîtrons jamais ces tourments sans raison. Nous ne pleurerons jamais comme ça, Alexandru, mon chéri, mon adoré... »

– Si tu as sommeil, tu peux dormir, dit Miticà. Il nous reste presque deux heures avant la frontière. Moi, je vais fumer.

Il avait la bouche amère mais il alluma une cigarette, pour faire quelque chose. Il ne pouvait pas dormir. Pas parce qu'il était satisfait, pas non plus de crainte que Marcella pût en profiter pour se sauver. Elle se trouvait maintenant avec lui, dans son compartiment à lui. Mais elle ne disait mot. Elle était inerte, molle, les traits décomposés, le maquillage effacé, les yeux exorbités. Elle avait peur de lui, une peur aveugle, animale. Peur de se faire déchirer la chair, briser les os. Cette peur, elle n'arrêtait pas de la ressentir au plus profond de son corps depuis qu'il l'avait sauvagement pénétrée. Jamais elle n'aurait pensé qu'elle pouvait tomber aussi bas et pourtant survivre. Elle était humiliée, bafouée, elle était, surtout, terrorisée par la force et la méchanceté de Miticà. Elle ne s'était pas défendue, parce qu'elle n'avait pas pu se défendre. C'était lui qui avait décidé de tout. Lui qui avait changé ses bagages de compartiment, lui qui l'avait forcée à s'asseoir à côté de la fenêtre, lui qui l'avait immobilisée avec ses jambes. A présent, rien de ce qui arrivait n'avait plus d'importance. Coucher avec lui à l'hôtel, vivre avec lui à Paris, et vivre comme il voudrait, plus rien ne comptait. Le pire était passé et tout ce qu'elle pourrait endurer désormais serait insignifiant, neutre, ridicule. Le pire, elle y avait survécu, elle avait survécu au viol. A la bestialité. Miticà la déshabillait lentement, lentement il déchirait ses dessous et les jetait par la fenêtre, avec une lenteur inhumaine il la violentait. « Je me jetterai moi-même sur la voie, essayait-elle de crier, mais aucun son ne sortait de sa gorge; je ne pourrai pas faire autre chose, je ne pourrai pas! » Et pourtant, elle s'était sagement laissé mener par la main dans le couloir, entièrement nue sous sa robe qui lui collait à la peau. Puisqu'elle n'avait pas tenté de se tuer à ce moment-là, elle savait bien qu'elle ne le ferait plus. La peur l'habitait, elle n'était plus que peur. Miticà pouvait tout faire, tout exiger. Quand il lui demanda son passeport, son argent et son carnet de chèques, elle les lui remit sans réticence. Il aurait pu lui en demander bien plus. Il aurait pu lui dire de se déshabiller devant les autres voyageurs, il aurait pu la prostituer avec eux dans le compartiment. Plus rien ne pouvait être grave, l'irréparable se trouvait derrière elle. Rien ne pouvait dépasser en horreur cet acte ultime, le viol. Marcella avait froid, et elle tremblait de peur. Elle tremblait dès que Miticà faisait un geste, elle tremblait dès qu'il ouvrait la bouche. Elle s'attendait à n'importe quoi, n'importe quand.

– On va s'arrêter à Vienne, annonça Miticà. J'ai envie de te voir à poil au lit. T'as pas idée ce que j'en ai envie...
Il riait à gorge déployée, il riait de grand cœur.

VIII

Quelques jours plus tard, Petru entrait chez *Dragomir,* où il achetait une demi-livre de caviar, du gruyère, des bananes et deux bouteilles de vin. Il donna vingt lei de pourboire au commis qui porta ses emplettes jusqu'au taxi. En route, Petru compta ses paquets, puis l'argent qui lui restait. Les bijoux et les cinq napoléons lui avaient rapporté douze mille lei. Il lui en restait sept mille et quelques. Il avait acheté pour sa mère des pantoufles d'hiver, un peignoir, de l'étoffe pour deux robes et un sac à main noir. Pour lui, une édition complète de Rimbaud et deux paquets de Camel.

Il ne pleuvait plus mais il faisait lourd. Les marronniers du boulevard avaient l'air squelettique. Petru était heureux. Désormais ils ne manqueraient plus de bois de chauffage et il pourrait travailler jusqu'au matin. Il avait renoncé à l'idée de louer en ville une chambre où Annette et lui se seraient retrouvés et où il aurait pu composer *les Hérétiques.* Il n'aurait d'ailleurs pas eu assez d'argent. Et puis, partager une chambre en ville avec Annette ne le tentait plus depuis qu'il avait vendu les pièces et les bijoux. Il avait espéré qu'elle volerait un collier de perles ou un bracelet précieux pour lequel il aurait pu obtenir jusqu'à cent mille lei, ce qui lui aurait permis d'être libre, peut-être même de se rendre à l'étranger. « Avec douze mille lei, on ne va pas bien loin, s'était-il dit en sortant de la bijouterie. Enfin, je pourrai faire des cadeaux à maman, on mangera bien pendant quelques semaines et on ne manquera pas de bois cet hiver... »

Annette était toute tremblante quand, dans sa chambre,

elle lui avait remis le mouchoir contenant les bijoux. Elle tremblait d'émotion, mais aussi de bonheur, Petru l'avait vite compris. Elle avait passé une très mauvaise nuit, à lutter contre l'insomnie, à croire entendre toutes les cinq minutes la voiture s'arrêter au pied du perron. En fait, ses parents et Adriana n'étaient rentrés qu'au matin. Aussitôt, Mme Lecca s'était écriée :

– Teddy, Teddy, j'ai assisté aux fiançailles les plus merveilleuses qui soient!

Ces mots avaient fait frémir Annette. Ensuite, épuisée, elle avait sombré dans un sommeil agité... Seul le visage de Petru pouvait effacer le souvenir de ses frayeurs et de ses cauchemars. Dès qu'elle l'avait vu, au salon, elle s'était jetée à son cou, malgré le risque de se faire surprendre si quelqu'un survenait à l'improviste. Elle avait envie de lui, envie de son corps et de sa chaleur d'homme, et Petru l'avait bien senti à la façon dont elle s'était collée contre lui... Maintenant qu'il avait renoncé à louer une chambre en ville et que, par ailleurs, les visites de nuit étaient devenues plus périlleuses (avec le mauvais temps, Annette ne pouvait plus dormir la fenêtre ouverte et les buissons sans feuilles du parc n'offraient plus qu'une piètre protection), Petru réfléchissait à une solution de rechange pour leurs rendez-vous. Aucun de ses amis n'avait de garçonnière. Alors, l'hôtel? Il n'avait plus besoin d'elle que physiquement. Autrement, elle l'aurait troublé par sa présence, elle l'aurait empêché d'écrire ses *Hérétiques*.

Petru fit arrêter le taxi au coin de l'impasse, paya, descendit et se dirigea à grands pas vers la maison, les bras chargés de ses nombreux paquets. Sa mère l'attendait pour déjeuner. Il l'embrassa bruyamment sur les joues et, sans lui laisser le temps de revenir de sa surprise, il expliqua :

– J'ai touché une avance pour les *Étoiles filantes!*

En voyant la joie de sa mère, il se sentit parfaitement heureux. Il ouvrait les paquets, annonçait ce qu'ils contenaient, courait autour de la table.

– Du caviar! déclara-t-il solennellement.

Mme Anicet fondit en larmes. Petru en ressentit une légère

émotion (son père, leur propriété d'Arvireşti, leur opulence passée) mais il chassa bien vite les souvenirs et la mélancolie. Il savait se rendre maître de ses sentiments, notamment de la tristesse. Il déboucha une bouteille de vin et remplit deux verres.

– Buvons aux *Étoiles filantes!* lança-t-il avec une totale sincérité.

Sa mère, les yeux encore brouillés de larmes, l'embrassa sur le front.

– Puisse le bon Dieu exaucer tous tes vœux, mon petit.

– Je rachèterai Arvireşti, maman, dit Petru d'une voix résolue. J'y ferai amener papa et Pavel. Et je t'y ferai bâtir un château, tu verras...

Il avait la certitude que tout cela se réaliserait point pour point; qu'aucun obstacle ne pourrait lui résister, aucun malheur le briser... Mme Anicet déroula les coupons d'étoffe et se drapa successivement dans l'un puis dans l'autre en se regardant dans la glace.

– Ce que c'est beau et chaud, dit-elle. Tu sais combien de temps je n'avais pas eu d'étoffe d'aussi bonne qualité?

Elle fixa Petru dans le blanc des yeux, hésita, se mordit les lèvres et reprit :

– Tu es vraiment un bon fils! Tu as tout de suite pensé à ta mère.

Ce genre d'épanchement irritait Petru et il y coupa court en l'invitant à se mettre à table. Il avait faim. Il alla chercher du bois à la cuisine et remplit le poêle.

– Maintenant, nous pourrons acheter autant de bois que nous voudrons, dit-il.

Ce ne fut pas un repas ordinaire. Ils mangèrent le caviar à la cuiller, comme ils l'avaient fait neuf ans plus tôt, lors de la dernière réception donnée par son père. Pour Petru, ce geste annulait toute la misère, rachetait toutes les humiliations endurées depuis sa mort. Après avoir bu deux verres de vin, il se mit à chanter; d'abord des lieder, puis des airs de sa suite, les *Étoiles filantes*. Mme Anicet l'écoutait en faisant son rêve habituel. Elle se voyait dans une loge d'un théâtre plein du monde le plus élégant. Les applaudissements crépitaient, les ovations montaient : « Anicet! Anicet! » Il dirigera peut-être un jour les concerts de la Philharmonie roumaine : à l'Athénée, Petru, au pupitre, s'incline, si distingué en habit. « Bravo! Bravo! » A côté d'elle, quelqu'un s'exclame : « C'est un génie musical, il surpasse Enesco! »

Petru chantait, transfiguré, les poings serrés sur la table; il y avait dans sa voix une douceur inhabituelle.

– Maman, laisse-moi faire le café, dit-il soudain en se levant.

Il l'embrassa et, sans attendre sa réponse, alla mettre de l'eau sur le feu, puis apporta le service à café.

– Qui est-ce qui édite les *Étoiles filantes?*

Il répondit de la cuisine, où il surveillait la verseuse :

– La Société des compositeurs roumains. J'y ai rencontré quelqu'un de bien. Il a lu mon manuscrit et m'a dit : « Jeune homme, vous avez un talent extraordinaire. Tenez dix mille lei d'avance. J'imagine que vous ne roulez pas sur l'or... » J'ai bien failli refuser...

– Tu aurais pu faire une chose pareille? demanda Mme Anicet, rétrospectivement inquiète.

Petru cligna des yeux et sourit.

– Maintenant je me rends compte que ç'aurait été absurde, murmura-t-il, comme s'il parlait tout seul.

Il versa le café dans les tasses. Il l'avait fait bien fort – plus besoin de penser aux économies. Il ouvrit un paquet de Camel et en tira une cigarette.

– Je vais en fumer une aussi aujourd'hui, dit sa mère en souriant. Pour le plaisir de te tenir compagnie...

Petru lui tendit le paquet puis lui donna du feu, le tout d'un air un peu cérémonieux. Mais elle se mit à tousser et à larmoyer dès les premières bouffées. Il éclata de rire :

– C'est bon signe, maman!

Elle posa sa cigarette sur le cendrier et ils la regardèrent brûler lentement, se transformer en fumée mince et bleue, jusqu'au moment où il n'en resta plus qu'un petit tas de cendre.

***

Alexandru leur rendit visite cet après-midi-là.

– Tu sais que je me suis fiancé?

– Pas intéressant, rétorqua Petru. Raconte-moi plutôt ce que tu fais, toi.

Alexandru parla, assez confusément, du parti politique qu'il voulait fonder, un jeune parti qui se nommerait « l'Action », il parla de sa fiancée...

– Je regrette seulement qu'elle ne s'appelle pas Maria... Mais ce qui m'énerve surtout, c'est que je pense tout le temps à Viorica!

– Qui est-ce, Viorica? demanda Petru.

– Viorica Panaitescu, une fille que j'ai aimée l'année dernière et qui s'est tuée pour moi.

Petru n'en revenait pas. Alexandru ne lui en avait jamais parlé. Certes, les amours et les aventures de son ami ne l'intéressaient pas, mais un épisode pareil devait être au moins mentionné!

– Pourquoi s'est-elle tuée? demanda-t-il. Je veux dire : pourquoi elle s'est tuée pour toi?

– Je l'ignore, répondit tranquillement Alexandru. Je suppose qu'elle l'a fait parce que... En deux mots, elle pensait que je ne l'épouserais jamais. J'avais d'autres opinions à l'époque...

– Alors, pourquoi t'es-tu fiancé avec une autre? Tu l'aimes plus que la première?

– Pas du tout. J'ai décidé de me marier comme ça, par principe. Pour me prouver à moi-même que je me moquais de tout ce qui pouvait m'arriver, pour me prouver ma force, autrement dit. Et je n'ai pas choisi, je me suis laissé guider par le hasard; d'ailleurs, Valentina est une fille pauvre...

Ils se turent pendant quelque temps. Alexandru se leva et se mit à marcher de long en large dans la pièce, comme un ours en cage.

– Ce qui m'exaspère, c'est la présence de Viorica, reprit-il. Tu ne peux pas te figurer à quel point elle m'obsède! Et dire que je l'avais presque oubliée... Tu penses bien que je ne suis en rien responsable de son suicide : elle s'est tuée d'elle-même, toute seule... Mais aujourd'hui, bien que ça ait l'air absurde, aujourd'hui j'ai l'impression que c'est elle que j'aimais, que je l'aimais pour de bon...

Il commençait à mentir sans s'en rendre compte. Cela lui faisait du bien, en l'aidant à s'éloigner de Valentina, à trouver la force et le prétexte nécessaires pour rompre ses fiançailles. Il essayait de se persuader qu'il aimait Viorica, mais il ne pensait à elle que pour la comparer à Valentina. Il s'accrochait de toutes ses forces à cet amour pour la morte. Il y devinait une source de résistance, un bon moyen de défense.

– J'ai donné ma parole d'honneur à David, à David Dragu, poursuivit-il. C'est ce qui m'embête le plus. J'ai l'impression de faire une gaffe colossale, irrémédiable. Et pourtant je ne veux pas reculer, je ne veux pas m'enfuir. Si je le faisais, j'en serais malheureux toute ma vie, j'aurais honte de moi... Mais, tu comprends, il y a l'image de Viorica et, depuis que je me suis fiancé, j'ai l'impression d'avoir commis un péché envers elle. Comme si son sacrifice, ce sacrifice qu'elle a fait pour ma liberté, à cause de la décision que j'avais prise alors de demeurer entièrement libre, sans m'attacher à rien ni à personne, oui, comme si son sacrifice devenait désormais inutile. Viorica est morte en vain...

Il s'excitait en parlant. Il sentait le sol plus ferme sous ses pieds quand il évoquait le sacrifice de Viorica et son propre amour posthume. Il se trouvait plus moral et viril d'envisager les choses de cette façon.

Petru avait rapidement remarqué le profond changement subi par Alexandru. Celui-ci, naguère si sûr de lui, si opiniâtre et ironique, semblait à présent quémander approbation et encouragement.

– Tu n'as rien d'autre à faire qu'à laisser les choses suivre leur cours comme elles le doivent, dit calmement Petru. Ne pense plus à Viorica...

Il baissa les yeux et se tut pendant quelques instants. Il alluma une deuxième cigarette. Alexandru constata avec surprise qu'il fumait des Camel, mais il ne lui en fit pas la remarque.

– Elle est morte, elle, reprit Petru. Et pour toi il est trop tard, quoi que tu veuilles faire, il est trop tard. Tu n'as pas à te soucier des morts. Est-ce que je pense à mes morts, moi? Non, jamais. Je voudrais les venger, c'est tout. Les morts crient vengeance, mais ils ne demandent rien de plus. Tu te rappelles les histoires tragiques d'Électre, d'Oreste et des autres? Eh bien, moi qui les connais à peine, je sais pourtant qu'il n'y a que cela de vrai. Tous les tourments que tes morts ont endurés, fais-les endurer à des vivants! Tout ce qu'ils n'ont pas pu réaliser sur terre, réalise-le! Venge-les, c'est tout.

Alexandru avait l'air stupéfait. Il réfléchit une seconde, puis :

– Je crois que tu te contredis. Tu me demandes de ne pas penser aux morts, de les laisser tranquilles, et en même temps tu me dis qu'il faut les venger. Est-ce que tu te rends compte de ce que ça signifie, venger Viorica?

Il s'interrompit, troublé, puis reprit violemment :

– Non, c'est absurde! Tout ce que tu m'as dit des morts n'a ni rime ni raison... C'est peut-être ma faute, si je ne t'avais pas parlé de mes problèmes... Mais je ne pouvais pas faire autrement : j'ai l'impression de perdre la tête, moi!

Il se tut et prit une cigarette dans le paquet qui se trouvait sur la table, mais il ne l'alluma pas. Il l'examina pendant quelque temps en la faisant tourner entre ses doigts.

– Comment se fait-il que tu aies acheté des Camel? demanda-t-il brusquement.

Ce détail lui paraissait capital. Il lui fallait apprendre à tout prix où Petru avait trouvé assez d'argent pour pouvoir le gaspiller pour des cigarettes chères, alors que chaque leu lui était compté. Il supposait qu'il s'agissait d'un caprice; or, pour l'heure, tout caprice l'intéressait, tout geste libre d'autrui le réconfortait. Petru, un sourire énigmatique aux lèvres, laissa passer un long moment avant de répondre.

– C'est le produit d'un vol, dit-il enfin. Ça remonte à pas plus tard que ce matin. Il y a quelques heures, j'avais douze mille lei... Annette a volé de vieux bijoux, de peu de valeur d'ailleurs. Mais je n'avais jamais eu autant d'argent...

Comme Alexandru ouvrait la bouche, Petru ajouta vite en baissant la voix :

– Naturellement, personne n'est au courant, et surtout pas maman. Je lui ai dit que j'avais touché une avance pour mes *Étoiles filantes.* A la vérité, j'ai des chances de trouver un éditeur, mais il ne me paiera rien du tout.

– C'est toi qui l'as poussée à voler? demanda Alexandru.

– Oui et non. J'avais besoin d'argent. Il m'en fallait, quels que soient les risques. Seulement, je croyais qu'elle m'apporterait des bijoux de valeur, dont j'espérais tirer au moins cent mille lei... Avec cent mille lei, tu comprends, tout aurait changé. Tandis que douze mille, ça nous suffit à peine pour acheter du bois et payer le loyer.

– Oui, fit Alexandru, pensif, c'est une somme ridicule.

– Ah! si j'avais cent mille lei aujourd'hui, pour briser une bonne fois le cercle vicieux de la pauvreté!

– Tu devrais demander une bourse d'études. Oncle Dem pourrait t'aider avec toutes ses relations.

Petru l'interrompit.

– Il n'y a que Jean Ciutariu qui ait obtenu une bourse, dit-il sans la moindre jalousie. Il faut savoir se montrer souple et accommodant, si l'on veut se faire aider. Et puis je dois t'avouer que toute aide étrangère me répugne. Je préfère être immoral à mon compte. Je sais bien devant qui et comment j'aurai à payer... Une morale nouvelle, comme tu dirais, ajouta-t-il en riant.

– Il n'y a pas de quoi rire, protesta Alexandru. Nous avons effectivement besoin d'une nouvelle morale. Parce que nous sommes des hommes nouveaux. Bons ou mauvais, je l'ignore et je m'en moque. Mais je sais que nous sommes des hommes nouveaux, fondamentalement différents de ceux qui nous ont précédés; et même d'un David Dragu... Nous avons commencé à faire des saloperies à nos frais. Les autres en faisaient aux frais de l'État, de la collectivité, tout en essayant de se montrer parfaitement moraux dans leur vie privée. Ils laissaient voler des milliards, ils dilapidaient eux-mêmes des dizaines de millions, mais ils étaient, apparemment, en paix avec leur conscience : ils se mariaient à l'église, payaient leurs impôts, soutenaient des sociétés de bienfaisance et ainsi de suite. Je te comprends fort bien : tu refuses de profiter de la collectivité, mais tu te permets n'importe quelle immoralité avec des individus isolés. Le combat singulier est autorisé. Or, tu te bats avec tes seules armes...

– Je n'ai pas d'armes, moi, coupa Petru sur un ton indifférent. Moi, j'ai accepté toutes les humiliations afin d'être et de rester libre. C'est peut-être aussi pour cela que j'ai poussé Annette à voler : pour ne pas trop m'attacher à elle ou pour qu'elle me méprise ou – qui sait? – pour qu'elle se fasse prendre...

– Toi non plus, tu ne peux pas supporter de te sentir lié? demanda Alexandru d'une voix où perçait un début d'émotion.

– Je supporte tout humblement, mais pas plus que je ne le veux. Je rachète à l'avance toutes les souffrances. Moi, je n'ai peur de rien, je n'ai peur d'aucun tourment. Quelles qu'aient été les souffrances de Nora, elles ne peuvent pas égaler les miennes. Je ne me trouve donc en rien coupable à son égard. J'ai payé d'avance, sans lésiner. Il en ira de même pour Annette, quoique je l'aime bien plus. Au bout du compte, je ne lui devrai rien non plus...

Il se tut, songeur. Comme le silence se prolongeait, Alexandru demanda :

– Qu'est-ce que tu vas faire de l'argent?

– Du bois, du café, du lait, le loyer, énuméra Petru. Tu sais, j'ai vraiment fait plaisir à maman en lui offrant quelques riens, de l'étoffe pour des robes d'hiver. Quand je serai riche, je lui achèterai une villa sur une plage ensoleillée, au bord de la Méditerranée. C'est bien de faire plaisir aux gens...

– Oui, tu as raison. Mais il y en a tellement qui attendent, qui espèrent qu'on leur fasse plaisir!

– Il faut savoir choisir, bien sûr. Trois ans pour Nora,

six mois pour Annette, un jour ou deux pour maman – toutes ces joies que j'ai ainsi partagées, je les avais précédemment payées au prix fort...

– Mais les autres, s'exclama Alexandru, les millions d'hommes et de femmes que tu ne connais pas mais qui n'en souffrent pas moins dans la misère, la maladie et l'ignorance? Quel plaisir peux-tu leur faire, quelles joies peux-tu leur apporter?

– Je ne comprends pas ce que tu veux dire, répondit Petru. Je n'ai aucun rapport concret avec ces gens-là. Ils sont pour moi une abstraction, tout comme j'en suis une pour eux. Nous ne nous connaissons pas...

– Mais ils souffrent aussi!

– Je n'y peux rien. Je l'apprends par les journaux ou par une conversation avec toi ou avec quelqu'un d'autre – tout comme j'apprends dans un livre la vie et les souffrances des gens du Moyen Age. Mon émotion serait du même ordre si je voyais un film ou si je relisais *Salammbô.* Car je suis un être vivant et je ne peux donc appréhender que la réalité qui m'entoure. Tes millions d'hommes appartiennent à la géographie, à l'histoire ou à la sociologie, pas à la réalité! Voilà pourquoi je ne fais pas confiance à la politique, même pas à la vôtre. Il n'y a que la morale qui m'intéresse, la réglementation des rapports entre les hommes vivants, entre les hommes qui entretiennent des relations concrètes, matérielles...

– Tu dis ça parce que tu n'as encore jamais participé à une grande expérience collective. Qu'est-ce que tu ferais si un groupe armé attaquait ta maison? demanda Alexandru.

– Je me défendrais.

– Et tu serais vaincu en un rien de temps.

– Qu'est-ce que ça peut faire? Ma morale, comme toute morale virile, me commande de me battre jusqu'à ce que je sois à bout de forces. Elle ne m'oblige pas à vaincre. Ce qui compte, c'est de se défendre, c'est d'avoir le courage de combattre. Deux adversaires peuvent être aussi moral l'un que l'autre, un seul sera vainqueur. Je pense bien sûr à une courte épreuve, à un corps à corps. Dans une lutte de longue haleine, une lutte avec la vie, il faut être le vainqueur.

– Je te trouve un peu confus, mon vieux, dit Alexandru en souriant.

– Si tu estimes que sur des questions pareilles, des questions vitales, une confusion peut encore avoir de l'importance...

– Elle peut au moins en avoir une tactique.

– Je crois avoir déjà eu l'occasion de te dire que je me passais de tactique.

– Tu te retrouveras seul.

– Je l'ai toujours été.

– Tu ne me l'avais jamais dit, constata Alexandru, non sans un certain dépit.

– Je pensais que ça allait de soi. Je ne t'ai jamais dit non plus que j'avais un bon estomac, que j'était doué pour la musique et que ma sexualité était intacte. Cela va sans dire. C'est seulement au sanatorium que les malades se demandent les uns aux autres s'ils ont de l'appétit, s'il ne leur manque aucun organe, si les médecins les ont autorisés à faire l'amour. Moi, je suis normal et en bonne santé et je n'ai rien dit de ce que je considère comme fondamental en tout homme...

– Alors, mon amitié?

– Alexandru, mon ami, ni ton amitié ni l'amour de ma mère ou celui d'Annette ne me feront vivre une minute de plus quand mon heure aura sonné. C'est cela, la solitude.

– Tu poses mal le problème, répondit vivement Alexandru. L'amitié n'a rien à voir là-dedans, dans la mort...

– Mais ce n'est pas un problème, c'est comme un organe avec lequel on serait né. Il est vrai que cet organe de la solitude ne fonctionne pas de la même façon chez tout le monde et qu'il ne se manifeste qu'à partir d'un certain âge. A ce moment-là, en tout cas, toutes nos expériences se modifient, toute notre vision du monde en est transformée...

– Il se peut que tu aies raison en ce qui concerne la solitude dans une certaine mort, répliqua Alexandru, quand on meurt stupidement, bourgeoisement, quand on meurt de maladie ou de vieillesse. Tandis que notre mort à nous, à nous autres les jeunes d'aujourd'hui, ce sera une tout autre mort! Nous mourrons tous ensemble, nous mourrons par millions, nous mourrons serrés les uns contre les autres, et nul ne se sentira seul à cette heure-là. Ne vois-tu donc pas toute la beauté qu'il y a dans la façon dont la jeunesse de tous les pays se prépare à mourir? Qu'est-ce que sont les milices et les sections d'assaut, les légions et les armées du monde présent, sinon des masses juvéniles étroitement unies, unies surtout par le destin qui les attend, la mort côte à côte? Jamais le monde n'avait mieux préparé sa jeunesse à une mort collective. Dans la guerre, dans la révolution, il ne mourra que des jeunes, et ils seront si nombreux à mourir d'un coup qu'ils ne s'apercevront même pas qu'ils meurent pour de bon... Toi, tu te crois seul dans la mort parce que tu ne penses qu'à toi, ou aux tiens. *L'esprit de corps* * dont tu te moquais un jour supprime la solitude fondamentale de l'homme à l'heure de sa mort. Jadis, ceux qui pouvaient croire réclamaient un prêtre pour les aider à mourir. Aujourd'hui, les jeunes qui ont grandi ensemble, qu'unissent leurs tourments mais aussi leur destin, n'ont plus besoin d'aide pour mourir. Ils mourront si *nombreux,* si nombreux qu'il n'existera qu'une seule mort : la mort collective. Sur un champ de bataille...

Petru l'interrompit :

– Là aussi, je me sentirais seul. Non! je me suis mal exprimé : c'est là *seulement* que je me sentirais seul, parce que c'est là que je sentirais la mort tout près de moi. Autrement, je n'y pense pas, parce qu'il est absurde d'y penser alors qu'on a tant à faire dans la vie.

– Nous ne nous comprenons pas, dit tristement Alexandru.

– Qu'est-ce que ça peut faire, puisque nous nous aimons?

– C'est un cercle vicieux, répondit Alexandru en souriant. L'amour est toujours trop petit et stérile, la mort toujours trop grande. L'un appelle l'autre.

– Moi, je ne les mélange jamais, je te l'ai déjà dit. C'est peut-être pour ça que je ne crains ni l'un ni l'autre. Peut-être pour ça que je n'éprouve pas le besoin de me perdre dans la foule, tout comme je n'éprouve pas le désir d'y mourir...

– Pour moi, c'est tout le contraire. J'estime que je ne suis pas encore vraiment majeur parce que je ne peux pas me fondre dans la foule, comme tu dis...

– Chacun va puiser ses forces là où il le juge bon, dit Petru. Nous sommes tous des parasites, d'une façon ou d'une autre. Toi, tu cherches ton assurance et ta plénitude dans *l'esprit de corps* *, dans tes sections d'assaut juvéniles. Moi, dans ma musique et dans une morale personnelle... Mais il y a eu des hommes plus forts que nous.

– Tu en as connu?

– Un seul, répondit Petru, rêveur. Mon père, Francisc Anicet. Le rattraper, le dépasser! Qu'est-ce qu'il aurait ri, papa, s'il nous avait entendus parler de la mort! Lui qui sait tout depuis longtemps...

Il se tut et Alexandru respecta son silence. On eût dit que tous deux se recueillaient.

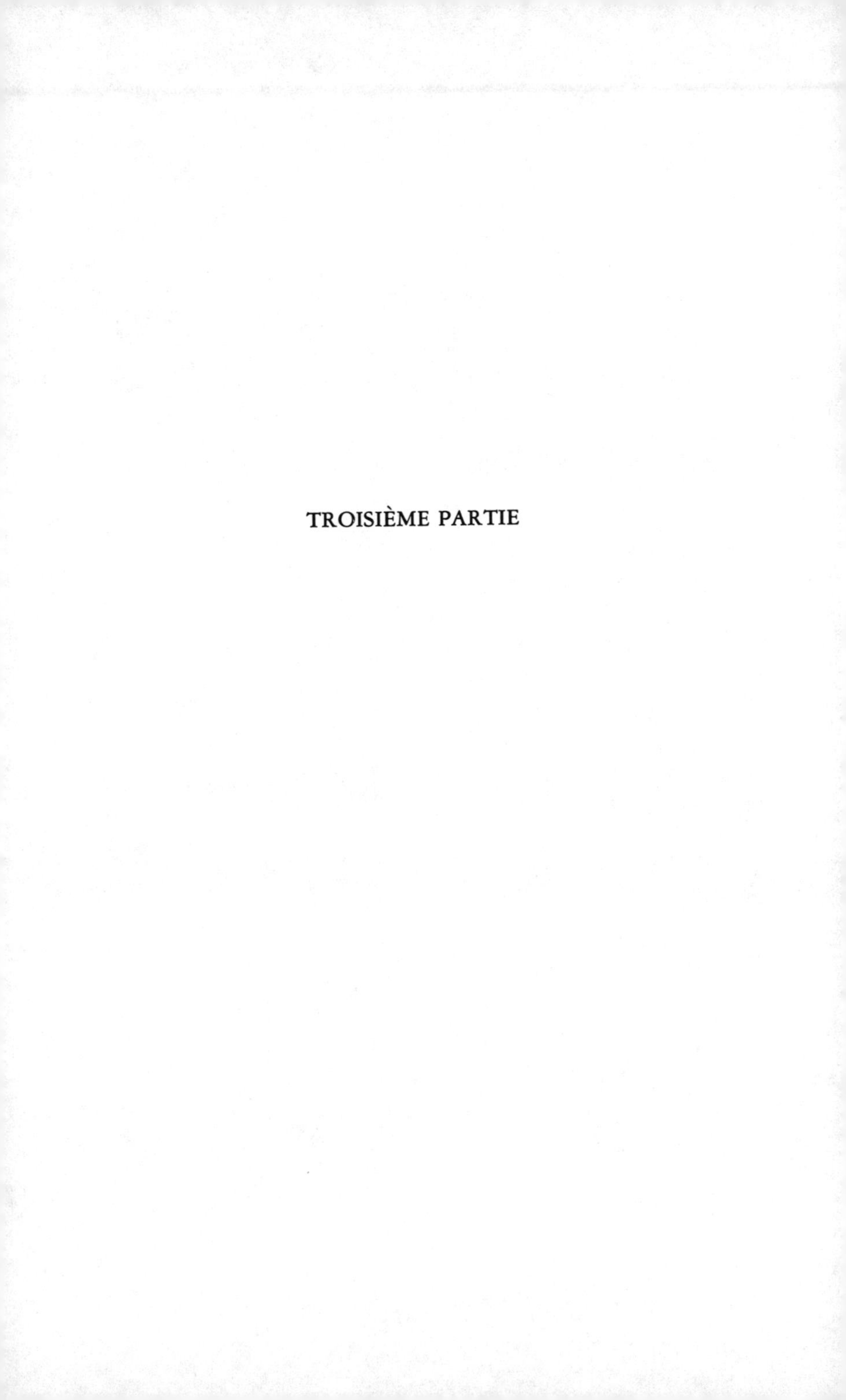

TROISIÈME PARTIE

I

A la gare de Vienne, Miticà fit monter Marcella dans un taxi.

– *Park Hôtel!* dit-il au chauffeur.

Il n'avait pas oublié le nom de l'hôtel où, quelques années auparavant, il avait passé plusieurs nuits en riche célibataire. Il se souvenait même du numéro de sa chambre et de sa position – une chambre à deux lits au troisième étage, au fond d'un couloir assez sombre. Mais elle était prise, et il dut se contenter d'une autre. Il présenta les passeports.

– Nous sommes fiancés, nous dormirons dans la même chambre.

Le regard de Marcella était humble, soumis. Elle était au bout du rouleau. Elle sursauta une seule fois : quand elle constata que Miticà parlait couramment l'allemand; c'était un atout de plus pour lui, une chance de moins pour elle. Il la prit par le bras et l'entraîna vers l'ascenseur.

– Allez, ma chérie, lui dit-il en souriant.

Une fois dans la chambre, il l'aida fort courtoisement à retirer son manteau, après quoi il enleva à son tour son pardessus et s'approcha de la fenêtre. On avait presque la même vue que de la chambre qu'il avait occupée quelques années plus tôt. Oui, presque la même... Miticà en éprouva une vague tristesse : « Les années passées ne reviendront pas, rien ne sera plus jamais identique. Je ne connaîtrai plus ma gaieté d'alors, tout comme rien ne pourra rallumer mon amour stupide pour Marcella... »

On frappa à leur porte. C'était le garçon qui apportait les bagages. Quand il ressortit, Miticà s'approcha de Marcella, qui restait assise sur le canapé sans bouger, la tête basse.

– Si tu as sommeil, tu peux te déshabiller et te coucher, lui dit-il en essayant de mettre de la douceur dans sa voix.

Elle leva les yeux, craintive, et frissonna.

– N'aie pas peur, reprit-il en s'asseyant à côté d'elle. Je suis comme ça : un peu dingue, des fois...

Il hésita avant d'ajouter, d'une voix qui se troublait :

– Ah! si tu savais combien je t'ai aimée... Combien je t'ai aimée, autrefois!

Il essaya de sourire, mais il ne réussit qu'à grimacer. Marcella avait de plus en plus peur, elle n'osait même pas parler. Elle n'aurait d'ailleurs pas su quoi dire. Elle devait pourtant faire quelque chose, justement à cause de sa peur de Miticà, d'autant plus qu'il se tenait maintenant tout près d'elle – alors elle leva doucement la main pour lui caresser la tête. Ses doigts glissèrent sur un début de calvitie assez avancée avant de rencontrer des cheveux clairsemés et gras. Miticà se laissait caresser comme un chien. Tout le dégoûtait, lui donnait la nausée : lui-même, Marcella, ce qui leur arrivait. Il comprenait toute la tristesse qu'il y avait dans ces caresses – autant qu'il y en avait en lui. Le morne désespoir dans lequel il s'enfonçait réveilla brutalement sa sauvagerie, avec toutes ses colères et ses envies irréfrénées. Il s'arracha aux caresses de Marcella et la prit dans ses bras. Elle se recroquevilla en tremblant, sans tenter de se défendre.

– Allez, ma petite, grogna Miticà, allez, mon amour!

Il était pris à nouveau d'une envie infernale de la bafouer et de la tourmenter. La cruauté lui procurait un repos et une béatitude qui lui permettaient de surmonter ses propres tourments, son angoisse et son dégoût de soi. En se laissant aller à la méchanceté la plus vile, il se dispersait, se décomposait, il s'oubliait.

– Allez, ma fille, de la joie!

Son mauvais jeu de mots agit sur lui comme un coup de fouet. Il devint plus brutal et se mit à lacérer la robe de Marcella. Il ressentait une véritable volupté à déchirer, déchiqueter, détruire. Il satisfaisait ainsi son irrésistible envie d'anéantissement. Il jeta Marcella presque nue sur le lit et s'y affala aussi, tout habillé, sans se donner la peine de fermer à clé. Il se serait réjoui si quelqu'un était entré et les avait surpris : ainsi, Marcella aurait peut-être souffert davantage...

Après, ils s'endormirent l'un à côté de l'autre. Marcella s'abandonna au sommeil comme une malade. Un peu plus tard, le froid la réveilla à moitié et elle chercha machinalement la couverture. Sa main rencontra l'épaule de Mitică. La présence d'un homme habillé dans le même lit qu'elle ne l'étonna pas. Elle ne réalisait pas ce qui lui arrivait ni où elle se trouvait. Les événements des deux derniers jours n'avaient laissé en elle qu'une tristesse infinie, une résignation définitive. Elle n'ouvrit pas les yeux, elle n'éprouvait pas le besoin de vérifier – ni pudeur ni tressaillement. Sa main s'arrêta un instant sur le corps étranger puis se réfugia sous la couverture.

Mitică se réveilla le premier. La chambre était plongée dans l'obscurité. On n'entendait aucun bruit nulle part. Il chercha à tâtons le commutateur et alluma le plafonnier. La lumière l'aveugla et il se frotta les paupières. Il regarda en bâillant Marcella à moitié enveloppée dans la couverture. Il passa en revue tous les détails de leur aventure, mais cela ne lui fit aucun plaisir. Sans non plus lui donner le moindre remords; ça lui était égal. Il se regarda de haut en bas : son veston et son pantalon étaient tout chiffonnés. Il avait fait l'amour et avait dormi comme ça. Il éclata de rire :

– Je suis devenu fou!... Ce qu'il me faudrait maintenant, c'est un bon bain pour décaper ma crasse.

Mais il n'avait pas l'heure : sa montre s'était arrêtée. Il sonna la femme de chambre, qui le renseigna : une heure et demie.

– On peut avoir un bain à cette heure-ci?

Elle alla le préparer aussitôt. Miticà ouvrit ses valises et en sortit du linge propre et un autre complet, qu'il posa soigneusement sur le second lit. Il choisit une paire de souliers noirs, puis il attendit. Dix minutes plus tard, le bain était prêt. Miticà se pencha au-dessus de Marcella et lui toucha doucement l'épaule du bout des doigts. Il ne voulait pas la réveiller en sursaut; il aurait souffert si elle avait eu peur et s'était mise à crier ou à trembler.

– Le bain est prêt, ma petite.

Elle le regarda sans comprendre et referma les yeux. Il lui secoua légèrement le bras.

– J'ai sommeil, murmura-t-elle.

– Tu dois prendre ton bain. Il est presque deux heures du matin, tu as assez dormi. Nous ne sommes pas venus à Vienne pour nous enfermer dans un hôtel!

Elle hésita, espérant qu'il aurait peut-être pitié d'elle et lui permettrait de se rendormir. Elle lui lança un regard suppliant, sans bouger.

– Allez, poupée, pas de chichis!

Marcella obéit. Elle se leva, encore tout endormie, et porta les mains à son front. Chancelante, elle se tenait au milieu de la chambre sans savoir ce qu'elle devait faire.

– Ton peignoir est dans quelle malle? demanda Miticà.

Il chercha les clés, ouvrit et trouva le peignoir après avoir jeté le linge en vrac sur le parquet. Il ne tenait pas spécialement à ce que Marcella prît un bain, mais il n'osait pas la laisser seule. Elle aurait pu se jeter par la fenêtre ou se barricader ou s'échapper. Il était trop tôt pour lui rendre un peu de liberté. « Je ne peux pas encore lui faire confiance », décida Miticà. Il la prit donc par le bras et l'emmena à la salle de bains. Elle sommeillait. Il dut la déshabiller et la forcer à entrer dans la baignoire; il la surveillait attentivement, de peur d'un malaise.

– Ça fait du bien, un bon bain après un voyage! s'exclama-t-il en se savonnant. Pas vrai, que ça te plaît aussi, ma petite?

Elle hocha la tête, en évitant de croiser son regard. L'eau chaude lui faisait du bien, mais l'amollissait et l'endormait encore plus. Elle remarqua cependant que Miticà ne prononçait pas son nom, qu'il ne l'appelait pas Marcella. En l'obligeant à réfléchir, cette constatation lui raviva l'esprit pendant quelques minutes.

– Tu veux que nous sortions à cette heure-ci? demanda-t-elle d'une voix blanche en le voyant changer de chemise au lieu de mettre sa robe de chambre.

La figure de Miticà s'illumina. C'était la première fois que Marcella lui adressait d'elle-même la parole.

– Oui, mon chou, je t'emmène au *Kaiser bar!* On va danser et sabler le champagne! C'est notre voyage de noces, pas vrai?

Il fit un clin d'œil lourd de sous-entendus. La question de Marcella l'avait mis de bonne humeur. Il l'aida à sortir de la baignoire et l'enveloppa dans d'épaisses serviettes. Il la serra dans ses bras avec douceur, d'un geste protecteur. Ah! si tout s'était passé comme ça dès le début... Il réprima un profond soupir. Marcella passa son peignoir et se tourna machinalement vers le miroir; il était embué et elle l'essuya avec sa manche. Du bout des doigts, elle fit légèrement bouffer ses boucles sur les tempes et les oreilles.

– C'est ça, tu dois te faire belle, belle comme le jour! s'écria Miticà, radieux.

Marcella essaya, sans conviction. Elle choisit une robe de soie noire; elle se poudra et se mit du rouge aux lèvres, sans pourtant réussir à cacher ses cernes violets ni ses traits tirés. Sa toilette dura un quart d'heure, et ce fut pour Miticà un quart d'heure de bonheur. Il retrouvait une Marcella depuis longtemps morte pour lui, depuis longtemps perdue. La Marcella qu'il avait aimée, qu'il avait tellement cherchée, qu'il avait désirée autrement. Et que rien ne pouvait plus ressusciter en ce monde.

– Tu es belle! cria-t-il en lui serrant les épaules. On va boire plein de champagne, on va faire la fête et tu verras que je ne suis pas fou!

Ils descendirent vers deux heures et demie. Le concierge les regarda avec stupéfaction.

– Nous préparons nos noces! lança gaiement Miticà.

Il fit appeler un taxi.

– *Kaiser bar,* dit-il au chauffeur, puis il expliqua à Marcella : C'est là que j'allais faire la fête quand j'étais jeune...

Il réalisa brusquement combien ces mots, prononcés un peu au hasard, reflétaient la vérité. Quelques années seulement étaient passées depuis son dernier voyage à Vienne et pourtant il y avait longtemps qu'il n'était plus jeune. Quand l'avait-il perdue, sa jeunesse, quand?

– Il y a deux pianistes formidables, reprit-il, des Hongrois, le mari et la femme. Ils sont imbattables, ils peuvent jouer dix heures de suite sans s'arrêter... Il faut le voir pour le croire!

Quand ils entrèrent dans le bar, Marcella regarda le couple de pianistes, tous deux petits et vifs, qui jouait à ce moment-là *Feeling Alone.* Elle n'avait envie de rien, elle n'avait même pas vraiment conscience de se trouver « à l'étranger », dans une ville dont elle rêvait depuis son adolescence. C'était la première fois qu'elle sortait de Roumanie. Pendant des années, elle avait imaginé ses premiers pas à Vienne, à Paris, à Rome. A présent, tout cela était bien oublié et l'idée que les choses auraient pu se passer différemment ne l'effleurait même pas. Elle s'assit sagement à la table choisie par Miticà et fixa les deux musiciens, contente d'avoir trouvé une occupation qui l'isolait, la protégeait de Miticà. La musique était triste, étrangère, elle la traversait comme un air de rêve.

– A la tienne! dit Miticà en lui offrant une coupe. Il vaut mieux boire...

Elle prit le verre et but doucement, non sans un certain plaisir, car le champagne se rattachait à des souvenirs agréables qui, malgré la tristesse de l'heure, touchaient encore vaguement son cœur.

Miticà vida une deuxième coupe.

– On danse?

Il dansait mal et jadis il évitait d'inviter Marcella. Tout avait changé désormais et il pouvait la faire danser sans crainte. Elle se leva en tremblant : dès que le corps de Miticà s'approchait du sien, elle était prise d'une peur panique.

– Pourquoi ne veux-tu rien me dire? demanda-t-il pendant qu'ils dansaient.

– Te dire quoi? chuchota-t-elle en continuant de trembler dans ses bras.

– Ce que tu veux... ce que tu ressens.

– Je n'ai rien à dire...

– Si tu étais sincère, tu m'avouerais que je te dégoûte.

Marcella se raidit. La voix de Miticà s'était voilée et elle savait que c'était le signe avant-coureur de ses crises.

– Ce n'est pas vrai, répondit-elle très vite, affolée.

– Si, c'est vrai. Moi aussi, je me dégoûte. Mais je n'y peux rien. C'était écrit... Si tu m'avais aimé quand je t'aimais, si tu m'avais aimé rien qu'un tout petit peu...

– Mais, Mitia...

– Je sais que ce n'est pas de ta faute, reprit-il du même ton froidement désespéré. Il faut croire que c'était écrit... Mais ça aurait peut-être pu se passer autrement...

Ils regagnèrent leur table. Marcella vacillait, elle avait sommeil, elle était éreintée, le champagne l'avait achevée. Elle dut s'appuyer sur le bras de Miticà pour ne pas tomber.

– Bois, ça te remontera, lui dit-il quand ils se furent assis. Tu veux manger quelque chose?

– Non merci, je n'ai vraiment pas faim.

– Je te crois bien! Tu n'as pas été privée de surprises... Et tu vas en avoir d'autres, fais-moi confiance!

Les yeux de Marcella se remplirent de larmes. Elle baissa la tête pour ne pas se faire remarquer.

– Si au moins tu me donnais du plaisir, poursuivit-il, de plus en plus sombre. Mais je ne sens rien avec toi. Rien! Comme si tu étais une...

Il n'acheva pas sa phrase. Il ne trouvait pas de mot pouvant résumer la complexité de son sentiment de dégoût, d'humiliation et de désespoir. Il avait l'impression qu'en persistant dans l'acte cruel – *l'acte* à tout prix, même le plus abject –, il pourrait chasser de son cœur la tristesse et la nausée. Il continuait à boire, sans regarder Marcella. Le bar se vidait peu à peu. Marcella ferma les yeux; deux larmes roulèrent sous ses paupières.

– Rentrons, dit Miticà, il est déjà quatre heures du matin.

A l'hôtel, quand elle se retrouva seule avec lui dans la chambre, Marcella se remit à trembler. « Si je me jetais à ses pieds? Si je le suppliais à genoux d'avoir pitié de moi et de me laisser partir? » Le simple fait d'imaginer la joie d'être libre la fit pleurer à nouveau.

– Qu'est-ce que t'as à chialer? gronda Miticà. Tu ne t'es pas encore fait une raison? Regarde-moi, poursuivit-il en lui tordant le bras, moi aussi j'étais comme toi. Et maintenant c'est passé. Tu t'y feras aussi. Tu es une épouse, dorénavant!

Terrorisée, elle se jeta en sanglotant sur le lit, la tête enfouie dans l'oreiller. Il la regarda d'un air dégoûté et commença à se déshabiller.

– Ce n'est pas bientôt fini, ces simagrées? cria-t-il.

– Mais si tu n'as même pas de plaisir avec moi, même pas ça, gémit-elle, pourquoi est-ce que tu me tortures? Pourquoi, mon Dieu?

– Parce que! Parce que je le veux et parce qu'il le faut. C'est comme ça et je n'y peux rien...

Il poussa un violent juron, puis il bâilla, étendit paresseusement les bras et enfin éteignit la lumière. Marcella se déshabilla dans le noir.

Les jours suivants, ils passèrent le plus clair de leur temps dans les bars et les restaurants. Mais rien n'avait l'heur de plaire à Miticà, même pas la musique.

– Ce qui me manque, c'est nos violoneux et les chansons de chez nous, dit-il un soir. J'en ai par-dessus la tête, de tout ce jazz!

Marcella lui jeta un regard de chien battu. En l'espace de quelques jours, elle avait terriblement maigri, enlaidi, vieilli. Elle n'y pouvait rien – Miticà ne lui laissait pas un instant de répit.

– Je me demande s'il y a toujours des orchestres roumains

à Paris, continua-t-il, mélancolique. Si ça se trouve, je ne pourrai même pas vider mon trop-plein...

Il était pris d'une brutale nostalgie de la Roumanie, de la musique et des vins roumains. « Tout se passerait peut-être autrement dans un bistrot bien de chez nous. Quand on écoute de la musique roumaine, le bon Dieu vous aide peut-être même à mourir. Ah! pouvoir briser les bouteilles, démantibuler les tables, pleurer avec les complaintes... brûler sous l'archet du violoneux! Peut-être ainsi l'oubli viendra-t-il, flottement sans tourment ni dégoût... »

– Si au moins on pouvait trouver un orchestre hongrois...

Il appela le garçon et lui demanda l'adresse d'un restaurant à musique hongroise. Ils s'y rendirent aussitôt. Mais au bout d'un quart d'heure la csardas l'exaspérait. Il avait envie de hurler. Il repartit à toute vitesse en traînant Marcella derrière lui.

– Je rentre, dit-il dans le taxi. Je rentre à Bucarest. Je n'en peux plus!

Marcella blêmit. Assurément, il allait l'emmener avec lui. A Bucarest, certes, elle pourrait rapidement recouvrer sa liberté, mais elle préférait se suicider plutôt que de subir l'humiliation qui l'y attendait.

– Toi, je te laisse aller à Paris, ajouta-t-il. Je te relâche. Dès demain.

Elle se mordit les lèvres pour ne pas pousser un cri. Elle ne savait que lui dire, comment le remercier.

– Tu es si bon, Mitia, murmura-t-elle lorsque le taxi s'arrêta devant l'hôtel.

– Tu parles! grommela-t-il. Je suis un misérable.

Pour la première fois, elle entra dans l'ascenseur d'un cœur léger. Elle n'osait pourtant pas trop s'imaginer libre, tellement elle redoutait une horrible déception si jamais Miticà revenait sur sa promesse... Dans la chambre, il se déshabilla rapidement, se glissa sous la couverture et se mit à fumer, les yeux au plafond. Il avait une envie folle d'entendre de vieilles romances accompagnées au violon et au cymbalum, d'entendre parler et chanter en roumain, de boire du vin roumain. Il sentait qu'il n'y avait que cela qui pourrait, sinon le rendre heureux, du moins l'aider à oublier, à endormir son mal.

Marcella se déshabillait tranquillement, d'autant plus tranquillement que Miticà paraissait l'ignorer complètement. En pyjama, elle alla éteindre et il n'y fit pas attention. Elle s'avança dans le noir vers les lits puis s'arrêta, hésitante. Le lit inoccupé, où elle ne s'était encore jamais couchée, la tentait, mais elle redoutait la réaction de Miticà si elle s'y installait, manifestant ainsi la répugnance qu'il lui inspirait.

– Tu peux te coucher toute seule, lui dit-il en s'apercevant qu'elle ne parvenait pas à se décider.

Elle ne se le fit pas dire deux fois. Sa joie était si forte qu'elle en pleurait et qu'elle tremblait sous la couverture épaisse. Lorsqu'elle se fut un peu calmée, elle se caressa doucement de la tête aux pieds, à deux mains, comme pour soigner d'invisibles blessures.

Miticà, toujours les yeux au plafond, grillait cigarette sur cigarette. Il passait en revue tous les cabarets qu'il connaissait à Bucarest et, dans chacun, il se voyait apaisé et heureux.

Le matin, Marcella se réveilla avant lui; elle se leva sur la pointe des pieds et rangea ses affaires. Puis elle regarda longuement par la fenêtre, elle contempla le ciel sombre, aux nuages bas, la rue qu'elle avait à peine entrevue jusque-là. Son cœur sautait de joie.

Ce jour-là, ils se parlèrent à peine. Marcella se contrôlait de peur de le fâcher et de le voir se raviser pour une quelconque broutille. Ils déjeunèrent dans un restaurant bourgeois non loin de leur hôtel. Miticà paraissait absent, affaibli, fatigué.

– Tu as le temps de faire tes valises d'ici à sept heures, lui dit-il quand ils se levèrent de table.

Elle n'osa pas lui avouer qu'elles étaient déjà presque faites et encore moins qu'elle bouillait d'impatience.

– Je n'ai sans doute plus le temps de voir Vienne, demanda-t-elle avant de monter dans l'ascenseur.

– Tu l'as assez vue avec moi, répondit-il.

Il descendit à cinq heures et demie et régla la note à la

réception. Ensuite il rendit à Marcella son passeport, son argent et son carnet de chèques.

– Allons-y, dit-il. Tu prends ton train à la *Westbahnhof* et ce n'est pas la porte à côté.

Il était soucieux, comme s'il poursuivait une idée sans réussir à la préciser. A la gare, il la conduisit à son train et lui trouva une place. Il paya le porteur comme il avait tout payé partout. Marcella ne levait pas les yeux. S'il changeait d'avis maintenant?... Elle avait cependant moins peur : tous ces inconnus qui s'agitaient autour d'elle la réconfortaient.

Miticà consulta sa montre.

– Il te reste quarante minutes. Moi, je n'ai pas de train avant demain matin. Je me demande comment je vais bien pouvoir tuer le temps d'ici là.

Marcella se taisait toujours. Elle essayait d'inventer une phrase charitable et sévère à la fois, dont elle n'ait pas à rougir par la suite.

– Tu n'as pas le mal du pays, toi? lui demanda Miticà. J'ai l'impression de devenir fou, ici...

– Moi, je voudrais, commença Marcella, je voudrais...

Il ne la laissa pas finir : ce qu'elle pouvait dire l'ennuyait à l'avance et risquait même de le faire souffrir.

– Je me sauve, dit-il.

Il lui baisa la main et ajouta :

– Bon voyage et bonne chance!

Il disparut sans lui donner le temps de répondre (elle ne savait d'ailleurs pas quoi). Cependant, au bout du quai, il fit brusquement demi-tour. Il éprouvait un besoin impérieux de la revoir, une fois au moins. Il remonta rapidement le long du train jusqu'à son wagon... Là, un creux dans la poitrine, il s'approcha furtivement de la fenêtre de son compartiment. Il la vit sans se faire voir : assise sur la banquette, elle se frottait doucement les tempes du bout des doigts. Il la regarda en fronçant les sourcils, comme s'il avait du mal à la reconnaître. Plus il la regardait, plus il s'assombrissait. Alors il tourna les talons et repartit tout aussi vite vers la sortie.

Ils avaient passé quatre jours ensemble à Vienne.

Le lendemain, Miticà montait dans le train pour Bucarest, à moitié ivre : il avait fait la noce toute la nuit. Il dormit comme une masse jusqu'à la frontière roumaine. A partir de là, son impatience ne cessa de grandir et il se mit à déambuler dans les couloirs d'un bout à l'autre du train. Par moments, des flocons de neige s'écrasaient sur les vitres embuées. La Transylvanie était sombre, humide et froide. Le front collé à la vitre, Miticà suivait la course des lumières et la danse des flocons. « Je voudrais qu'il n'arrête plus jamais de neiger, que la neige recouvre tout, que tout se perde et s'oublie sous son linceul, et moi avec... »

II

Alexandru rencontra plusieurs fois Valentina sans oser lui annoncer la rupture de leurs fiançailles. Après la fête chez Felicia, il espérait que son aventure retomberait dans l'oubli et que Valentina serait la première à renoncer à ce jeu.

Il était rentré à la maison au petit matin, avec Irina qui n'arrêtait pas de pleurer. Bien que recru de fatigue, il avait eu beaucoup de mal à s'endormir et ne s'était réveillé que le soir. Il s'était rappelé, d'abord confusément, qu'il avait promis à quelqu'un d'aller le voir dans l'après-midi, puis ses souvenirs s'étaient précisés : il s'agissait malheureusement de sa propre fiancée. Tout ce qu'il avait fait après sa dernière discussion avec David, c'est-à-dire depuis qu'il avait embrassé une inconnue en haut de l'escalier, lui apparaissait soudain ridicule et aberrant. Il sortait d'un rêve, de plusieurs journées d'une tension faite d'orgueil et de goût du risque et du défi. Il n'en revenait pas d'avoir pu mettre tant de sérieux dans des inepties : commander des alliances, croire à un mariage, attendre une vie nouvelle! Valentina devait tout de même se rendre compte que ce n'était qu'une plaisanterie...

– Il paraît que tu t'es fiancé à l'improviste, lui avait dit oncle Dem ce soir-là.

– C'était une plaisanterie, avait-il répondu.

Heureusement, Irina n'était pas là pour l'entendre. Dinu était venu le matin pour la voir, puis il était revenu à midi et avait attendu son réveil.

– Ils se sont raccommodés, avait conclu oncle Dem. Ce n'était pas la faute de ce pauvre garçon : il y a eu un accident dans sa famille.

Alexandru avait passé deux journées à lire et à écrire dans sa chambre avant d'aller voir Valentina. Il l'avait trouvée profondément changée et n'avait pas eu le courage de la sincérité. Il avait alors inventé une banale excuse.

– Tu étais malade et nous n'en savions rien, avait-elle murmuré après l'avoir écouté.

Elle lui avait ensuite présenté sa famille : sa mère, son père, sa sœur. M. Puşcariu ne se remettait pas de son étonnement :

– Alors ça s'est fait comme ça, d'un seul coup?

Alexandru avait pris le thé avec eux.

– Quel diplôme préparez-vous? lui avait demandé Mme Puşcariu. Valentina n'a pas su nous le dire.

Il se trouvait là sur un terrain moins glissant, et il avait longuement parlé de ses études à Bruxelles, Londres et Paris.

Il se souvenait avec une précision inutile de chacune des questions et des réponses de cette première... réunion de famille. En fait, les Puşcariu lui plaisaient, surtout la mère, une robuste Transylvaine aux yeux bleus et au regard ouvert, à la voix chaude bien que manquant de féminité. Le père, professeur d'histoire et de roumain, était à la retraite depuis un an seulement.

– Vous autres, la jeune génération, qui donc peut encore vous comprendre?

Mais l'apparence du reproche masquait un sincère hommage rendu à la jeunesse, aux garçons audacieux qui enlèvent les filles à leurs parents, qui descendent dans la rue en bandes bruyantes, qui ont foi en une Roumanie grande et forte. La sœur de Valentina était encore lycéenne.

– Moi, je serai médecin! avait-elle affirmé fièrement.

– Vous pouvez la croire, avait commenté sa mère. Je n'ai jamais vu de fille plus travailleuse. Elle a plusieurs herbiers et des collections d'insectes et elle lit toutes sortes de livres scientifiques.

La jeune fille avait regardé sa mère d'un air indulgent, montrant que ses louanges ne la gênaient plus. Elle avait dit « je serai médecin » au lieu de « je ferai médecine », justement pour faire comprendre à Alexandru qu'elle n'était plus depuis longtemps une dilettante et qu'elle s'y connaissait assez bien en questions savantes pour pouvoir se permettre de faire des affirmations péremptoires en la matière; cette nuance n'avait pas échappé à Alexandru.

« C'est elle qui sera mon meilleur allié », se disait-il à présent, étendu sur son lit, en train de repenser à sa visite chez les Puşcariu. Il se souvint tout à coup de Viorica. Il la revoyait, il entendait sa voix; une multitude de détails lui revenaient à l'esprit. Viorica sentait parfois un peu trop la pâte dentifrice. Elle se lavait sans doute les dents juste avant leurs rendez-vous. L'odeur du dentifrice était chaude et féminine. Alexandru éprouva à ce moment-là un désir presque physique de Viorica. Elle avait de beaux seins haut plantés, d'un galbe parfait (une veinule bleue courait autour de l'aréole; « chaque fois que tu me mords, ça m'irrite le sang », lui avait-elle dit un jour). Sept mois depuis... Curieusement, il ne pouvait pas imaginer la décomposition de son corps, son retour à la terre. Il avait l'impression qu'elle se trouvait quelque part toujours vivante et chaude et que sa bouche aux lèvres sensuelles sentait de temps à autre un peu trop la pâte dentifrice. Sept mois depuis... Mais ce temps était un temps pareil à n'importe quel autre : il n'avait rien changé, rien détruit. « Sept mois à l'étranger, loin d'elle – elle ici et moi à Paris... » Elle lui manquait, il avait envie de son corps. Il se reprit brusquement : « Elle est morte depuis longtemps et je devrais avoir honte de penser à des choses pareilles. » Cependant, ce souvenir, loin de le tourmenter ou de lui donner mauvaise conscience, lui remontait le moral. « Je l'ai beaucoup aimée sans m'en rendre compte », se dit-il.

Ce soir-là, il bavarda longuement avec Irina.

– Tu sais, c'est seulement maintenant que je me rends compte combien j'ai aimé Viorica, lui avoua-t-il.

Il espérait que sa cousine lui poserait de nombreuses questions, lui demanderait de parler de son amour, mais elle pensait au sien : « Je dois tout lui dire à propos de Dinu, lui, il pourra me comprendre. » Elle le regarda dans les yeux et lui répondit sur un ton détaché :

– Tu as un peu de remords, n'est-ce pas? Tu vas devoir tout raconter à Valentina. Mais elle me fait l'impression d'une fille moderne et intelligente.

Ils causèrent de choses et d'autres et jugèrent quelques-uns des invités de Felicia. Entre autres, Balaban.

– Celui-là, avec ses cheveux gominés! s'exclama Alexandru.

– Affreux, dit Irina.

– Affreux, répéta Alexandru.

– J'ai l'impression que tu plaisais bien à Felicia, lui dit Irina en l'observant du coin de l'œil.

– Oui, j'ai eu la même impression. (Il eut aussitôt honte de cette réponse infatuée, médiocre et ridicule.)

Ils bavardèrent ainsi pendant près d'une demi-heure. Alexandru s'impatientait, il voulait orienter la conversation vers Viorica. Mais Irina n'avait pas encore réussi à lui parler de ce qui lui tenait à cœur, malgré toutes ses tentatives réitérées, du genre : « Dinu disait que... », « Dinu pense que... », « Tiens, quelque chose d'intéressant à propos de Dinu... » Elle en était pour ses frais; loin de l'encourager, Alexandru l'interrompait, agacé par les trop nombreux caprices de leur conversation.

– Je crois qu'en amour on se réveille toujours trop tard, déclara-t-il.

C'était exactement ce que pensait Irina. Maintenant, elle comprenait enfin combien elle aimait Dinu. Maintenant, lorsqu'elle avait failli le perdre, s'abandonner dans les bras du premier venu, se punir en l'oubliant. Elle fut reconnaissante à Alexandru pour cette phrase qui lui allait droit au cœur.

– A présent, ça m'est égal. Dinu a pris une grande décision : je vais l'accompagner en Allemagne, à Charlottenburg, où il a du travail.

Alexandru la félicita, puis il ajouta, très sobre :

– Ne parle plus de Valentina dans le monde. Il ne faudrait pas la compromettre. En définitive, elle n'y est pour rien... Tu sais, pour te dire la vérité, c'était juste une plaisanterie.

***

– C'était une plaisanterie! répéta fermement Alexandru. Tout simplement une plaisanterie. Que diable, nous sommes jeunes! Nous sommes jeunes et libres tous les deux et, pour autant que je sache, Valentina n'est pas bête non plus. Elle comprendra.

David se leva de sa chaise et, les poings serrés, marcha sur Alexandru. Celui-ci ne broncha pas.

– Tu veux te battre? demanda-t-il calmement.

– Pas encore. Mais on va peut-être bien en venir là. Je n'aurais pas cru que tu pouvais être aussi lâche!

– Je ne suis pas lâche, répliqua Alexandru sans se fâcher, je suis intelligent. Je ne cède à aucun chantage, même pas à celui de ma parole d'honneur. Je te répète que c'était une plaisanterie. De mauvais goût peut-être, mais une plaisanterie. J'étais énervé, en colère ou je ne sais quoi et alors je t'ai donné ma parole d'honneur. Et après? Je n'ai pas la faiblesse de craindre une parole donnée ou de me sentir lié par une promesse.

– Il ne s'agit pas de ta parole d'honneur. Il s'agit de cette fille qui t'aime à présent.

– Et après? Ça lui passera! Elle est jeune, elle est belle...

– Toujours la même chose donc : tu séduis les jeunes filles et ensuite tu les pousses discrètement au suicide...

– Elle n'a qu'à se suicider! Le manque d'intelligence, ça

se paie. Si elle ne comprend pas quelque chose d'aussi simple, elle n'est pas digne de vivre.

– Tu parles comme un don Juan de pacotille, tu es médiocre et vieux jeu. Et dire que tu prétends créer un homme nouveau, une nouvelle morale!

Alexandru éclata de rire. A l'exaspération de David, il comprenait qu'il avait partie gagnée. Et il riait de bon cœur, d'autant plus qu'en son for intérieur il ne reconnaissait à David aucun droit de se mêler de ce qu'il considérait comme une affaire strictement personnelle.

Alexandru avait annoncé à Valentina la rupture de leurs fiançailles par une lettre mesurée et extrêmement polie. Il avait ensuite parlé à tout le monde de raisons de famille (de tardifs scrupules envers la jeune fille l'incitaient à éviter de la compromettre davantage). Un jour, il avait rencontré Felicia dans la rue.

– Il paraît que ma maison n'est pas propice aux fiançailles, lui avait-elle lancé, ironique. Dommage. Si vous ne vous étiez pas mis dans la tête cette idée saugrenue, nous aurions pu nous amuser à merveille, tous les deux.

– Il n'est jamais tard pour bien faire!

– Si, il est trop tard. Le temps perdu ne se rattrape pas, avait-elle répondu en riant. Tiens, tiens, voilà qu'il se met à neiger pour de bon, bien que nous soyons encore en novembre. Ça ne vous rend pas triste, vous?

Alexandru l'avait regardée d'un air distrait, comme s'il se souciait surtout des flocons de plus en plus denses qui tournoyaient autour de son visage coquet et fondaient doucement sur son épais col de fourrure.

– Je ne suis jamais triste, je suis un homme fort, moi.

– Je suis assez fort pour ne pas me laisser émouvoir par une accusation de lâcheté, dit-il à David. Tu me trouves médiocre, lâche et vieux jeu. Et après? Tu crois que ça m'inquiète? Pas du tout. Il n'y a que mes propres idées sur moi-même, sur ce que je sais que je suis, qui peuvent m'inquiéter. Toi, tu es un sentimental, voilà la grande différence entre nous.

Il avait en effet trouvé David sentimental dès qu'il l'avait vu entrer, venir chez lui, sous le toit des Pleşa, pour lui demander des comptes! (*« Le chevalier sans peur et sans reproche* * *»,* s'était-il dit. A ce moment-là, peu lui importait la banalité de ses réflexions, la médiocrité et le ridicule de ses réponses. A présent, dans le danger, toute arme et toute pensée réconfortante, même vulgaire, étaient les bienvenues. Il n'avait plus le temps de choisir, de tenir compte des nuances, de la logique, de la justice, de l'humanisme. Il s'acceptait n'importe comment – à condition de demeurer fort.)

David avait eu confirmation de la rupture des fiançailles par Felicia. Cette nouvelle l'avait fait souffrir, elle l'avait presque humilié. Il se savait engagé dans les fiançailles d'Alexandru, pour partie responsable de ses coups de tête, de ses lâchetés et de ses tricheries. Il était venu très en colère, prêt à se colleter avec lui. Il savait qu'Alexandru était plus fort, mais il se savait, lui, animé d'une rage irrésistible, qui l'avait ainsi amené sans crier gare dans une maison étrangère. Plus la dispute s'envenimait, plus la hargne et le dégoût lui faisaient perdre son contrôle. Il poussait de tels cris par moments qu'il s'étonnait lui-même de ne pas ameuter toute la maisonnée.

– Tu es attaché aux lois, aux rigueurs, aux préjugés, poursuivit Alexandru. Moi, je ne suis attaché à rien...

– Les monstres non plus ne sont attachés à rien.

– Tu peux le prendre comme tu veux. Je ne me laisse intimider par aucune étiquette, c'est-à-dire par aucun chantage, je te l'ai déjà dit. Je suis et je reste tel que je veux être. Je peux enfreindre toutes les lois, sauf la mienne, que je suis seul à connaître. Mais aucun chantage ne peut avoir de prise sur moi. Pas plus le chantage à la pitié ou à l'amitié que le chantage à la morale ou à la parole donnée. Le monde moderne tout entier y succombe! Chacun tremble quand on lui dit : « Tu n'es pas humain, tu n'es pas nouveau, tu n'es pas bon, tu n'es pas comme X..., tu n'es pas comme Y... » Il y a longtemps que j'ai dépassé ces préjugés. Il y a longtemps que j'ai jeté ces vieilleries par-dessus bord. Par-dessus bord, tout ça, par-dessus bord! Je reste ce que tu ne peux plus être, comme tu me l'as avoué toi-même, je reste un parfait *hooligan!*

– Même pas! Tu fuis tes responsabilités, tu fuis parce que tu es un lâche, parce que, comme tous les imbéciles, tu te crois investi d'une mission trop importante pour devoir rester honnête. Tu fuis parce que tu as peur de rater ta vie. Cette peur des médiocres est un signe qui ne m'échappe jamais.

– Je me moque bien de ta perspicacité, dit calmement Alexandru. On verra plus tard, dans cinq ans par exemple, si je suis un médiocre ou un raté. Attendons cinq ans et reparlons-en à ce moment-là.

La réponse était nette, mais David ne voulait pas encore céder. Il était inquiet pour Valentina. Il ne l'avait revue qu'une fois depuis la soirée passée chez Felicia, mais il pensait souvent à elle. Il commençait même à l'aimer – d'un amour fraternel, s'empressait-il de se préciser. Quoi qu'il en soit, il pensait à elle, et il rêvait d'elle. Il était certain que la rupture de ses fiançailles ne pouvait que la faire terriblement souffrir. Liza lui avait beaucoup parlé d'elle; d'ailleurs, tous les invités du 15 novembre ne parlaient que de l'aventure de Pleşa. Les cancans et les rumeurs qui circulaient sur la personne de Valentina exaspéraient David et l'idée qu'elle se tourmentait lui était insupportable.

– Du reste, reprit Alexandru d'une voix singulièrement douce, puisqu'il s'agit d'amour, sache que j'aime toujours Viorica, cette jeune fille qui s'est tuée pour moi...

– Un amour apparemment bien tardif! Tardif et qui n'oblige à rien. Somme toute, un amour assez confortable.

David avait frappé juste. Alexandru pâlit et répondit en élevant la voix :

– L'amour n'est jamais tardif. Il est quelque chose qui survient avant ou après la possession, avant ou après la mort, peu importe... Moi, je le sens, c'est maintenant que je l'aime vraiment, ajouta-t-il après une légère hésitation.

De toute évidence, il ne brûlait pas tellement d'amour pour Viorica la défunte. David lui jeta un regard méprisant :

– Il ne s'agit pas d'amour. Il s'agit de la parole donnée. Comme vous dites, vous autres, *noblesse oblige* *.

Cette dernière phrase était une allusion tout à fait transparente à l'arbre généalogique d'Alexandru Pleşa et à l'éducation qu'il avait reçue à l'étranger, alors que David, lui, s'enorgueillissait de ses origines modestes.

– Je ne tiens nullement à ma noblesse, répliqua fièrement Alexandru, et je ne respecte aucune morale au monde. Je me crée aujourd'hui, à mes frais, une nouvelle morale. Une morale à laquelle croiront tous les hommes jeunes, tous les hommes forts...

David l'interrompit :

– C'est pourtant bien toi qui me parlais de collectivité et qui m'accusais d'individualisme! Je me demande qui, de nous deux, respecte le plus la collectivité.

– Ça dépend de la collectivité dont nous parlons, répondit Alexandru, content de voir la discussion dévier vers des questions d'ordre général. La tienne ne m'intéresse pas et je m'autorise à son égard toutes les libertés et tous les crimes. Car c'est une collectivité en pleine décomposition, où la morale signifie respecter ses propres erreurs, ses propres bêtises. Rien dans ses lois, dans sa métaphysique, dans son esthétique, ne peut m'intéresser. Toi, qui es resté un bourgeois, un défenseur des préjugés bourgeois, tu peux me considérer comme un individualiste parce que je ne me soumets pas aux lois de la collectivité dont tu fais partie. Tandis que pour moi, c'est toi l'individualiste...

– Tu interprètes de travers les leçons de Nae Ionescu, dit David en souriant.

– Je les interprète selon mes besoins. Là, il n'y a plus de travers ni de droit, il y a uniquement la force vitale, comme tu le disais toi-même un jour. En moi, les forces vitales sont intactes. Aucun préjugé ne les a altérées...

– Chacun nomme préjugé ce qui l'arrange.

– Nous sommes bien d'accord. Reste à voir si ce que nous ne nommons *pas* préjugé nous aide à croître et à multiplier, nous aide à rester forts jusqu'au bout. Toi, à force d'éviter les « préjugés », tu as fait tarir les sources de ta vie. Est-ce que tu ne sens pas que tu te dessèches, que tu te stérilises?

– Je me sens plus fort que jamais, répondit David, toujours souriant. Plus je suis seul et plus je me sens fort. Chacun puise sa force là où il la trouve...

– Certes, mais tu n'auras bientôt plus rien à puiser.

– Tu commences à parler comme Eleazar. Tu vas sans doute te mettre aussi à agir comme lui?

– Non, parce qu'Eleazar n'agit pas, tandis que moi, j'agirai. Mais il n'y a pas lieu d'en parler maintenant.

– C'est vrai, admit David.

Il se sentait soudain très triste. Il ne s'était pas attendu à tant d'opiniâtreté de la part d'Alexandru, encore si timide, si docile avec lui quelque temps auparavant. Quand on est acculé, on peut devenir intraitable, dangereux... En même temps, l'image de Valentina troublait David. « Il faut que j'aille lui demander pardon. » Cette décision lui remonta le moral : il la verrait, lui parlerait, l'apaiserait. « Elle doit souffrir, cette pauvre fille », se dit-il, non sans un certain plaisir car cette souffrance présumée arrangeait bien ses affaires : la jeune fille aurait besoin d'être consolée, elle aurait donc besoin de lui...

– Tu crois qu'il va neiger aujourd'hui aussi? demanda Alexandru hors de propos.

– Peut-être de la neige fondue, répondit David, pris de court. Nous ne sommes même pas en décembre...

Ils se turent pendant quelque temps. Le soir était tombé et Alexandru alluma.

– Tu veux dîner avec nous? demanda-t-il. Je crois qu'il y aura aussi Dinu Paşalega. Nous serons plus détendus pour bavarder. Comme ça, j'aurai l'impression que nous nous sommes réconciliés.

– Je ne peux pas me réconcilier avec toi, dit sèchement David.

– Ce serait dommage. J'étais tellement content, lorsque j'ai pu devenir ton ami... Mais je m'aperçois une fois de plus que tu es un égoïste : tu voudrais que tes amis partagent toutes tes idées, dans tous les domaines.

– Pas dans tous les domaines. Dans celui de la morale seulement.

– Le seul qui compte, naturellement, et le seul où la liberté d'un ami ne peut pas céder. Voilà bien ce que j'appelle de l'égoïsme!

– C'est peut-être seulement de la suite dans les idées, répliqua David. On ne peut pas être l'ami d'un lâche ou d'un criminel.

– Pourquoi pas? Un amour véritable ne doit tenir compte d'aucun interdit. Alors, on m'aimera seulement à condition que je me lave les mains et les dents, que je m'habille comme tout le monde et que je ne dise pas de gros mots? Une amitié véritable ne tient compte que de ses propres lois. On aime quelqu'un *parce qu'on l'aime,* pas parce qu'il est intelligent, bon, moral, riche ou pauvre...

– C'est un point de vue, certes. Et il est peut-être bon en amour. Quand on aime, on aime au hasard, on aime *parce qu'on aime* et on ne tient compte de rien d'autre. L'amitié est plus exigeante; elle doit tenir compte de quelque chose : de l'intelligence, du cœur, de tout ce qui peut transformer une camaraderie puérile ou superficielle en authentique communion. C'est du moins mon avis. Les amis comme tu les entends, toi, ils courent les rues. Des amis dont on tolérera les faiblesses et les crimes sous prétexte qu'il faut les aimer tels qu'ils sont. Nul n'étant parfait, on peut toujours rendre service à ses amis en leur signalant les bêtises qu'ils sont en train de faire. Mais, évidemment, le moment est mal choisi pour parler de ça.

– Si je comprends bien, tu ne vas pas dîner avec nous, dit Alexandru en riant.

« Qu'est-ce qui a bien pu le rendre aussi fort, aussi inflexible? se demandait David. Il y a quelques semaines, je le dominais sans effort, je le sentais sous mon pouvoir à mes premiers mots. Il me répondait comme on répond à quelqu'un de plus âgé et de plus fort. A présent, il est complètement transformé, il se conforte lui-même dans ses propres lâchetés... » Il le regarda dans les yeux avec sévérité, espérant ainsi l'amener à résipiscence; ce fut en pure perte – il ne réussit pas à troubler le sourire d'Alexandru. Irina entra dans la pièce sur ces entrefaites et constata avec un certain étonnement que son cousin avait l'air parfaitement serein et heureux.

– Felicia vient de téléphoner, annonça-t-elle. Je suppose d'ailleurs qu'elle espérait tomber sur toi. Elle part dans quelques jours. Tu sais, dès qu'il se met à neiger, Felicia se prépare à partir. Elle nous invite à lui rendre visite...

– Je n'ai pas le temps, coupa sèchement Alexandru. Tu n'as qu'à y aller toute seule!

Irina lui lança un regard surpris, puis elle se tourna vers David :

– Pourquoi me parle-t-il sur ce ton? Vous vous êtes disputés, vous deux?

– Non, mais Alexandru vient de se rendre compte qu'il n'était plus maître de son temps, voilà pourquoi il refuse de t'accompagner. Il a décidé de se consacrer entièrement à « l'Action ». Il sent que le temps lui est compté – c'est le premier symptôme de la vieillesse et du dessèchement. On ne peut plus rien pour lui. Désormais, il vivra au rythme de son agenda...

David s'approcha d'Irina et lui serra la main.

– Profite de ta jeunesse, lui dit-il. Aime à en perdre la raison. N'essaie pas de mettre le temps en conserve.

Puis il donna la main à Alexandru et sortit sans se retourner. Il pinçait les narines et deux rides profondes lui barraient le front, comme lors de sa période ascétique.

Irina n'y comprenait décidément plus rien.

– Qu'est-ce qui lui prend? demanda-t-elle.

Alexandru hésita avant de répondre, puis déclara, sur un ton qui se voulait blasé :

– Rien de bien grave. Il défend Valentina. Tout comme tu défendais Viorica cet été. Les femmes abandonnées trouvent toujours des chevaliers servants, que ce soit dans la vie ou dans la mort. Le donquichottisme est un métier comme un autre... Viens, allons dîner...

Sur le seuil de la salle à manger, comme Alexandru s'effaçait pour la laisser passer, Irina s'arrêta un instant, se retourna et lui chuchota :

– Alexandru, si jamais tu es malheureux, n'hésite pas à venir me le dire.

III

Un matin, en faisant la chambre d'Annette, la bonne trouva un napoléon entre le matelas et le sommier.

Annette, qui était certaine d'en avoir pris six, n'en avait pourtant remis que cinq à Petru. Elle avait fébrilement cherché partout, mais sans retrouver la pièce manquante. Pensant qu'elle avait dû glisser du mouchoir quand elle l'avait dénoué après être rentrée dans sa chambre, la jeune fille en avait minutieusement inspecté tous les coins et recoins, allant jusqu'à soulever le tapis et à se fourrer sous les meubles. Elle avait finalement arrêté ses recherches en se disant que, puisqu'elle ne l'avait pas trouvée, personne d'autre ne la trouverait. Elle n'avait d'ailleurs pas très peur. Elle savait bien que le vol finirait par être découvert un jour ou l'autre, mais elle pensait qu'à ce moment-là elle serait depuis longtemps aux côtés de Petru, dans leur chambrette, à l'abri du monde. Elle ne pouvait pas imaginer l'avenir au-delà de cet épisode de son aventure. Lorsque Petru lui avait dit qu'il n'avait réussi à obtenir que douze mille lei, dont il avait dépensé la moitié pour régler des dettes urgentes, et qu'il ne pourrait donc pas louer une chambre meublée en ville (Annette ne lui avait pas encore avoué sa décision de s'enfuir définitivement de chez elle), elle avait regretté d'avoir manqué d'audace. L'argent leur faisait défaut alors qu'il restait encore tant de vieux bijoux à vendre dans le coffret de sa mère! Elle se reprochait amèrement la timidité dont elle avait fait montre pendant la nuit du 15 au 16 novembre, alors qu'elle aurait pu en prendre bien davantage sans risquer plus gros. Les occasions étaient maintenant plus rares et moins favorables. Depuis que Petru lui avait annoncé qu'il ne pouvait pas louer de chambre, elle vivait dans un état second. Pas réellement triste, elle déambulait comme une somnambule dans toute la villa.

Ce jour-là, elle entra dans le bureau de son père, plongé comme d'habitude dans ses chères études, et elle resta un long moment sur le pas de la porte à le regarder. Il ne remarqua sa présence que lorsqu'elle s'approcha de lui et lui posa la main sur l'épaule.

– Toi, tu es le meilleur d'entre nous, lui dit-elle. Mais tu es si loin...

Puis elle tourna les talons et disparut avant qu'il n'eût le temps de répondre. Mais la voix et le regard de sa fille l'inquiétèrent passablement. Ses cheveux blonds paraissaient ternes, presque cendrés, son visage était pâle, de gros cernes soulignaient le désarroi de ses yeux. Les mains à plat sur le bureau, il essayait de rassembler ses pensées. Il réalisait soudain qu'Annette n'était plus une petite fille, qu'il fallait désormais l'interroger et la protéger autrement. Il était troublé par le ton de sa voix, par le sentiment de tragédie que lui avait laissé son fugace passage. Son inquiétude grandissait, chassant toute envie de se remettre au travail. Cela ne lui était encore jamais arrivé. Il se leva et alla trouver sa femme.

– Voyez-vous, ma bonne amie, voyez-vous, notre petite Annette m'inquiète. Ne serait-elle pas malade?

Mme Lecca lui lança un regard surpris et moqueur. Elle avait du mal à en croire ses yeux et ses oreilles. C'était bien la première fois qu'elle voyait son mari déroger à son programme. Et pour lui parler d'Annette, de surcroît! M. Lecca rougit sous le regard ironique de son épouse; il se sentait ridicule et regrettait déjà de s'être mêlé de ce qui, après tout, n'était sans doute qu'une affaire de femmes. Il voulait s'excuser, ou tout au moins s'expliquer, mais, comme toujours, Mme Lecca fut plus rapide :

– Naturellement, elle est malade, malade d'amour! Elle est amoureuse du jeune Anicet, son professeur de piano... Vous voyez de qui je parle?

Oui, M. Lecca voyait. Mais il ne savait pas comment réagir. Devait-il se fâcher ou sourire paternellement? Dans le doute, il décida bravement d'attendre la réaction de sa femme.

– Et comment ne l'aimerait-elle pas? poursuivait déjà celle-ci. Qui donc pourrait ne pas l'aimer? Il n'a pas encore vingt ans et il est déjà fort comme un taureau. En voilà un qui rendra sa femme heureuse! Annette rêve de lui nuit et jour, voilà pourquoi elle est dans la lune. Ne vous faites donc pas de souci pour elle.

Cependant, M. Lecca n'avait toujours pas compris si la passion de sa fille pour son professeur de piano constituait un sentiment coupable ou autorisé, voire encouragé. Il n'était donc guère plus avancé en retournant dans son bureau. Il savait pourtant que, quoi qu'il pût arriver, il prendrait le parti d'Annette.

Or, ce fut justement ce jour-là que la bonne apporta le napoléon à sa maîtresse et lui expliqua où elle l'avait trouvé. Au début, Mme Lecca n'y attacha pas d'importance. Elle le posa sur la table et continua de peindre, toutes les lampes allumées. Elle y repensa seulement lorsque Annette entra dans le salon de peinture.

– C'est toi qui as perdu ce napoléon? lui demanda-t-elle sans lever les yeux de son chevalet. La bonne l'a trouvé sous ton matelas...

Annette pâlit, saisie de stupeur, ne sachant que répondre. Sa mère arrêta de peindre pour préparer une couleur et, la palette à la main, tourna la tête vers elle.

– Au fond, comment aurais-tu pu avoir une pièce d'or? reprit-elle. Tu vois, je n'avais pas pensé à ça.

– En tout cas, elle n'est pas à moi, dit calmement Annette.

Et elle sortit aussitôt du salon. Ce brusque départ étonna un peu Mme Lecca. Elle prit le napoléon sur la table, songeuse. Elle pensa brusquement à la cassette enterrée dans la cave au moment de l'occupation, et, dans son esprit, les choses prirent aussitôt une tournure bien plus grave. Elle sonna et envoya la bonne chercher Adriana.

– Elle est à toi, cette pièce? lui demanda-t-elle.

Adriana lui jeta un regard furieux et méprisant.

– Je te prie de ne pas me déranger pour n'importe quelle sornette! cria-t-elle.

– Ce n'est pas une sornette. Je tiens à savoir comment ce napoléon est arrivé sous le matelas d'Annette. Elle affirme qu'il n'est pas à elle, qu'elle ne l'a jamais vu...

Adriana sortit en claquant la porte. Mme Lecca se prit la tête dans les mains. Une sourde colère contre ses deux filles s'emparait d'elle, en même temps qu'une vive angoisse. Elle était pourtant certaine que personne n'avait pu découvrir « le trésor », comme elle appelait ce qui leur restait de l'or caché en 1916. M. Lecca lui-même ne savait plus (depuis quelques années) où il se trouvait. Si, par miracle, quelqu'un avait volé le magot, la famille eût été ruinée. Depuis deux ans, Mme Lecca vendait dix napoléons chaque mois afin de boucler le budget de la maison. De plus en plus inquiète, elle se souvint du coffret enfermé dans la commode de sa chambre et alors se précipita dans le couloir.

Au même moment, Annette se dirigeait vers le bureau de son père. Elle avait décidé de tout lui confier. Tout, sauf le nom de Petru.

– Tu m'aimeras encore si je t'avoue un grave péché? lui demanda-t-elle.

M. Lecca sentit son cœur battre la chamade et ses yeux se mouiller. Jamais encore il n'avait vécu autant de surprises et d'émotions en une seule journée.

– Parle, mon enfant, parle sans crainte.

Annette fondit en larmes. Elle s'assit sur les genoux de son père, comme elle le faisait il y avait bien longtemps, quand elle était toute petite. Il se sentit tout à coup puissant, protecteur. Une joie exaltante, une confiance en lui inhabituelle le transformèrent en quelques instants. Il lui fallait à présent non seulement protéger, mais également consoler et pardonner – ces appels adressés à son cœur et à sa force lui donnèrent une réelle assurance. Cependant, ce n'était pas la peur qui faisait pleurer Annette, mais la tristesse et la solitude. Elle sécha tant bien que mal ses larmes et raconta par le menu l'histoire de son larcin. Son père l'écouta en roulant des yeux effarés, comme s'il s'agissait d'une histoire bien trop fantasque pour qu'il pût y ajouter foi.

– Ne me demande rien de plus, murmura Annette. Les bijoux et les pièces d'or, je les ai donnés. Je ne les ai pas volés pour moi. Mais ne me demande rien de plus, papa!

Et elle lui baisa les mains. Quant à lui, il commençait enfin à réaliser toute la gravité de cette aventure.

– Ne les aurais-tu pas donnés à Anicet?

Il avait posé sa question avec beaucoup de douceur, mais Annette protesta vivement :

– Comment peux-tu dire une chose pareille? Les lui donner, à lui? Mais je l'aime, lui! Je ne l'offenserais pas en lui donnant quelque chose de volé!

Voyant qu'elle lui avouait d'elle-même son amour pour Petru, alors qu'elle ne pouvait pas savoir qu'il était déjà au courant, M. Lecca ne douta pas une seconde du reste de sa confession et mit immédiatement le jeune homme hors de cause. Ce qu'il craignait à présent, c'était la réaction de sa femme. Les bijoux volés étaient de peu de valeur et les napoléons venaient de son patrimoine personnel. Il n'en aurait pas moins à affronter la colère de Mme Lecca, redoutable épreuve qu'il n'avait pas eu à subir depuis une quinzaine d'années. Mais le désarroi de sa fille lui donnait des forces insoupçonnées.

La voix d'Annette tremblait, ses yeux brûlaient de fièvre, tout son petit corps frémissait. Et, pour la première fois, M. Lecca ressentit la force que donne le devoir de protéger. Néanmoins, il ne savait toujours pas quelle voie choisir. Ce fut à ce moment-là que Mme Lecca fit irruption dans le bureau, son coffret dans les bras. Elle était dans un tel état que sa colère se transformait en une sorte de rire effrayant, de ricanement hystérique.

– C'est incroyable! hurla-t-elle. On nous a volés! On nous a volés sous notre toit!

M. Lecca toussa et remua les mains pendant un instant.

Ses doigts paraissaient maintenant plus longs, plus jaunes, plus décharnés. Il voulait parler, mais il n'avait pas encore choisi le mot le plus pertinent pour commencer.

– C'est moi qui ai volé, dit alors Annette, et elle mit les mains au dos, comme une écolière fautive devant sa maîtresse.

Mme Lecca la regarda fixement et se laissa tomber dans un fauteuil.

– Il fallait s'y attendre! s'exclama-t-elle. J'aurais dû m'en douter tout de suite! Tu es devenue une voleuse pour les beaux yeux de ce grand gaillard d'Anicet!

Annette rougit, mais elle fit front.

– Tu mens! Je ne les ai pas donnés à Petru! cria-t-elle. C'est moi qui les ai volés, mais je ne peux pas dire à qui je les ai donnés...

– Je le devine bien toute seule, ma petite, ricana Mme Lecca.

– Si vous dites un seul mot à Petru, je me tuerai! Tu entends, papa? Je me tuerai!

M. Lecca sursauta. Il devait intervenir, défendre sa fille. Il parla :

– Pardonnons-lui, ma bonne amie. Elle est notre fille et c'est d'elle-même qu'elle m'a avoué sa faute.

Il retira ses lunettes et commença à les essuyer d'une main tremblante. Il échappait ainsi au regard impitoyable de sa femme. Celle-ci comprit le manège et elle éclata de rire.

– Vous vous êtes tous ligués contre moi, dans cette maison! Je croyais qu'Adriana était la seule à me détester. Mais je m'aperçois qu'Annette me vole pour me fuir et que mon respectable époux prend sa défense!

Elle parlait très vite, en entrecoupant ses phrases de gloussements, comme si elle donnait une réplique coquine dans un vaudeville. D'ailleurs, tout ce qu'elle disait semblait théâtral, prononcé sur une scène de boulevard.

– Mes filles! Mes filles! s'exclama-t-elle en roulant les yeux et en levant les bras au ciel.

Puis elle partit brusquement et Annette se demanda si elle lui avait pardonné ou si elle allait préparer sa punition.

« En tout cas, se dit la jeune fille, je ferai comme Adriana, je me défendrai en la menaçant. »

– Ta mère ne risque-t-elle pas d'avoir un malaise? s'enquit timidement M. Lecca. Il serait peut-être prudent de la suivre, pour le cas où elle aurait besoin de nous...

Annette se rendit compte alors que son père ignorait tout des scènes quotidiennes entre Mme Lecca et Adriana, de leurs violentes et incessantes disputes.

– ...des sels ou je ne sais quoi... du vinaigre aromatique..., bredouillait-il.

Il était réellement très ému par la sortie dramatique de sa femme. « Mes filles! Mes filles! », ces mots l'avaient touché au cœur. Il se sentait brusquement de son côté, prêt à la défendre contre leurs filles.

Annette se retira dans sa chambre et refusa de venir à table. Teddy alla la voir et essaya de lui tirer les vers du nez afin de savoir si elle avait effectivement remis les bijoux et les napoléons à Petru. Annette pleurait et niait farouchement :

– Je me tuerai si vous continuez à me questionner!

Elle commençait pourtant à avoir peur. La prochaine leçon de piano était prévue pour le surlendemain et sa mère était tout à fait capable de faire une scène à Petru. Cette idée terrorisait Annette. Elle ne savait que faire. Devait-elle prévenir Petru par lettre? Mais elle ne pouvait pas sortir : elle aurait éveillé les soupçons et aurait été certainement suivie. Quant à demander à quelqu'un de l'aider, elle ne voyait vraiment pas à qui. En tout cas, surtout pas à Teddy, en dépit ou à cause de son excessive gentillesse.

– Ce que tu peux être sotte, lui disait celle-ci. Si tu avais besoin d'argent, il fallait en demander, il fallait m'en demander...

– Dorénavant, j'aurai tout le temps besoin d'argent, soupira Annette.

Elle regretta immédiatement cet aveu qui risquait de trahir son intention de se sauver. Elle se cacha la tête dans les mains et se réfugia dans un mutisme têtu.

– Vous êtes ridicules, dit Teddy à Mme Lecca lorsqu'elles

furent seules au boudoir. Vous vous ridiculisez pour quelques vieilleries dérobées.

Mme Lecca était pensive, presque triste. Cela faisait longtemps qu'elle n'avait pas été dans cet état, depuis la guerre.

– Il s'agit d'autre chose, Teddy, dit-elle doucement. De tout autre chose...

Elle s'interrompit. Il lui semblait rêver. Elle essayait d'analyser les faits, de les juger calmement, mais il lui était impossible d'échapper à la suffocante impression de rêve qui s'était emparée d'elle depuis qu'Annette avait menacé de se tuer. Elle croyait revivre une scène oubliée depuis longtemps, une scène de sa première jeunesse; tout ce qui arrivait en ce moment était déjà arrivé, bien des années auparavant. Et pourtant, elle ne parvenait pas à se rappeler si c'était elle qui avait vécu un événement pareil ou si elle en avait seulement entendu parler.

– Il s'agit d'autre chose, répéta-t-elle.

– Selon toi, elle les a volés pour...

– Pour Anicet, ça va de soi! Mais je me demande ce qui l'a poussé, ce grand flandrin, à refuser l'argent que j'ai voulu lui donner... Tu sais, il me plaisait aussi, Anicet! C'est une brute, il me plaisait...

Elle éclata de rire, la tête renversée.

– Je me vengerai peut-être de lui aussi, reprit-elle, de nouveau songeuse.

– Toi aussi? s'exclama Teddy, inquiète. Toi aussi?

Mme Lecca ne répondit pas. Elle arrangea sa coiffure, comme si elle s'apprêtait à recevoir quelqu'un, puis elle se leva.

– Dans ce cas-là, je passerai du côté d'Annette, dit Teddy.

– Tu n'as rien compris, chuchota Mme Lecca sur un ton mystérieux, et tu ne pourras d'ailleurs jamais rien comprendre.

Les deux femmes se firent face pendant quelques instants encore, tentant de s'abuser par des sourires. Lorsqu'elles entrèrent au salon, elles y trouvèrent M. Lecca en train de les attendre, les paupières baissées, les mains serrées sur le rebord de la table.

IV

David rentra à pied chez lui. Les flocons de neige qui fondaient sur son visage lui faisaient du bien, leur fraîcheur l'aidait à se débarrasser de ses idées noires.

– Quelqu'un t'a demandé, lui annonça Getta, un professeur de Bârlad.

David lut le nom sur un paquet volumineux : *Professeur Anton Dumitraşcu.*

– Il paraît que c'est un roman, poursuivit Getta. Il a l'air drôlement épais. Tu vas vraiment lire tout ça?

David sourit, prit le paquet et s'en alla dans sa chambre. Il se souvenait bien de Dumitraşcu. Depuis les vacances, celui-ci lui avait écrit plusieurs fois pour le tenir au courant de l'avancement de son roman. Il en avait raccourci le titre, pour ne garder que le premier mot, *Effondrements.*

« *C'est plus simple et plus évocateur* – expliquait-il dans sa dernière lettre. *J'accède ainsi à un sens universel, à une valeur profondément humaine.* »

David ne lui avait jamais répondu, même pas quand Anton lui avait annoncé qu'il allait bientôt lui envoyer son manuscrit achevé. « Je le passerai à un ami pour voir si on peut lui trouver un éditeur, s'était-il dit à ce moment-là. Bien qu'un roman qui s'intitule successivement *Effondrements dans la glaise* et *Effondrements* ne puisse être qu'une stupidité prétentieuse... » Mais à présent il était content de devoir lire ce manuscrit, espérant que cela lui permettrait de chasser le pénible souvenir de sa discussion avec Alexandru. Il ouvrit le paquet. Anton avait une écriture soignée et laissait des marges bien droites des deux côtés des feuilles. David lut au hasard :

La jeune femme portait l'empreinte indélébile d'une passion fatale sur les traits de son visage. Elle lui parla passionnément.

Il sauta quelques pages :

Un silence patriarcal régnait sur les champs dorés qui souriaient paisiblement aux rayons bienfaisants du soleil.

« Dommage, se dit-il, il n'y a vraiment rien à en faire. » Il essaya néanmoins une dernière fois, vers la fin :

Dans la mansarde pauvre mais propre, devant le poêle glacé et les fenêtres ensevelies sous la neige, le brave étudiant se mit courageusement au travail. « Je dois oublier, s'écria-t-il, je dois combattre cette passion morbide qui m'ébranle ! Le pays a besoin de moi ! Tout pour mon pays ! » Et sans cesser de s'exhorter ainsi, Caraman se prit la tête dans les mains et plongea le front dans un traité de médecine aussi savant qu'épais. Dehors, le blizzard se déchaînait avec fureur !

– A table, David ! cria Getta à travers la porte.

Il referma le manuscrit en riant, éteignit avant de quitter sa chambre et se rendit dans l'entrée qui servait de salle à manger. Après la mort de son père, le commandant, la famille avait dû déménager et venir habiter ici, dans une maison sensiblement plus petite que la précédente. La pension de reversion était bien mince, Liza gagnait encore peu et Getta venait de perdre pour la troisième fois son emploi. Liza avait une chambre en ville, mais elle payait deux mille lei par mois à sa mère pour les repas. Elle était à nouveau tolérée à la maison depuis la mort du commandant, qui, n'ayant jamais admis son séjour de plusieurs années à l'étranger, lui avait interdit sa porte. Ils se mirent à table tous les quatre.

– Tu sais que Felicia part demain ? demanda Liza.

– Oui, répondit David, agacé à l'idée de devoir reparler de la même chose. Je l'ai appris chez Alexandru.

– Qu'est-ce qu'il t'a dit? demanda aussitôt Liza. Il ne va pas la rejoindre?

– Pas le moins du monde. Il se lance dans la politique. Après ce qu'il a fait à cette jeune fille, à Valentina, c'est d'ailleurs ce qu'il avait encore de mieux...

– Il a fait ce que font tous les hommes, coupa Liza, méprisante. Et puis, c'est de ta faute, pas de la sienne.

David ne répondit pas. Il mangeait tranquillement, les yeux dans son assiette.

– Lui, d'ailleurs, reprit Liza, il a été plus correct que d'autres. Il n'a pas perdu trop de temps en rituels préalables. Huit jours et tout était dit! Alors que chez d'autres hommes, ces mensonges-là durent des années.

Elle se tut et ils mangèrent en silence. Ilie, l'ordonnance que le commandant avait eue pendant la guerre, faisait le service. Ilie ne savait même pas depuis combien de temps il n'avait plus touché ses gages. Mme Dragu lui donnait régulièrement de l'argent de poche et, pour les fêtes, cinq cents lei qu'il envoyait à sa famille, dans son village.

– Qui est-ce, ce professeur Dumitraşcu? demanda Getta.

– Il est marié, ne te fais pas d'illusions, répondit David en souriant.

Sa mère le foudroya du regard. Getta était désespérée de ne pas réussir à se marier. Deux fiancés avaient déjà rompu et cela se savait, ce qui n'arrangeait évidemment pas les choses. Aussi David avait-il décidé d'essayer de s'occuper sérieusement du problème. Leur mère lui répétait d'inviter ses amis et ses confrères à la maison car, tant qu'il avait été en province, Getta n'avait connu que des jeunes gens « de condition inférieure ».

– Les mariages se font comme ça, affirmait-elle, par les amis et les connaissances des frères. Mais on ne dirait vraiment pas que cette pauvre petite Getta a un frère aîné!

Autant de détails qui, quelques années plus tôt, humiliaient et exaspéraient David, mais qu'il devait aujourd'hui accepter, peser, dominer. Malgré sa vive répugnance pour les intrigues matrimoniales, il s'était résigné à y collaborer afin de pouvoir marier sa sœur.

– Tu penses que Felicia était vraiment amoureuse d'Alexandru? demanda-t-il pour briser le silence.

– Tu poses des questions absurdes! siffla Liza. Felicia ne peut aimer personne. Il lui a plu pendant quelques heures, voilà tout. Heureusement pour elle, ta mauvaise plaisanterie est tombée à point pour lui faire passer son caprice.

David avait du mal à se dominer. Il le fallait pourtant, car il s'interdisait le moindre écart de langage ou de conduite devant sa mère et sa sœur Getta. Avec elles, il était un autre homme : il pouvait débiter des banalités, raconter des blagues éculées, écouter des potins sans intérêt des heures durant. Tandis que Liza, peut-être sans s'en rendre compte, ne cessait de le provoquer. « Ma mauvaise plaisanterie », pensa David, tout le monde me croit responsable.

– Tu sais, lui dit-il, Valentina l'aime pour de bon, ce malotru. Plaisanterie ou pas, il devrait quand même en tenir compte.

– Pouah! fit Liza. N'importe quelle fille aime n'importe quel garçon dès qu'elle apprend qu'il est ou qu'il deviendra son fiancé. Et puis, qu'est-ce que ça veut dire, « aimer pour de bon »? Elle aurait aussi bien pu aimer un autre gars, si tu avais parié avec un autre. Ou bien c'est toi qu'elle aurait pu aimer, si le pari avait été inversé...

David tressaillit. Ces derniers mots lui faisaient chaud au cœur. Il voulut poser une question à Liza, mais celle-ci continuait déjà, en s'emballant de plus en plus :

– Vous, les hommes, vous ne comprendrez jamais que les femmes sont perfides et qu'elles se consolent bien vite de leurs chagrins d'amour. Il suffit d'un cri ou de quelques larmes pour vous impressionner. Ne te fais donc pas de souci pour Valentina, à son âge aucune peine ne laisse de trace et...

Elle parlait sur un ton vif, violent même. Mais, s'apercevant que sa mère l'écoutait d'un air pincé, elle s'interrompit brusquement.

« Je sais ce qui me reste à faire, se dit David en se levant de table. Je vais aller la voir dès demain. Qu'elle au moins ne croie pas que c'est de ma faute. »

Une fois dans sa chambre, il se mit à peser le pour et le contre. « Ne soyons pas hypocrite : je l'aime. Et alors? Je n'en suis plus à mon premier amour... » Chaque fois qu'une femme lui plaisait, David se répétait qu'il n'en était plus à son premier amour et qu'il n'avait donc rien à craindre. Ce qu'il appelait son premier amour était une idylle inavouée d'étudiant, qui n'avait duré que deux mois, mais qui n'avait pas été étrangère à sa crise d'ascétisme. A l'époque, il lisait et relisait *La Vita nuova* de Dante et cachait sa chasteté sous un langage volontairement vulgaire... Par la suite, il avait eu, comme tout le monde, de nombreuses liaisons, dans lesquelles il était assez brutal et dont il excluait tout sentimentalisme. Il ne promettait d'ailleurs jamais rien. Il ne disait pas « je t'aime », mais « tu me plais », choisissait des femmes accessibles à tous sans complications et évitait de faire le premier comme le dernier pas – tout cela afin d'être en paix avec sa conscience.

Cette fois-ci pourtant, il ressentait une inquiétude qui ne ressemblait à aucune des émotions qu'il avait connues jusque-là. Il tenta en vain d'écrire et de lire. Il parcourut une fois de plus *La Vita nuova* et essaya de traduire mentalement ces vers :

perchè villana morte in gentil core
ha miso il suo crudele adoperare...

Il n'y arriva pas et alors il posa le livre sur la table et se coucha. « Je dois aller la voir dès demain », se promit-il. Cependant, il ne parvenait pas à trouver le sommeil et l'idée de passer une nuit blanche l'épouvantait. Il se releva et se mit à tourner en rond sur place, dans le noir, jusqu'au moment où il eut le vertige et commença à chanceler. Il ne cessait de répéter :

– *Es schwindelt! Es schwindelt...*

Bientôt, il n'entendit plus sa voix. Il avait la nausée. Il tourna encore une fois sur lui-même, puis il s'affala sur son lit et s'endormit aussitôt, passant directement de l'étourdissement au sommeil.

*
* *

Le lendemain, David était abattu en rentrant à la maison.

– M. Dumitraşcu t'attend dans ta chambre, lui dit Getta.

– Bien, j'y vais.

... Valentina l'avait reçu chaleureusement, et pourtant elle était si loin de lui, si inaccessible... Elle avait beaucoup pleuré, cela se voyait à ses yeux rougis et cernés qui soulignaient la pâleur de son visage. Elle portait une robe grise à col fermé et à manches longues serrées sur les poignets. Il y avait en elle un je ne sais quoi qui le tenait à distance. Dans la rue, il avait imaginé une scène assez simple. Il s'approcherait d'elle comme l'avait fait Alexandru et il lui dirait : « Je vous aime, je vous aime vraiment. Voulez-vous m'épouser? » Il n'y avait rien d'autre à faire. Telle était la vérité. La seule vérité. Pas besoin de prononcer d'autres paroles, pas besoin d'explications ni de serments. Mais, dès qu'il l'avait vue et entendue, il n'avait plus su que dire. Valentina, naturellement, se posait des questions sur le comportement d'Alexandru, elle ne comprenait pas, mais sans se plaindre une seule fois. Elle exprimait son étonnement, mais laissait à peine transparaître son chagrin. Elle souffrait en silence, mais c'était l'amour et non l'amour-propre qui était blessé en elle. Car elle aimait profondément Alexandru, l'aveu lui en avait échappé malgré elle au détour d'une phrase, quand elle avait dit à David – qui se répandait en excuses pour son rôle dans cette mésaventure – que peu lui importait le pari et qu'une seule chose comptait pour elle, c'était d'avoir rencontré Alexandru. David avait alors compris combien il eût été ridicule de lui crier, comme il continuait pourtant à avoir tellement envie de le faire : « Je vous aime, je vous aime vraiment! » Malgré tout, après avoir parlé de choses et d'autres, y compris de frivolités, après avoir évoqué de menus souvenirs du bal où ils s'étaient connus, il n'avait pu s'empêcher de se déclarer. Certes, de manière allusive et indirecte, mais suffisamment transparente tout de même pour interdire toute méprise...

– David, M. Dumitraşcu t'attend!

– Une seconde, juste une petite seconde.

... Le regard et le silence de Valentina avaient été pires que la plus dure des réponses et David ne se rappelait même pas comment il avait pris congé, quelles banalités ils avaient peut-être encore échangées...

Et maintenant, il lui fallait supporter ce raseur de Dumitraşcu. Il choisissait drôlement son jour, celui-là!

– Content de vous revoir, dit David en ouvrant la porte.

– Excusez-moi d'être venu vous relancer chez vous, mais je repars ce soir même pour Bârlad. Vous savez, nous autres, les maîtres d'école...

David prit le manuscrit sur la table. Anton Dumitraşcu rougit.

– Oh! laissez donc, dit-il. Vous le lirez une autre fois, quand vous aurez le temps, peut-être pendant les vacances de Noël...

– J'y ai jeté un coup d'œil hier soir.

« Il n'est pas encore trop tard pour lui dire la vérité, pensa David. Ça simplifierait les choses par la suite. » Mais il n'avait pas la force d'être sincère.

– Vous devez beaucoup travailler, vous avez l'air fatigué, dit Anton.

– Non, je pense que c'est à cause du temps.

– Oui, c'est un drôle d'hiver, je dirais même un hiver invraisemblable.

Anton choisissait ses mots. Il voulait exprimer surtout les nuances. Getta entra à ce moment-là : elle apportait le café. Anton rougit à nouveau.

– Il ne fallait pas vous donner cette peine, marmonna-t-il.

– Vous avez fait connaissance? Ma sœur...

– Oui, j'ai eu ce plaisir, répondit Anton et il s'empressa de prendre la tasse que lui tendait la jeune femme.

David constata qu'elle s'était une fois de plus abondamment, trop abondamment aspergée d'eau de Cologne. Ses joues étaient chargées de fard et le rouge à lèvres dépassait largement le contour de sa bouche. David s'enfonça lentement dans un désespoir gluant.

– Je vois que vous vivez au sein de votre famille, dit Anton. Si vous saviez combien je vous envie...

– Mais, que je sache, vous aussi...

– Oh! en ce qui me concerne, c'est bien différent.

Et il sourit tristement, comme s'il se rappelait soudain une quantité de choses pénibles. Maria, Maria, Maria...

– C'est bien différent, répéta-t-il sur un ton qu'il voulait aussi solennel que possible.

V

Petru ne vint pas donner sa leçon et tous les plans de vengeance de Mme Lecca s'effondrèrent. Elle avait préparé un bref discours sarcastique. Elle aurait montré le napoléon perdu par Annette et elle aurait dit : « Anicet, vous ne savez pas choisir! Vous ne savez même pas recevoir quand il faut! » Car elle lui avait offert de l'argent, mais ce grand dadais l'avait refusé. En quoi l'argent d'Annette pouvait-il être meilleur que le sien? Mme Lecca n'arrivait pas à comprendre pourquoi Petru avait repoussé son offre. « Il s'est peut-être douté de quelque chose, il a peut-être eu peur... » Elle se mit à rire toute seule. « Pas si malin que ça, le garnement... »

Par ailleurs, chacun de son côté, M. Lecca et Teddy Lupescu avaient essayé de faire dire à Annette à qui elle avait remis les bijoux et les pièces d'or. Mais elle répondait invariablement :

– Je me tuerais plutôt que de vous le dire! Si vous en touchez un seul mot à Petru, j'en mourrai de honte! Un seul mot, vous m'entendez?

M. Lecca s'était discrètement renseigné sur le jour et l'heure de la leçon et il avait décidé de s'arranger pour être le premier à parler à Petru. Un quart d'heure avant, il avait mis son pardessus et sa toque de fourrure et il était allé l'attendre dans le parc de la villa. Il avait exécuté cette opération en prenant toutes ses précautions, car personne ne devait s'en apercevoir. Il était sorti par la porte du sous-sol et avait couru se cacher sous les sapins. Il commençait à faire nuit. Le peu de neige tombée la veille n'avait pas encore fondu. Le ciel était couvert d'épais nuages sombres. « Il va bientôt neiger, pensa M. Lecca, neiger pour de bon... » Il s'était chaudement vêtu, mais, après quelques minutes d'immobilité, il sentit le froid le transpercer. Il se mit à battre la semelle puis, comme cela ne suffisait pas, à faire les cent pas entre les sapins, mais prudemment, en s'abritant autant que possible derrière les troncs d'arbres, pour ne pas se faire remarquer depuis la maison. Les fenêtres du salon de peinture étaient éclairées. « Tant mieux, se dit-il, ma chère et bonne amie est en train de travailler. » Il se sentait rajeunir. L'odeur de la neige, le ciel gris, sa promenade solitaire dans le vieux parc glacé, tout le ramenait loin en arrière. Il redécouvrit le crissement de la neige vierge, oublié depuis une quarantaine d'années. La masse sombre de la villa, qui se découpait sur le ciel crépusculaire, lui rappela une enfance pour lui légendaire. C'était ici, parmi les sapins, qu'enfant il jouait, qu'adolescent, en rentrant de la pension, il courait vers la marquise sous laquelle l'attendait sa mère, jeune et pourtant sans âge, telle qu'il l'avait toujours connue... « Qu'est-ce qui s'est passé depuis? Qu'est-ce qui s'est écoulé depuis? » Il secoua la tête pour repousser le flux des souvenirs et, levant les yeux, il contempla la lourde masse des nuages. « Ils apportent de la neige, ils apportent plein de neige, murmura-t-il. Ils apportent de la neige et après il n'arrêtera pas de neiger et après le soleil se remettra à briller et après ce sera encore l'été et... » Ses pensées se dispersaient. « Et après? Et après... Il fait plutôt frisquet ici, sous les sapins. Il y a beaucoup de neige ici. » Il s'adossa à un tronc. Ce sapin-là, il n'avait pas arrêté de pousser depuis, depuis l'époque où lui, il rentrait en courant de la pension. « Il va continuer à pousser comme ça, sans arrêt. Et après? »

Il aperçut une ombre qui avançait dans l'allée principale et il se précipita au-devant d'elle. Il ne savait pas encore ce qu'il dirait au jeune Anicet, mais, déjà, son cœur battait à se rompre.

– Vous m'avez fait une de ces peurs!

C'était Liza. Elle n'exagérait pas, car il avait surgi devant elle dans le secteur le plus sombre de l'allée.

– Mais qu'est-ce que vous faites là? demanda-t-elle.

M. Lecca prit son ton le plus confidentiel pour s'expliquer :

– J'attends Anicet, vous savez, cet éminent jeune homme, le professeur de piano d'Annette. J'ai quelque chose à lui dire, quelque chose d'extrêmement important, cela va de soi. Mais c'est un grand secret!

Il regretta immédiatement ses paroles : il avait l'impression de s'être trahi et il craignait à présent d'être dénoncé par Liza. Il la prit par le bras et ajouta :

– Surtout, surtout, ne dites rien à qui que ce soit!

Et il fit un geste en direction des fenêtres éclairées. Liza n'en revenait pas : rencontrer M. Lecca le soir dans le parc en train de patauger dans la neige et l'entendre conter des fables!

– Vous ne voulez pas rentrer? lui demanda-t-elle.

– Non, je vais l'attendre encore un peu. Je me demande pourquoi il est tellement en retard.

Elle s'éloigna lentement, en se retournant tous les deux pas, malgré les grands signes affolés de M. Lecca, qui redoutait de se faire repérer.

Il fit le pied de grue pendant encore une demi-heure à peu près, jusqu'au moment où il se sentit complètement gelé. Il rentra alors à la maison comme il en était sorti, par la porte du sous-sol, tout fier de ne pas s'être fait prendre.

Liza fila tout droit dans la chambre d'Adriana, qu'elle trouva en train de lire, allongée sur son sofa.

– Qu'est-ce qui se passe chez vous?

– Rien. Annette a volé des pièces d'or et elle les a données à Petru Anicet.

– Comment sais-tu que c'est à lui qu'elle les a données?

Adriana lui jeta un regard froid, un regard d'étrangère. Liza constata pour la première fois que son amie pouvait avoir un sourire sarcastique.

– A qui d'autre les aurait-elle données? Qui d'autre que lui entre dans cette maison de fous?

Tout à coup, elle bondit du sofa et se planta devant Liza en hurlant :

– Et elle ne lui a pas donné que de l'argent! Si tu savais tout ce que j'ai entendu, moi, tout ce qui s'est passé de l'autre côté de ce mur, oui, juste à côté!

Elle éclata en sanglots. Liza la prit par les épaules et essaya de lui caresser la tête, mais Adriana se débattit et lui échappa.

– Je n'en peux plus, Liza! Je n'en peux plus!

Le lendemain, Mme Lecca se réveilla très tôt. Elle resta longtemps au lit sans bouger, étendue sur le dos, les yeux ouverts. Son plan avait échoué. « Il a dû se douter de quelque chose, le sacripant, voilà pourquoi il n'est pas venu donner sa leçon », se dit-elle. Elle enrageait à l'idée que sa vengeance lui échappait, qu'elle ne pourrait pas montrer le napoléon à Petru pour le voir rougir et trembler, pour le tenir en son pouvoir. « Il a dû se douter de quelque chose et il ne viendra plus jamais... » Elle pensa un instant à Annette. L'aimerait-elle vraiment? Comme si l'on pouvait aimer à son âge! Elle se sentit brusquement humiliée, humiliée jusqu'au fond d'elle-même, sans savoir pourquoi.

Elle passa une journée bien particulière. Elle sortit avant midi et visita deux expositions de peinture pratiquement sans voir aucune toile. « Je pourrais peut-être apprendre quelque chose par sa mère », se dit-elle en descendant les marches de la deuxième exposition. Et alors tout s'éclaira dans son esprit. Elle se mit à rire toute seule. L'hiver lui semblait très beau. Les rues enneigées devenaient plus gaies, plus vivantes. « S'il neigeait encore et encore, si tout se couvrait de neige, jusqu'au dernier arbre, jusqu'au dernier mur... »

Elle entra dans une pâtisserie du boulevard Academiei et écrivit ces lignes à Mme Anicet :

Ayant à vous faire une communication extrêmement importante et de la dernière urgence concernant l'avenir de votre fils, je vous prie de bien vouloir venir prendre une tasse de thé chez moi, cet après-midi entre cinq et six. Je vous saurais gré de ne pas parler de cette visite à votre fils. Je tiens à lui faire à tous égards une grande surprise...

Elle envoya sa lettre par porteur et rentra chez elle plus calme bien que toujours pensive.

Petru était sorti dès qu'il avait fini de déjeuner. Il se sentait depuis quelques jours abattu, cafardeux, nerveux sans raison. Incapable de rester à la maison, incapable de supporter la présence de qui que ce soit. Il avait manqué sa leçon, ce qui ne lui était encore jamais arrivé. Il aurait été au-dessus de ses forces d'entendre la voix d'Annette ou celle de Mme Lecca. Il ne pouvait écouter personne, il ne pouvait pas se concentrer. A la maison, même s'il s'enfermait dans sa chambre, la présence de sa mère l'empêchait de s'isoler véritablement. Voilà pourquoi il errait, les mains dans les poches, au hasard des rues. Là, au moins, il se sentait enfin seul – les passants inconnus faisaient simplement partie du décor. Là, il pouvait écouter à sa guise le finale des *Hérétiques,* un mouvement d'une tragique simplicité, d'une suprême résignation au péché et à la douleur. Depuis qu'il en avait entendu la première mesure, il vivait un ravissement permanent qui excluait toute velléité de résistance au destin, aux dénouements définitifs tout comme au dénuement quotidien. Il n'en avait rien dit à personne, il ne l'avait même pas consigné dans son journal. Et, malgré son envie de travailler, il était incapable de transcrire ce finale.

***

Mme Anicet fut heureusement surprise par le mot de Mme Lecca et se lança aussitôt dans diverses suppositions, toutes réjouissantes : un grand concert? une bourse d'études à l'étranger? Cependant, une chose gâchait son plaisir et l'embarrassait sérieusement : comme cela faisait des années qu'elle ne rendait plus visite à personne, excepté les Baly, elle n'avait pas de robe à se mettre. Toutes étaient vieilles et usées, sauf celle qu'elle s'était fait faire à la mort de Pavel. Tant pis, elle n'avait pas le choix puisque c'était la seule...

Ensuite elle hésita longtemps avant de se décider à prendre le tramway ou un taxi. Petru lui avait dit que les Lecca habitaient très loin. Le taxi coûterait donc cher. D'autre part, en tramway, une fois dans ce quartier qu'elle ne connaissait pas, elle risquait de tourner en rond avant de trouver l'adresse et donc d'arriver en retard et toute crottée. Un subit orgueil la fit rougir : la veuve de Francisc Anicet ne pouvait pas se présenter tachée de boue devant la protectrice de Petru, devant la femme dont dépendait l'avenir de son fils! Elle choisit une solution intermédiaire : elle prit le tramway pour aller dans le centre et là elle monta dans un taxi. Le soir tombait. Elle se mordait les lèvres en voyant s'éloigner les lumières des grands boulevards. La zone obscure qu'il fallait traverser lui paraissait glaciale et dangereuse, comme un obstacle à ce rendez-vous si important, dont dépendaient les études de Petru à Paris. Elle, elle se contenterait d'encore moins que jusque-là. « Je pourrais même aller provisoirement à l'asile en attendant son retour. Et après il épousera une jeune fille riche et j'habiterai chez eux, je serai avec lui, et j'aurai une chambre chaude, une chambre bien chaude... »

– C'est ici, madame.

Elle sortit de son rêve. Elle paya cinquante-six lei et descendit de voiture légèrement étourdie, émue, se demandant si elle allait devoir traverser tout ce parc étrange et sombre pour parvenir aux fenêtres éclairées. N'y avait-il vraiment pas d'autre allée, moins lugubre que celle-ci avec tous ces arbres aux branches crochues? Elle dut pourtant se résoudre à s'y engager, le cœur serré. Ici régnait un silence feutré, menaçant. De rares flocons de neige striaient lentement la nuit. Mme Anicet trottinait de plus en plus vite, prise d'une insurmontable panique. Il devait pourtant bien y avoir une autre allée, avec moins d'arbres, avec moins d'ombres...

– Ça n'a pas été facile, n'est-ce pas? dit Mme Lecca, qui la guettait derrière la porte. C'est toujours comme ça à la première visite dans notre caveau. Nous, on s'y est habitué. Et nos amis aussi...

Elle éclata de rire, d'un rire inhumain, les yeux révulsés.

– Nos amis surtout! ajouta-t-elle entre deux éclats de rire.

Mme Anicet souriait sans savoir pourquoi. Elle avait un peu froid. Elle avait peur. Elle jeta un rapide coup d'œil autour d'elle, à la recherche d'une figure humaine pour y reposer son regard. La bonne entra et elle lui donna son manteau, soulagée. Mme Lecca arrêta de rire pour la toiser d'un air étonné en découvrant sa robe de deuil.

– Vous venez de perdre quelqu'un? demanda-t-elle.

– Euh, non, c'est que je garde le deuil depuis... vous savez...

Elles passèrent au salon. Toutes les lampes étaient allumées, donnant un éclairage violent, artificiel. Mme Anicet fit quelques pas puis elle s'arrêta car elle avait dû fermer les yeux.

– Je peux vous donner une visière, dit cordialement Mme Lecca. J'en ai toujours quelques-unes en réserve. Pour mes invités, cela va de soi.

– Non, merci, je vais m'y faire, murmura Mme Anicet.

– Mais ne me demandez surtout pas de réduire la lumière, reprit Mme Lecca, volubile. Je ne pourrais pas. J'en vis! Je vis de ces lumières que vous voyez. Elles sont ma nourriture. Ne me demandez pas d'y renoncer. Je ne pourrais pas, même pour la mère de Petru Anicet...

Elle s'interrompit et fronça les sourcils : elle avait failli oublier quelque chose de très important. Elle se dirigea vers les deux portes du fond du salon et appuya sur les poignées. Oui, elle avait bien fermé à clé. Elle sourit, satisfaite, et rejoignit Mme Anicet, qui était restée au milieu de la pièce, aveuglée, mal à l'aise, suffoquée par les lourdes odeurs d'huiles. Elle regarda machinalement les fenêtres. Elles étaient grandes et dépourvues de rideaux, mais, de toute évidence, on ne les ouvrait pas souvent.

– Asseyez-vous donc, dit Mme Lecca. Vous ne pouvez pas vous imaginer le plaisir que vous me faites. Nous allons être rien que nous deux, toutes seules...

– Moi aussi, madame, je suis bien contente et honorée de faire votre connaissance. Mon Petru m'a si souvent parlé de vous...

– Ce n'est pas vrai, coupa Mme Lecca. Il se moque bien de moi!

– Oh! vous vous trompez, protesta Mme Anicet. Il m'a souvent parlé de vous et de mademoiselle votre fille, et toujours pour en dire du bien...

– En ce qui concerne Annette, ça ne m'étonne pas! s'écria Mme Lecca, et elle éclata de rire.

Mme Anicet esquissa un sourire. « Elle pense sans doute à marier sa fille avec Petru, se dit-elle. Ce ne serait déjà pas si mal. Ça vaut cher, une maison pareille. Et puis les Lecca, c'est une bonne famille. »

– Vous avez déjà vu des pièces pareilles? demanda brusquement Mme Lecca en sortant le napoléon de la poche de sa blouse.

Mme Anicet le prit et l'examina, perplexe.

– Je dois avouer que ça faisait bien longtemps que je n'avais pas vu de pièce d'or, dit-elle en la rendant. C'est sans doute un souvenir...

Elle eut l'impression d'avoir dit une bêtise et elle rougit vivement. Mme Lecca lui lança un regard perçant.

– Un excellent souvenir, répondit-elle sur un ton énigmatique. Un souvenir extraordinaire. Oui, c'est bien cela!

Elles se turent pendant quelques longues secondes. Mme Lecca dévisageait pensivement son invitée; enfin, elle brisa le silence :

– Il est temps de prendre le thé.

Elle sonna.

– Apportez-nous le thé, dit-elle à la bonne. Et surtout ne dites à personne que j'ai quelqu'un. A personne, vous m'entendez?

Elle se tut de nouveau et recommença à toiser Mme Anicet. Celle-ci se sentait de plus en plus mal à l'aise sous le regard froid et méprisant qui pesait sur elle. Elle regrettait d'être venue. Elle avait honte de sa robe de deuil et de ses souliers éculés. Pour se donner une contenance, elle fit semblant de s'intéresser aux tableaux. En fait, elle ne comprenait rien à cette peinture bizarre, monstrueuse. Elle devait pourtant dire quelque chose :

– Vous avez un art très personnel. Tout ce que je vois ici me trouble énormément. Vous êtes probablement une nature très expansive et vous restez toujours jeune...

Mme Lecca se leva en riant, s'approcha de Mme Anicet, lui prit la main et la serra fortement.

– Vous m'avez merveilleusement bien comprise, dit-elle d'un ton exalté. Je suis effectivement une femme qui ne peut accepter son âge sous aucun prétexte... Mais qu'est-ce qu'elle attend, cette imbécile? Il y a longtemps qu'elle aurait dû nous apporter le thé!

Elle alla ouvrir une porte et cria à la cantonade :

– Alors, ce thé, ma fille! Remuez-vous un peu!

Elle était très nerveuse. Elle s'assit, mais il était visible qu'elle tenait difficilement en place. Mme Anicet jugea le moment venu d'aborder le sujet qui l'amenait :

– J'ai été bien surprise en recevant votre lettre. Vous êtes si aimable! Je pensais justement à la joie de mon petit Petru...

On frappa sur ces entrefaites et Mme Lecca sursauta vivement.

– Chut! fit-elle, l'index devant ses lèvres, l'air affolé.

C'était la bonne qui apportait le thé. Les yeux ronds, Mme Anicet se demandait ce qui avait bien pu provoquer cette soudaine panique. Dès que la bonne fut repartie, Mme Lecca se leva, s'approcha de la porte, colla l'oreille au battant, écouta pendant quelques instants puis revint tout doucement.

– C'est une affaire trop importante, chuchota-t-elle. Les domestiques ne doivent se douter de rien, ils ne doivent même pas apprendre qui vous êtes!

Elle versa le thé et le sucra d'autorité. Il y avait quelques tranches rassies de cake au fond d'un plat trop grand, mais pas de citron ni de lait. Mme Anicet prit sa tasse d'une main tremblante. Elle ne parvenait pas à se faire à ce salon trop vaste, aux lumières aveuglantes, aux odeurs lourdes. Le thé était trop fort et, en même temps, sirupeux comme de la limonade tiède.

– Vous savez que votre fils est un voleur? demanda Mme Lecca à mi-voix. Il m'a volé des bijoux de valeur et plusieurs pièces d'or.

Mme Anicet eut l'impression de se vider de son sang. Elle voulut poser sa tasse sur le plateau, mais elle en renversa plus de la moitié sur sa robe et sur le tapis. Le liquide bouillant qui lui brûlait les genoux acheva de l'affoler.

– Ça ne fait rien, dit Mme Lecca en lui donnant une serviette. Le thé, ça ne tache pas.

Un souvenir qu'elle croyait oublié remonta à la mémoire de Mme Anicet avec une terrible netteté. C'était bien des années auparavant et Petru était encore petit. Il avait volé l'argent de la tirelire de son frère et l'avait dépensé avec deux ou trois galopins de sa classe. Ils avaient tous espéré – elle-même, Francisc et Pavel – que c'était une simple bêtise d'enfant qui ne se répéterait pas et elle avait prié son mari de ne pas le punir trop sévèrement. Mais voilà qu'il volait à présent des pièces d'or! Les paroles prononcées avec tant de naturel par Mme Lecca lui vrillaient le crâne. « Il faut que je fasse quelque chose, que je proteste, que je me lève et que je m'en aille, que je fasse quelque chose, n'importe quoi... » Mais elle était paralysée. Pâle, les lèvres pincées, elle ne pouvait détacher son regard du visage trop vivement éclairé de la maîtresse de maison.

– Voilà comment ça s'est passé, dit cette dernière d'un ton badin. Il a fait faire son mauvais coup par Annette. Vous savez qui est Annette... D'ailleurs, ces enfants sont amoureux, je crois même qu'ils s'embrassent dans les coins...

Mme Anicet écoutait sans dire mot, elle se plantait les ongles dans la paume des mains pour ne pas crier. Elle ne savait plus où elle se trouvait, elle ne comprenait pas ce qui lui arrivait. Elle ne participait pas à une scène réelle, elle faisait un mauvais rêve, un cauchemar grotesque dont elle se tirerait dès qu'elle réussirait à se réveiller.

– C'est donc lui qui l'a poussée à voler. Il ne vous a rien donné, à vous, même pas des boucles d'oreilles?

Mme Anicet rougit en entendant cette question, mais elle n'eut pas le temps de répondre. La porte s'ouvrit brusquement et Teddy Lupescu apparut sur le seuil. Elle s'arrêta, surprise de voir une inconnue au salon.

– Comment es-tu entrée? s'écria Mme Lecca, furieuse. J'avais pourtant tout fermé à clé!

Ce fut à ce moment-là que Mme Lecca se mit à pleurer. Teddy s'approcha d'elle à grands pas.

– Qu'est-ce qui se passe? Pourquoi pleurez-vous, madame?

– *Fiche-moi la paix* *! siffla Mme Lecca. *C'est la mère de cet imbécile d'Anicet. J'était justement en train* *...

Mme Anicet se leva, pâle et tremblante.

– *Madame, il est peut-être mieux de vous confesser que je comprends un peu le français* *, dit-elle en essayant de retenir ses larmes.

Mais elle n'y arriva pas. Elle retomba dans le fauteuil en sanglotant, la tête dans les mains.

– *Tant mieux pour vous, madame, si vous avez compris. Mais un vol sera un vol même si* *...

– Tais-toi! s'écria Teddy. Comment peux-tu oser...?

– Mon Dieu! Mon Dieu! entendit-on entre deux sanglots.

Mme Anicet était tellement humiliée qu'elle n'osait même plus lever la tête. Même si ce n'était pas vrai, même si ce n'était pas vrai... pourrait-elle jamais oublier ces paroles? Pourrait-elle jamais oublier cette honte devant témoin, dans cette maison de gens riches?

– Remettez-vous, madame, il s'agit d'un malentendu, dit Teddy.

– Pas du tout! s'exclama Mme Lecca d'une voix enjouée. Annette a volé mes bijoux et mes napoléons et elle les a donnés à Anicet! Et ça va être à la police de découvrir ce qu'il en a fait!

– Tais-toi, pour l'amour de Dieu! cria Teddy en se jetant sur son amie.

Son cri perçant effraya Mme Anicet. De nouveau, elle ne savait plus où elle se trouvait. Elle hocha la tête et se tassa doucement au fond du fauteuil. Elle s'évanouit sans un spasme, sans un soupir. Teddy continuait à crier :

– Tu es une criminelle, tu es infâme! Tu tourmentes cette pauvre femme par dépit! Tu perdras Annette aussi, tu peux me croire, tu la perdras!

Ses hurlements ne tirèrent pas Mme Anicet de son évanouissement, mais on les entendit dans toutes les pièces voisines, jusqu'au sous-sol et à l'office. Les domestiques se regardèrent, étonnées, et la plus jeune partit aussitôt vers le salon. Elle trouva Adriana devant la porte.

– Je crois que je devrais appeler Monsieur, lui dit-elle.

Et elle se dirigea vers le bureau sans réfléchir à ce qui risquait de lui arriver si sa patronne avait vent de son initiative. M. Lecca, une écharpe autour du cou et un vieux peignoir épais par-dessus sa redingote d'intérieur, sirotait une tasse de thé. Il s'était enrhumé en attendant Petru dans le parc. Il souffrait d'une toux convulsive, mais il refusait obstinément de garder le lit : pour lui, s'avouer malade signifiait ne pas se relever.

– Il y a Madame qui vous demande, Monsieur, dit la bonne. Elle est au salon de peinture avec une visiteuse.

Cette invitation sortait tout à fait de l'ordinaire. M. Lecca s'empressa de se lever. Il arriva au salon côté parc et trouva porte close. Des voix résonnaient à l'intérieur et il fut tenté d'écouter, mais cela lui parut tellement malhonnête qu'il s'éloigna au plus vite et fit le tour pour entrer par la porte opposée.

Une fois là, il laissa passer une quinte de toux puis frappa trois petits coups. Personne ne les entendit. Il se permit d'entrer après une minute d'attente. Il sursauta en voyant Teddy frotter à l'eau de Cologne les tempes d'une inconnue, tandis que la petite bonne, à quatre pattes, une bassine à côté d'elle, épongeait le tapis avec une serpillière.

En effet, quelques minutes plus tôt, au plus fort de la dispute, Teddy avait renversé par mégarde la théière. Mme Lecca contemplait toute la scène avec un calme olympien, comme si rien ne la concernait vraiment. Adriana, qui était entrée subrepticement sur les pas de la bonne, se faisait toute petite. Elle avait entendu une grande partie de la violente dispute entre les deux amies et appris que l'inconnue était la mère de Petru Anicet; curieuse, elle espérait bien pouvoir assister à la suite des événements.

L'entrée de M. Lecca, qui s'arrêta d'ailleurs sur le pas de la porte, passa complètement inaperçue. A ce moment-là, Mme Anicet reprit connaissance. Elle pleurait en tremblant de la tête aux pieds. Mme Lecca s'approcha d'elle.

– Il n'y a pas de quoi vous frapper comme ça, lui dit-elle.

– Tu es complètement inconsciente! s'écria Teddy en la repoussant brutalement.

– Voyons, je lui ai juste dit que c'était son fils qui avait poussé Annette à me voler, rien de plus!

M. Lecca s'avança dans la pièce, décidé à intervenir.

– Je me demande, dit-il gravement à sa femme, quel est le démon qui vous fait parler ainsi. J'ose même...

Teddy l'interrompit :

– Madame est la maman de Petru Anicet, le professeur de piano d'Annette.

M. Lecca s'inclina respectueusement tout en essayant de cacher d'une main l'écharpe nouée à son cou.

– Veuillez m'excuser, madame, de me présenter devant

vous dans cet accoutrement. Je ne suis plus depuis longtemps qu'un pauvre...

Ce fut cette fois-ci une nouvelle quinte de toux qui l'interrompit. Il porta les deux mains à sa bouche, furieux et honteux de sa maladie, de sa faiblesse, de sa vieille robe de chambre.

Mais Mme Anicet n'avait pas enregistré ce qu'il lui avait dit. Recroquevillée dans le fauteuil, elle ressassait sa honte. « Si tout cela pouvait finir, finir une fois pour toutes, si au moins ils éteignaient les lampes, pour ne plus me voir, pour que je ne les voie plus... »

– Permettez-moi de dire mon mot de chef de famille, reprit M. Lecca, et de vous présenter mes sincères excuses pour toutes les confusions... ou plus exactement pour la faute de notre fille... car, n'est-ce pas, il s'agit de la faute de notre fille... il va de soi que monsieur votre fils ne saurait en être rendu responsable...

On entendit un cri perçant, un cri aigu qui monta et se cassa brusquement, un cri d'enfant qui se noie. Il avait été si déchirant dans sa brièveté, ce cri, qu'ils en frémirent tous. Le regard fixe, la bouche entrouverte, Mme Anicet était terrifiée. Mme Lecca s'immoblisa, un bras en l'air, comme statufiée; son sang se glaça dans ses veines.

Ils trouvèrent Annette par terre derrière la porte, sans connaissance.

VI

– Allons ailleurs, c'est mortel ici, proposa Alexandru en se levant.

Il était entré dans ce café avec Petru parce qu'il l'avait rencontré boulevard Academiei et qu'il avait trop de choses à lui dire pour rester dehors par ce froid. Il voulait lui raconter d'abord les dernières phases de sa rupture avec

Valentina, c'est-à-dire la lettre de Puşcariu père à oncle Dem et sa propre dispute avec David Dragu. Il voulait lui parler ensuite de sa décision irrévocable de créer un cercle d'action politique organisé sur des bases entièrement nouvelles (écoles de chefs, exaltation de la personnalité et des valeurs individuelles prenant appui sur la collectivité, technique de la fortification de l'individu canalisant l'énergie collective, etc.). Petru se moquait bien de toute cette politique. Mais cela faisait longtemps qu'il n'avait pas vu son ami et il se réjouissait de l'avoir rencontré. Quel que fût le sujet abordé par Alexandru, c'était toujours de lui qu'il parlait, de ses passions et de ses audaces, ce qui ne manquait pas d'intéresser Petru. Surtout un jour pareil, où sa propre solitude l'exaspérait et où il cherchait quelqu'un capable de le secouer, de le tirer de son repli sur soi.

Quand ils sortirent du café, il faisait déjà nuit et il neigeait à gros flocons serrés, comme au plus fort de l'hiver. Les trottoirs se recouvraient d'une fine couche encore immaculée qui brillait de mille feux dans la lumière des réverbères. En une heure seulement, Bucarest était passée du crépuscule à la féerie nocturne.

– Qu'est-ce que tu penses de toute cette neige? demanda Alexandru.

Petru regarda tout autour, il écarta les bras en croix puis les replia brusquement contre son corps. Il se sentait bien, heureux. Tant de sentiments se mêlaient dans sa joie qu'il ne savait lequel exprimer d'abord.

– Je suis plus libre comme ça, répondit-il au hasard. J'ai l'impression de renaître.

Il avait renoncé à rentrer dîner à la maison. Il resterait avec Alexandru. Il y avait longtemps qu'il n'avait pas passé toute une nuit avec un ami, longtemps qu'il n'avait pas vécu plusieurs heures de suite une camaraderie virile, stimulante, propice aux controverses et aux confessions. Depuis sa liaison avec Annette et sa séparation de Nora, il réalisait combien elle était étriquée, cette vie qu'il partageait entre des femmes (sa mère et sa maîtresse) et sa solitude. Il lui restait encore pas mal d'argent, qu'il gardait toujours sur lui, excepté, bien entendu, les mille lei qu'il avait remis à sa mère pour les besoins du foyer.

Alexandru se rappela le nom d'une gargote située derrière la gare du Nord; il n'y était jamais allé, mais il en avait entendu parler plusieurs fois. Ils reprirent leur conversation dans le taxi qui les y emmenait.

– C'est drôle, depuis que j'ai rompu avec Valentina, je pense moins à Viorica. Tu sais, Viorica Panaitescu...

– Les passions meurent toujours à plusieurs, déclara sentencieusement Petru. J'ignore si la psychologie a déjà découvert cette loi, mais, pour ma part, je l'ai vérifiée pas mal de fois.

– Tu tiens donc tant à la mort des passions? Moi, je me sens encore le goût de les provoquer et de les faire se succéder.

Petru réfléchit avant de répondre, comme s'il poursuivait une idée trop touffue pour pouvoir l'exposer.

– Je ne sais pas ce que tu entends par là, finit-il par dire. Moi, je voudrais changer l'essence des passions, en transformer les structures... c'est difficile à expliquer... En tout cas, je refuse de les accepter comme données une fois pour toutes. La mort des passions... Oui, il pourrait s'agir d'une mort puisque je les transsubstantie, je tue leur essence : leur dynamique, leur germe tragique...

Le taxi s'arrêta devant le troquet. Alexandru sortit un billet de son portefeuille et paya le chauffeur. Il neigeait toujours aussi dru.

– ... Leur germe tragique, leur tendance à dépasser les limites, à annihiler l'individu. N'est-ce pas là le caractère essentiel des passions?

Alexandru n'écoutait que d'une oreille. A en juger d'après sa façade, le petit restaurant était moins miséreux que ce qu'on lui avait rapporté. La neige n'avait pas encore recouvert les lampes qui éclairaient l'enseigne de part et d'autre. A droite, une porte peinte en vert donnait probablement sur le jardin d'été. Sur le trottoir, des lauriers-roses qu'on avait oublié de rentrer semblaient se rabougrir de froid dans leurs caisses.

Ils entrèrent dans une salle assez bien éclairée, dont la

plupart des tables étaient occupées par une clientèle composite formée surtout de petites gens. Ça sentait fort le vin nouveau et la viande fumée. Les yeux de Petru brillèrent tout à coup.

– J'ai une envie folle de m'enivrer, dit-il.

Ils enlevèrent leurs pardessus et un garçon un peu obséquieux les conduisit à une table retirée. Plusieurs personnes les suivirent du regard tandis qu'ils traversaient la salle. Alexandru commanda pour commencer un pichet d'alcool de prune, que suivraient du vin et de la viande fumée.

– Je suis drôlement content de t'avoir rencontré! s'exclama Alexandru. C'est rare de s'entendre aussi bien avec quelqu'un...

– Détrompe-toi, ce n'est qu'une apparence. Au fin fond de moi-même, tu restes malgré tout un étranger. Je suis parfois écœuré par ta vulgarité, par cette manie de vouloir te mêler aux gens, te perdre parmi eux afin de parvenir à les dominer...

– Mais toi aussi tu veux t'élever au-dessus des autres pour les dominer! coupa Alexandru.

– Non, moi je ne veux rien. Moi, *je me sens* au-dessus des hommes. C'est peut-être pourquoi je ne peux pas les aimer comme je le souhaite quelquefois. Je suis tellement différent des autres hommes, de tous les autres, toi y compris!

– Tu ne m'avais jamais dit ça.

– Si, mais tu l'oublies toujours. Je m'entends avec toi sur beaucoup de questions essentielles. Et pourtant... Il y a quelque chose de négatif en toi, quelque chose de diabolique et donc de raté. Voilà ce qui t'incite sans cesse à passer aux actes, voilà ce qui te pousse vers tes semblables et surtout vers les femmes. Peut-être parce que tu es incapable de créer. C'est là que nous sommes différents, c'est là qu'est la grande frontière entre nous deux. Moi, je crée. Tu fais quoi, toi?

Petru posa cette question sur un ton si brutal qu'Alexandru sentit tout son sang lui affluer dans les joues; il répondit avec vivacité :

– Ma vie, qui n'en est qu'à ses débuts, sera plus grandiose

que n'importe quelle œuvre, qui n'importe quelle création! Ce sera une vie héroïque, et d'ailleurs elle commence déjà à l'être!

– Tu n'as pas compris. L'œuvre a peu d'importance et ce n'est pas de ça que je parlais. Ce que je mets en doute, c'est justement ta vie. Qu'est-ce que ça signifie, une vie héroïque? D'Annunzio aussi a eu une vie héroïque, et tant d'autres qui sont morts à la guerre. C'est autre chose, autre chose qui te manque...

– Tu vas finir par me fiche le cafard, dit Alexandru en riant. Buvons plutôt!

Ils trinquèrent et Petru fit cul sec.

– Ce qui te manque, reprit-il, c'est ce que j'ai longtemps craint ne pas avoir moi-même... Créer, écrire la plus belle de toutes les musiques, réaliser les rêves de Beethoven (le seul à compter), avoir la gloire et l'argent, tout cela est bien beau – et après? *et après?* En fait, ça ne représente pas grand-chose... Et ce n'est pas à cela que j'aspire, mais à découvrir quelque chose d'ultime, de fondamental et d'immuable dans l'univers des formes! s'exclama-t-il d'une voix solennelle qui masquait mal son émotion.

Il remplit son verre et le but d'un trait.

– Mais c'est de la métaphysique! s'écria Alexandru. Ça fait longtemps que tu tâtes de ce poison?

– Ce n'est pas de la métaphysique. C'est le destin des Anicet. Et ne va pas croire que je te parle de la sorte pour t'impressionner ou parce que j'ai bu deux petits verres d'alcool... Non, j'y ai beaucoup réfléchi dernièrement. Il y a longtemps que j'ai compris la mort de mon père et le suicide de Pavel, oui, il y a longtemps... Seulement, moi, je ne mourrai pas; moi, je les vengerai, sur mon champ de bataille...

Il se versa un troisième verre de prune. Le bruit, la fumée, les odeurs, tout l'isolait un peu plus, l'éloignait un peu plus des autres.

– Eux, ils n'ont pas créé, tandis que moi, je crée. Eux, ils n'ont pas trouvé cette réalité ultime que, moi, je découvrirai. Je la découvrirai par la création, Alexandru! Pouvoir créer *n'importe quoi,* pouvoir surpasser n'importe lequel des génies musicaux, et pourtant demeurer *au-dessus,* indifférent à son œuvre, neutre, impassible, telle est la voie! On n'a pas le droit de se moquer de la création tant qu'on ne l'a pas engendrée, tant qu'on n'a pas surpassé tous les créateurs du monde. C'est seulement après qu'on peut s'approcher...

– S'approcher de quoi? demanda Alexandru en souriant.

– Je ne sais pas. Mais je sens qu'il s'agit de quelque chose d'ultime, de *vrai,* au-delà de toutes les formes et de toutes les vies qui vous consument, vous autres, qui vous consument inutilement jusqu'à la mort... Bref, ce ne sont pas des choses communicables et, en plus, elles ne sont pas gaies du tout... Parlons d'autre chose. Je me sens presque heureux ce soir. Heureux et assoiffé...

Il se mit à grignoter de la viande fumée et se versa son premier verre de vin de la soirée. C'était un petit vin rouge un peu trouble qui sentait encore son raisin.

Miticà se tenait à sa fenêtre depuis un bon moment. Il fumait en regardant les flocons passer lentement dans le halo des réverbères. Cela le distrayait, dispersait ses idées noires. Il avait eu une mauvaise journée. Son directeur lui avait encore fait des remarques (elles se multipliaient depuis que Gheorghiu père était en disgrâce dans les instances supérieures du parti) et « les cousines » lui avaient encore demandé de l'argent. Il était donc rentré à la maison de mauvaise humeur, mais la neige qui ne cessait de tomber depuis quelques heures lui remontait le moral. Il passa en revue ses vêtements d'hiver, essaya un chandail, fit des plans de patinage. Tout pouvait changer, tout pouvait s'améliorer, peut-être même lui, semblablement à cette rue soudain purifiée, tout à l'heure grise et sale, à présent d'une blancheur immaculée.

Depuis qu'il était revenu de Vienne, Miticà avait tenté plusieurs fois de se reprendre en main. Les premières nuits, il les avait passées dans des boîtes à s'enivrer en écoutant des orchestres tziganes. Mais il avait vite compris qu'il devait se débarrasser de ce vice sans tarder, car les gens commençaient déjà à jaser. Il avait eu honte et s'était promis de cesser de boire. Il s'était enfermé toute une journée chez lui et avait lu, fait du punching-ball, écrit des lettres. Il avait ainsi tenu le coup jusqu'au soir. Cependant, lorsque la nuit était tombée et que s'étaient allumées les lumières de la ville, le combat était devenu trop inégal. Il avait enfilé son pyjama – en vain; il avait bu coup sur coup plusieurs verres de limonade – en vain. Un feu violent dévorait ses entrailles, une solitude et une anxiété que les cigarettes étaient bien incapables de chasser. Ses mains tremblaient, son cœur battait de plus en plus fort. Il avait sauté du lit, s'était rhabillé et il était parti à pied vers son bistrot préféré. Depuis, il s'enivrait chaque nuit. Mais il devait souvent changer d'endroit, sinon « les cousines » le dénichaient aisément et le ramenaient à la maison.

Il les avait retrouvées d'une drôle de façon. Un soir, dans un cabaret proche du parc Carol, au moment de payer, il s'était aperçu qu'il n'avait pas d'argent sur lui. Le patron, qui le connaissait, l'avait laissé partir, non toutefois sans garder sa montre en gage. Rentrant à pied, Miticà était passé à proximité du domicile des « cousines du Devonshire » et, comme il était encore tôt, il était entré pour leur dire bonsoir.

– Elles ont déménagé il y a tout juste un mois, lui avait appris le concierge, qui n'avait fait aucune difficulté pour lui donner leur nouvelle adresse.

C'était dans le même quartier et Miticà s'y était rendu aussitôt. Grands cris de surprise et de joie, grandes embrassades. Elles avaient un invité : un jeune et fringant sous-lieutenant qui leur chantait des romances à la mode dont il modifiait les paroles, certes pas pour les rendre plus décentes. Ils avaient sympathisé immédiatement et, Miticà ayant raconté en riant la mésaventure grâce à laquelle il se trouvait là, l'une des deux jeunes femmes avait voulu lui prêter de l'argent. Il l'avait vivement remerciée, touché par cette marque de confiance, mais il avait refusé. Le lendemain après-midi, quand il était retourné au cabaret du parc Carol, le tenancier lui avait annoncé que sa dette avait été réglée par « une jolie demoiselle blonde ». Miticà avait retiré sa montre et, après avoir fait quelques courses, était allé chez ses amies les bras chargés de cadeaux. Depuis lors, il leur rendait visite régulièrement et l'une d'entre elles, s'étant attachée à lui, essayait de l'empêcher de boire. Elle savait toujours où aller le chercher quand elle ne le voyait pas venir à partir d'une certaine heure...

Ce soir-là cependant, Bucarest était si propre de blancheur que Miticà débordait d'espoir. La veille au soir, il était rentré tôt et s'était couché sans ressortir. « Les cousines » n'avaient pas le droit de monter chez lui, il les autorisait seulement à demander de ses nouvelles au concierge ou à la femme de ménage.

– La liberté d'un homme est plus précieuse que son honneur, leur avait-il dit un jour.

Il neigeait. Il se souvint d'une gargote qu'il avait découverte récemment et où il s'était bien amusé. Il jeta sa cigarette et s'éloigna de la fenêtre. Il avait la gorge sèche, brûlante. Une deuxième soirée de thé et de limonade, non merci! La neige l'appelait dehors. Il s'habilla rapidement, compta son argent et sortit. Dans le couloir, il croisa la femme de ménage.

– Il y a les deux demoiselles qui sont venues. Tout à l'heure, elles vous attendaient encore en bas.

– Rendez-moi un service : allez voir discrètement si elles y sont encore.

Lui, impatient mais prudent, il attendit la réponse en haut avant de descendre.

Mme Anicet ne savait pas depuis combien d'heures elle marchait dans la neige. Elle ne sentait plus le froid, elle ne sentait plus la fatigue. Par moments, sans s'en rendre compte, elle laissait échapper un râle étouffé, un vague soupir, quand elle revoyait la figure violemment éclairée de Mme Lecca, quand elle réentendait sa voix rauque, son rire pointu. C'était ensuite ce cri d'enfant déchirant, des gens qui se précipitaient, qui trébuchaient autour d'elle, Teddy Lupescu qui revenait en portant dans ses bras une jeune fille évanouie, une jeune fille pieds nus... « C'est notre fille qui a volé, c'est notre fille », répétait M. Lecca; il tenait à la main une écharpe dont il ne savait que faire, qu'il essayait de cacher dans son dos. Mme Lecca regardait sa fille en roulant des yeux ronds, elle avait l'air de sortir d'un profond sommeil et d'attendre hébétée tout un enchaînement de catastrophes...

Mme Anicet avait profité de ce remue-ménage pour s'éclipser. Elle avait retrouvé toute seule le vestiaire, y avait pris son manteau et s'était sauvée. Au bout du parc, quelqu'un l'avait rattrapée. C'était Teddy Lupescu :

– Pardonnez-lui, madame, s'il vous plaît, pardonnez-lui! C'est une folle, une pauvre malade!

Avait-elle répondu? Oui? Non? Elle ne s'en souvenait pas. Elle avait senti quelque chose de froid sur la figure. C'étaient de gros flocons, lourds et doux. Il neigeait comme en plein hiver. Les sapins avaient une drôle d'odeur, une odeur de sanatorium, d'arbre de Noël. Un voyage dans les Alpes avec Francisc, un hiver, il y avait bien longtemps. *Madame et Monsieur Anicet, ingénieur, Roumanie* *, avait-il écrit dans le registre de l'hôtel. « *C'est la mère de cet imbécile... J'étais justement en train* *... » A présent, le souvenir de ces mots ne l'humiliait plus. Tout s'était effondré, irrémédiablement. Ni humiliation, ni souffrance, ni peur – il n'y avait plus rien. Pouvoir marcher ainsi sans cesse, marcher, marcher, sans jamais s'arrêter...

Elle crut entendre le crissement d'un traîneau. « Non, ce n'est pas possible, la neige se pose à peine. Elle est bizarre, d'ailleurs. Elle a la même odeur qu'à la montagne ou qu'à la campagne. Il a dit qu'il rachèterait Arvireşti, Petru. Il a dit qu'il y ferait amener Francisc et Pavel. Et moi aussi, moi aussi... Francisc, à la première neige, il mettait toujours les assiettes dehors... Il ramassait de la neige et il se frottait la poitrine avec. Il faisait rouler Pavel tout nu dans la neige... » Elle s'arrêta brusquement et regarda autour d'elle. Non, il n'était pas là. Il y avait bien longtemps qu'il n'était plus là...

« ... Du caviar, comme à Arvireşti... Il a volé pour la deuxième fois... Et pourtant, rien n'a plus d'importance, ni le vol, ni le scandale, ni la douleur... Mon garçon, mon garçon... " Notre puîné ", disait Francisc... " Tu vas avoir du mal, disait-il, étendu dans le grand lit à hauts montants jaunes, quelques jours avant sa mort. Du mal, toute seule... " »

Elle finit par se retrouver dans une grande place éclairée *a giorno.* Sous les lumières multicolores, la neige scintillait comme un tapis de paillettes, mais elle avait perdu sa bonne odeur d'antan. « Il doit être tard », pensa-t-elle avec indifférence. Elle ne savait pas dans quelle partie de la ville elle se trouvait – sans doute près du centre. Elle vit un taxi arrêté. Elle donna son adresse au chauffeur, monta et se recroquevilla, épuisée, sur la banquette. « Si au moins je pouvais pleurer... » Rien ; ni souffrance ni regret. Une totale indifférence à tout et à tous. Une irrépressible envie de sommeil... Pendant un instant, elle se reprocha de trop dépenser en taxis : et si Petru allait manquer d'argent ?

Le taxi roulait dans des rues qu'elle ne reconnaissait pas. Il neigeait de plus en plus fort. Il n'y avait pas de vent, et les flocons tombaient bien droit, comme de longues balafres dans la nuit.

– Contempler, dit Petru, contempler après s'être prouvé à soi-même qu'on peut créer, qu'on peut donc *être* tout ce qu'on veut – voilà mon seul rêve, mon rêve de maturité ! Pour le moment, j'ai une formidable envie de travailler, de créer. C'est ma façon de concevoir *l'action.* Toute autre sorte d'action me paraît inférieure, stimulée du dehors ou par nos propres insuffisances. La seule qui soit efficace, la seule où on ne risque pas de s'humilier ou de s'égarer, c'est la création, le trop-plein des rêves et des forces. Mais c'est également une action. Ah! pouvoir la dépasser, celle-là aussi, la sentir à son tour en dessous de nous, en dessous de... de... J'ai trop bu et je ne sais plus très bien ce que je dis, ce que je veux dire... Et pourtant, je sais qu'il existe autre chose, *autre chose,* Alexandru, derrière toi, derrière moi, derrière... je ne sais pas comment te l'expliquer...

– Oui, tu as trop bu. Tu es saoul, et moi aussi d'ailleurs. Mais on s'en fiche. On dit toujours des choses plus belles quand on est saoul...

– Il ne s'agit pas de belles choses! Je ne sais même pas ce que tu appelles des belles choses... Mais moi, des fois, je me rends compte que j'ai tellement de force en moi, que ça me fait peur. Est-ce qu'un beau jour j'aurai le courage de l'abandonner, cette force? Est-ce que je pourrai renoncer à mon pouvoir de déplacer les montagnes, de faire pleurer le ciel, d'obliger l'enfer à s'ouvrir? Parce que, des fois, je me sens capable de tout, de tout! Mais j'ai payé pour ça, j'ai payé cher!

Il attrapa la bouteille et remplit son verre à ras bord. Il n'eut pas le temps d'y tremper ses lèvres : un fracas assourdissant les fit sursauter tous deux. A quelques tables de la leur, quelqu'un avait jeté de toutes ses forces une bouteille pleine sur le plancher. Toutes les conversations cessèrent. Une cigarette entre les doigts, Miticà Gheorghiu – car c'était lui – se tenait debout, très droit, presque guindé.

– Ben quoi! je la paierai, puisque c'est pour ça que je l'ai cassée, pour la payer! Et j'en casserai d'autres... Hé! chef, vous avez pas de musique ici?

Il avait posé sa question au garçon, mais il s'adressait en réalité à toute la clientèle. Il fit même un clin d'œil à Petru et Alexandru.

– Elle sera là tout de suite, la musique, répondit le garçon, accommodant, tout en nettoyant par terre.

Petru reposa son verre sur la table. L'incident l'amusait.

– Sensationnel, le type, chuchota-t-il, et terriblement roumain. Il doit avoir un chagrin d'amour...

– Tu es bien sûr de ne pas en avoir un aussi? demanda pour rire Alexandru. C'est que tu as le même besoin de musique que lui, toi aussi... Je me méfie drôlement de vous, les musicos!

Petru ne releva pas le défi. Il épluchait une pomme, lentement, soigneusement, pour voir dans quelle mesure il contrôlait encore ses gestes. Il se sentait merveilleusement bien. Il avait bu assez pour oublier la solitude dans laquelle il vivait depuis quelque temps. Ils avaient beaucoup bavardé et tout ce qui était arrivé dernièrement à Alexandru le lui rendait plus proche. Incontestablement, Petru nageait dans l'euphorie.

– Cette contemplation, dit Alexandru, cette contemplation qui te tente, j'ai bien peur que ce soit un dépassement trop rapide de la jeunesse. Essaie plutôt de rester tel que tu es, de rester un *hooligan,* comme dit David quand il veut nous définir...

Petru éclata de rire :

– Ah! bon, c'est ce qu'il dit de nous? C'est encore trop d'honneur!

Et il vida son verre de vin.

Mme Anicet alluma une lampe à pétrole dans l'entrée et enleva lentement son manteau. Ses gestes étaient las. Elle alla ouvrir la porte de la chambre de Petru. « Il n'est pas rentré; ça vaut peut-être mieux... Bien qu'il ait sans doute froid, dehors sans pardessus, par ce temps... » Elle eut l'impression de sentir une larme au coin de son œil droit. Elle s'essuya avec ses doigts – elle s'était trompée, il n'y avait pas de larme. Il faisait seulement froid dans la chambre, froid et humide. Il y avait longtemps que le feu s'était éteint. « Il faudrait que je le rallume, dans sa chambre au moins... » Elle craqua une allumette, mais il n'y avait que du papier et du petit bois. Elle était trop fatiguée, trop faible, pour ressortir dans la cour et aller chercher des bûches sous l'appentis, puis les ramener dans la neige. Elle alluma les papiers et se réchauffa les mains à leur flamme. « Où peut-il bien traîner toute la nuit, ce garçon? »

Elle se redressa et, la lampe à la main, s'en alla à pas lents dans sa chambre. Il y faisait froid. Sous les petites fenêtres basses, la neige s'amoncelait. Elle jeta un long regard indifférent autour d'elle. La bonne pensée, la pensée du début, celle qui seule lui avait donné la force d'arriver jusque-là, de surmonter tous les obstacles, recommença à l'obséder. Elle se signa, d'un grand geste incertain. Elle chercha une feuille de papier. Ses yeux tombèrent sur le calendrier. Il marquait encore le 16 novembre et elle en arracha posément neuf feuilles. Puis elle retourna dans la chambre de Petru, vit un bloc-notes sur sa table et y écrivit péniblement, en se mordillant sans cesse la lèvre inférieure :

Pardonne-moi, mon petit Petru, comme je te pardonne. Car maintenant te voilà seul au monde.

Elle posa le bloc-notes sur le piano et sortit sur la pointe des pieds, comme si elle avait peur de réveiller quelqu'un.

A chaque minute qui passait, elle se sentait un peu plus faible, un peu plus lasse. Elle essayait de chasser la bonne pensée, la pensée du début. « Mais demain, Seigneur, de quoi sera fait *demain?* » Elle hocha la tête. Elle prit la lampe à pétrole et se dirigea vers la petite pièce du fond. Dans le couloir, la flamme vacilla. Dehors, le vent s'était sans doute levé... Elle poussa une chaise contre le mur, la cala, y monta, étendit le bras droit et tâtonna tout doucement sur le dessus de l'armoire à linge. Elle eut un peu de mal à tirer la corde. C'était une corde longue et lourde, bien longue pour sa pensée. Elle poussa un soupir de fatigue en redescendant de la chaise. La lampe au bout du bras, elle leva les yeux et commença à chercher.

***

Tard, bien après minuit, Miticà vint s'asseoir à la table d'Alexandru et de Petru sans leur demander la permission. Un violoneux le suivait, continuant à jouer l'air qui lui plaisait tellement ce soir-là.

– Fous le camp! hurla Miticà. Envoie-toi un litron et rentre chez toi! Va apprendre autre chose!

Puis il tourna vers les deux amis un regard fiévreux; on eût dit qu'il devait récupérer d'urgence un objet précieux perdu depuis longtemps et dont il ne savait pas comment retrouver la trace.

– Comment vous vous appelez? leur demanda-t-il.

– Ionescu, répondit Alexandru sans se démonter.

– Tiens! moi aussi, je m'appelle Ionescu, éructa Miticà.

Il avait envie de casser, de cogner, ou bien de pleurer, la tête sur la table. Il était complètement ivre, et ça lui plaisait. C'était à peine s'il pouvait encore tenir son verre. Il l'avait d'ailleurs renversé à plusieurs reprises et son pantalon était copieusement arrosé, mais il éprouvait une espèce de volupté à s'enfoncer dans cette déchéance.

Il resta songeur un moment, observant en silence ses nouveaux compagnons. Tout à coup, il se frappa le front. Il venait de se souvenir d'une chose qui, vu son état, lui semblait de la dernière importance.

– Il faut que je vous les présente, les gars! s'écria-t-il. C'est des petites faites pour vous! Instruites mais pas mijaurées, comme dans le Devonshire, ha! ha!

Il riait à gorge déployée, trouvant des plus cocasses son idée de leur présenter « les cousines ».

– Il s'agit d'amies à vous? demanda Alexandru pour dire quelque chose.

– De mes seules amies, répondit Miticà, brusquement triste. Il y a bien eu une fille que j'ai aimée, que j'ai aimée comme un dingue, que j'ai aimée à en crever... Mais un jour je l'ai foutue à poil dans des waters...

Il s'interrompit et se prit la tête dans les mains. Ses pensées devenaient de plus en plus troubles. Il ne savait plus très bien où il se trouvait ni qui étaient ces deux gars, ivres aussi, qui l'écoutaient la cigarette au bec et les coudes sur la table.

– Je l'ai foutue à poil et je me la suis tapée... Et pourtant ça n'y change rien, nom de Dieu, *ça n'y change rien!*

Il se mit à pleurer, d'une façon si bizarre, si « lointaine », qu'au début Alexandru et Petru ne s'en aperçurent même pas.

– Toutes les mêmes, les gonzesses, toutes les mêmes!

A présent, il sanglotait. Il lâcha son verre, qui se renversa tout entier sur la table. Petru repoussa vivement sa chaise pour ne pas se faire tacher, tandis qu'Alexandru s'écartait un peu en souriant.

– Il ne va plus nous lâcher, ce type, chuchota Petru. N'empêche que j'avais vu juste : il noie un chagrin d'amour.

Miticà, l'œil sombre, releva fièrement la tête, essuya ses larmes et cracha par terre, méprisant.

– Quel gâchis, dit-il à mi-voix, quel gâchis!

Petru rentra presque à l'aube. Pendant qu'ils cherchaient un taxi, le froid l'avait dégrisé. « J'avais vraiment besoin d'une nuit pareille, d'une nuit vulgaire, pour briser un peu ma solitude », pensait-il, confortablement installé sur la banquette arrière.

Il régla la course et descendit. Il eut du mal à ouvrir la porte de la cour, à moitié bloquée par la neige, qui commençait à former des congères. Il entra tout doucement dans la maison pour ne pas réveiller sa mère et alla directement dans sa chambre. Le froid qui y régnait le surprit. Il tâta le poêle : glacial. C'était bien la première fois qu'elle oubliait d'entretenir le feu. « Depuis un certain temps, elle est de plus en plus fatiguée, la pauvre. Tant pis, je vais vite me déshabiller et me fourrer sous l'édredon. » Il remarqua à ce moment-là la tache blanche que faisait son bloc-notes posé sur le piano. Il avait l'habitude des mots qu'elle lui laissait quand il rentrait tard (une visite en son absence, une course à faire le lendemain), de sorte qu'il se mit à lire tranquillement le message, à la flamme d'une allumette. Il le lut deux fois sans comprendre. Tout à coup il eut très peur et il courut dans le couloir, la boîte d'allumettes à la main. Devant la chambre de sa mère, il en alluma une. La porte était grande ouverte. Il n'osa pas entrer. Il attendit, immobile, jusqu'au moment où l'allumette s'éteignit en lui brûlant les doigts. Il en alluma une deuxième, s'avança, franchit le seuil. Il vit une grande ombre qui descendait du plafond. Son cœur cessa de battre. Il ouvrit la bouche, mais son cri lui resta dans la gorge. Chancelant, il dut s'appuyer contre le chambranle. Tout cela avait duré quelques secondes seulement. Il fit brusquement demi-tour et se sauva, il traversa en coup de vent le couloir et le vestibule, descendit dans la cour et se mit à courir en trébuchant dans la neige. Il s'arrêta contre la clôture. Il ramassa un peu de neige et se frotta les tempes avec, puis il passa un long moment à contempler les arbres blanchis. Ensuite, il se mit à tourner en rond, la tête basse.

Il neigeait maintenant moins fort, à petits flocons épars. Le froid de plus en plus mordant rappela Petru à la réalité. Cependant, il n'avait pas le courage de rentrer. Il se dirigea alors vers la maison voisine, où habitait une sage-femme qu'il connaissait assez bien, et frappa vigoureusement à la porte. Il entendit une voix mais, ne comprenant pas ce qu'on disait, il continua de frapper, de plus en plus fort... « Je me pendrai, lui avait-elle dit, un jour tu me retrouveras pendue... » oui, elle l'avait prévenu...

Enfin la porte s'ouvrit.

– Excusez-moi, dit doucement Petru à la sage-femme. Maman s'est... Maman est morte... Si vous voulez bien venir m'aider...

Puis il retourna tout seul à la maison, rapidement, d'un pas ferme.

VII

Le ciel était serein. Il avait neigé quelques journées de suite, et puis le soleil était réapparu dans toute sa splendeur. Dans le quartier, la neige n'avait pas encore eu le temps de virer à la boue.

Beaucoup de monde attendait devant la maison. Il y avait même quelques conduites intérieures. M. Baly, très grave, tout en noir, se tenait sur le trottoir.

– Vous suivrez le cortège jusqu'à proximité du cimetière, dit-il à son chauffeur. Là, quand je vous le dirai, vous tournerez à droite.

Les croque-morts sortirent le cercueil et le portèrent à travers la cour envahie par la foule. Seules quelques voisines pleuraient. Petru marchait à côté, amaigri, pas rasé, les yeux rouges et cernés, mais sans trahir la moindre émotion. Il fut aussitôt la cible de tous les regards. Lui, il ne voyait personne. Il marchait comme un automate, les bras presque raides le long de son corps. Ses amis baissèrent les yeux lorsqu'il passa devant eux. Au moment où il allait sortir de la cour, une jeune femme s'élança et lui saisit la main pour la baiser.

– Pardon, Petru!

C'était Nora, vêtue de noir, pâle, pas fardée. Petru sourit, lui caressa légèrement la tête et passa son chemin. Il attendit tranquillement pendant qu'on disposait les couronnes. Sur l'une, on pouvait lire : *« La famille Lecca, avec un profond chagrin. »* Une gerbe immense portait les initiales de M. Baly, l'ami et le protecteur, celui qui payait les funérailles. Sur le trottoir, serrés les uns contre les autres, Liza, David, Adriana et Alexandru.

– Ne lui dites rien, murmura David.

Il paraissait vieilli. Il portait une grosse serviette noire, étant venu aux obsèques directement de son lycée. A côté de leur petit groupe, Mme Dragu, Getta et d'autres connaissances. Adriana pleurait au bras de Liza. Lorsqu'on eut fini d'installer les couronnes et que le corbillard s'ébranla, quelqu'un amorça un lamento traditionnel. C'était la sage-femme. Petru attendit, respectueusement mais froidement, qu'elle en eût fini, pour se mettre à la tête du cortège. D'ailleurs, elle s'interrompit assez brusquement, car aucune autre pleureuse ne s'était jointe à elle, et l'on put partir. M. Baly avait pris ses dispositions afin que l'enterrement eût lieu très tôt et, en effet, on s'était mis en route avant trois heures et demie. La neige brillait au soleil d'une lumière aveuglante, mais le froid était vif et personne ne fut mécontent de se mettre en marche.

– Ne lui dites rien, répéta David

Car il redoutait les consolateurs. Il préférait voir Petru seul derrière le corbillard, et ses amis à quelques pas en arrière. D'ailleurs, tout le monde n'était pas là. Ainsi Annette, bien malade, et son père, à qui les médecins avaient également ordonné de garder le lit. En revanche, la mère de Nora était venue, ainsi que Iorgu Zamfirescu, qui se faisait tout petit en queue du cortège.

Ils n'arrivèrent au cimetière qu'à cinq heures, presque au crépuscule, bien que le cocher eût mené ses chevaux assez vite. Ce fut d'ailleurs pour cette raison que M. Baly invita Liza et Adriana à monter à côté de lui. Adriana accepta avec soulagement, tandis que Liza préférait continuer à pied, aux côtés de David. Ils ne parlaient pratiquement pas, mais il était évident qu'ils pensaient moins à la mort de Mme Anicet qu'à celle de leur père et de Pavel.

– Quelle mort tragique, dit M. Baly à Adriana, qui ne pouvait pas s'empêcher de pleurer. On dirait qu'un destin poursuit les Anicet!

Au cimetière, la fosse était prête. Adriana se trouvant avec lui, M. Baly dut aller jusqu'au bout, malgré sa répulsion pour ce genre de spectacle, mais il ne s'approcha pas de la tombe. Du reste, à part Petru, seuls Alexandru, David et Liza assistèrent de près à la cérémonie. Les autres se tinrent légèrement à l'écart. C'était le seul enterrement ce jour-là et le cimetière en paraissait encore plus lugubre. Petru embrassa une dernière fois le front de sa mère, puis il fit signe aux croque-morts qu'ils pouvaient visser le couvercle.

– Par ce froid, elle va bien se conserver, Mme Anicet, dit la sage-femme. Elle va rester belle et entière jusqu'au printemps!

Le pope dit la messe, mais Petru n'entendait rien d'autre que les mottes de terre qui retombaient sur le cercueil et dont le bruit sourd l'apaisait : « Maman est enfin arrivée à bon port, elle est débarrassée de nous! » Il revit en même temps avec une précision extraordinaire, vivants et chauds, les visages de son père et de son frère... « Mais pas ici, ils ne peuvent pas rester ici... »

Des sanglots stridents lui firent tourner la tête. C'était Nora, qui se débattait dans les bras de sa mère.

– Pardonne-moi, Petru! criait-elle. Dis à ta maman de me pardonner! Dis-lui, autrement je vais la rejoindre, je vais la rejoindre si tu ne lui dis pas!

Petru l'écoutait sans comprendre et il lui fit un petit signe de la main pour la calmer. Les mottes de terre continuaient à rouler. La fosse était presque pleine. Et plus la terre montait, plus Nora se débattait. Elle était tombée à genoux dans la neige. Le pope s'approcha de Petru et lui chuchota :

– Elle redoute je ne sais quoi, peut-être une malédiction, et c'est vous qui pouvez l'aider, qui pouvez rompre le sortilège. Faites-le!

Petru, très calme, regardait Nora, mais il ne comprenait toujours pas. La nuit tombait, et ce ciel d'hiver qui s'obscurcissait lui remplissait le cœur d'une paix infinie.

– Dites à la morte de lui pardonner, chuchota le pope, impérieux.

Petru se pencha sur la fosse et dit à voix haute :

– Pardonne-lui, maman!

Nora fit le signe de la croix et, toujours à genoux, commença à prier en se balançant en cadence, comme pour égrener un long chapelet.

Enfin, les croque-morts placèrent les couronnes sur la tombe, puis ils se retirèrent à quelques pas de là pour attendre leur pourboire, qu'un secrétaire de M. Baly alla aussitôt leur distribuer discrètement.

Petru restait immobile devant la tombe. Il devait, d'une façon ou d'une autre, faire ses adieux à sa mère, et il ne savait pas comment. Il ferma les yeux, pria pendant quelques instants, puis se signa et fit demi-tour.

Ses amis l'attendaient. Alexandru le prit par le bras. Il voulait lui prodiguer toutes sortes d'encouragements, mais il n'eut pas le temps d'ouvrir la bouche. Petru libéra son bras et dit :

– J'ai juré, il faut que je tienne parole, et vite!

David et Liza s'approchèrent, mais Petru ne les remarqua même pas. Il continua de parler à Alexandru :

– Je lui ai juré de les ramener tous à Arvireşti... Ça ne va pas être commode! A ton avis, combien d'années il va me falloir pour racheter une grande propriété comme la nôtre?

CET OUVRAGE
A ÉTÉ COMPOSÉ
ET ACHEVÉ D'IMPRIMER
PAR L'IMPRIMERIE FLOCH
À MAYENNE EN AVRIL 1987

N° d'édition : 9403. N° d'impression : 25359
Dépôt légal : avril 1987.
ISBN : 2-85197-701-6 – ISSN : 0750-2052
(Imprimé en France)